Très chère Marie,

On ne l'a pas lu assez, on ne l'ai à peine raconter. J'espère pouvoir un jour te le lire à l'oreille, en chuchotant pourquoi pas, allongés au soleil dans un parc de Tanger, de Tokyo ou d'Imerimandroso...

Tu vas me manquer

Je t'embrasse... (+ ...)

Gao

COLLECTION
L'IMAGINAIRE

Joseph Kessel

Au Grand Socco

Gallimard

Né en Argentine en 1898 de parents russes ayant fui les persécutions antisémites, Joseph Kessel passe son enfance entre l'Oural et le Lot-et-Garonne, où son père s'est installé comme médecin. Ces origines cosmopolites lui vaudront un goût immodéré pour les pérégrinations à travers le monde.

Après des études de lettres classiques, Kessel se destine à une carrière artistique lorsque éclate la Première Guerre mondiale. Engagé volontaire dans l'artillerie puis dans l'aviation, il tirera de cette expérience son premier grand succès, *L'équipage* (1923), qui inaugure une certaine littérature de l'action qu'illustreront par la suite Malraux et Saint-Exupéry, et que lui-même prolongera dans *Vent de sable* (1934) et *Le bataillon du ciel* (1938). Envoyé en Sibérie en 1918, il y découvre un monde bolchevique qui servira de trame à son premier roman, *La steppe rouge* (1922), une chronique sans concession du quotidien de la révolution communiste.

À la fin des hostilités, il entame une double carrière de grand reporter et de romancier, puisant dans ses nombreux voyages la matière de ses œuvres. C'est en témoin de son temps que Kessel parcourt l'entre-deux-guerres. Parfois l'écrivain délaisse la fiction pour l'exercice de mémoire — *Mermoz* (1938), à la fois biographie et recueil de souvenirs sur l'aviateur héroïque qui fut son ami, ou *Dames de Californie* (1929), qui relate ses souvenirs du « paradis » américain. Mais le versant romanesque de son œuvre témoigne tout autant d'une volonté journalistique : derrière le portrait de Séverine, l'héroïne bourgeoise de *Belle de Jour* (1929) éprouvant le désir animal de se prostituer, c'est toute la part maudite des « années folles » que Kessel entend mettre au jour; de même, *La passante du Sans-Souci* (1936) témoigne en filigrane de la montée inexorable du nazisme.

Après la Seconde Guerre mondiale, durant laquelle il joue un rôle actif dans la résistance à l'occupant (on lui doit *Le chant des partisans*, écrit avec son neveu Maurice Druon), Joseph Kessel renoue avec ses activités de journaliste et d'écrivain, publiant en 1950 l'immense *Tour du malheur*, qui fait écho à sa propre existence qu'il transpose dans celle d'un antihéros, Richard Dalleau, amoureux farouche de la vie et de tous ses excès.

Après le succès formidable du *Lion* (1955), sorte de reportage romancé situé dans une réserve d'animaux où une jeune fille s'éprend d'un lion du Kilimandjaro, il entre à l'Académie française en 1962 et se consacre à de vastes fresques historiques, à l'instar des *Cavaliers* (1967) qui s'inspire d'un voyage effectué dans les steppes d'Asie centrale pour exalter la « liberté merveilleuse et sauvage » de civilisations encore mal connues.

Joseph Kessel est décédé en 1979.

Au pied du Vieux Tanger, et devant les portes mêmes de la muraille fortifiée qui enferme son labyrinthe de ruelles étroites, on trouve la place du Marché, le Grand Socco.

Autrefois, c'est-à-dire voilà trente ans à peine, le Grand Socco donnait sur la campagne et sur des collines de sable. Aujourd'hui, de toutes parts, la cité neuve, étrangère, arrête la vue. Mais aujourd'hui comme autrefois, du matin jusqu'au soir, marchands, acheteurs et curieux se rencontrent en plein soleil, en plein vent, sur le Grand Socco, parmi les guenilles aux cent couleurs et la rumeur aux mille cris.

Les éventaires y sont misérables et proposent seulement les objets et les aliments les plus primitifs, les plus pauvres. Les halles aux viandes, aux poissons, aux légumes, se trouvent à quelques pas, mais invisibles, cachés par des murs et des toits. Les étoffes éclatantes et les bijoux ouvragés, on les voit dans la rue des Siaghines, à l'intérieur des remparts; et là s'alignent aussi, par dizaines, les changeurs dans leurs boutiques, ou derrière des comptoirs installés à même le pavé.

Au Grand Socco ne se tiennent que les charmeurs de serpents, les lecteurs à haute voix, les écrivains publics, les marchands de khol, de piment haché ; les vendeurs de pâtisseries gluantes, de fleurs odorantes, de paniers tressés.

Et les paysannes qui sont là, coiffées de grands chapeaux de paille et les jambes guêtrées par des morceaux de mauvais cuir, elles viennent des douars lointains, elles ont cheminé et cheminé à travers les ronces déchirantes pour proposer aux chalands un poulet famélique, ou quelques œufs, ou seulement une brassée de charbon de bois. Leurs visages ne sont pas voilés. À tant de misère et de labeur, cette liberté, du moins, est permise.

Des bourricots trottinent, des automobiles précieuses fendent lentement la foule. Dans le fond, frémissent les arbres séculaires de la Mendoubia, où le représentant du Sultan de Rabat régit la vie musulmane.

Et c'est le Grand Socco, naturellement, que choisit le petit Bachir, bossu par-devant comme par-derrière, quand il eut à conter ses histoires étonnantes.

Quel âge avait Bachir ? Dix ans, ou douze, ou quatorze ? Qui étaient ses parents ? Miséreux des faubourgs, ou paysans de douar, ou nomades ? Morts ou partis pour toujours en zone française, en zone espagnole ? Et où était né Bachir, le petit bossu ? Tanger ? Tetouan ? Larache ? ou dans le Rif sauvage ? ou dans le Souss encore plus secret ? Personne ne le savait, et surtout pas lui-même. Et personne ne s'en inquiétait. Et lui moins que les autres.

Il appartenait à ce peuple d'enfants arabes abandonnés à eux-mêmes pour ainsi dire depuis leur naissance et qui poussent par miracle, comme des plantes. Beaucoup meurent en croissant. Ceux qui résistent sont vraiment doués pour vivre.

Tout le monde, vieille ville ou cité neuve, connaissait

Bachir. Même bâti de façon naturelle, il eût été en tout point remarquable. Ses traits étaient beaux par la finesse et l'audace, ses cheveux bouclés et sauvages ; les lignes de la bouche montraient une volonté singulière. Et les yeux, chez lui, retenaient surtout l'attention parce qu'ils exprimaient des qualités bien au-delà de l'âge de Bachir : l'ironie, la patience et la mélancolie.

Enfin, il chantait comme un ange.

Oui, même bâti à la toise ordinaire, Bachir n'aurait pu se laisser oublier. On imagine aisément l'impression qu'il faisait avec ses deux bosses. La plus grande, de la taille et de la forme d'un pain de sucre, surgissait dans son dos. Sur la poitrine, il semblait porter un œuf d'autruche. Malgré quoi, il n'avait rien du polichinelle. Il était fort et rapide. Il possédait en même temps une manière de secrète majesté. Et sa hardiesse, sa décision, son intelligence, lui soumettaient toute une tribu de petits cireurs, crieurs de journaux et mendiants. Ils formaient une cour en haillons sur laquelle, déguenillé, il régnait.

Ses lieutenants favoris étaient un garçonnet minuscule, coiffé d'un fez énorme, et une fillette si élancée, si fraîche, jolie et légère, qu'elle avait l'air d'appartenir moins à la vie qu'à un conte.

Or, un jour d'été et à l'heure où sur le marché du Grand Socco l'activité, le mouvement, les couleurs et le bruit étaient à leur paroxysme, Bachir, le bossu, apparut, suivi du tout petit Omar au grand fez rouge et d'Aïcha, à la démarche dansante. Omar portait une flûte de roseau et Aïcha un tambourin. Bachir, lui, comme à l'ordinaire, tenait les mains profondément enfoncées dans les poches de sa culotte déchirée.

D'abord personne ne fit attention à eux. On était

habitué à les voir au Grand Socco. Et même les voyageurs de passage à Tanger qui, en dix langues différentes, commentaient avec étonnement et naïveté les merveilles du marché en plein soleil ne remarquèrent pas les trois petites silhouettes perdues dans la foule bigarrée et grouillante.

Mais alors le petit garçon coiffé de l'immense fez rouge et la fille dont chaque mouvement avait une grâce étonnante, firent résonner leurs instruments, et Bachir commença de chanter. Et quand l'enfant bossu chantait, il commandait un silence émerveillé. La pureté, la suavité, la douce richesse de sa voix semblaient hors de la condition humaine. Ses mélodies étaient douées du même pouvoir.

Elles avaient le pathétique espagnol, et en même temps le mystère de la mélopée arabe, et on ne les entendait jamais en Espagne, ni dans une autre partie du Maroc. C'étaient des chants andalous du temps de la conquête maure, mais oubliés en Andalousie et n'ayant pas pénétré plus avant en Afrique.

Et les chants séculaires et transplantés se répandirent par la voix du petit bossu sur le Grand Socco, et les acheteurs oublièrent leurs achats et les marchands leur commerce. En quelques instants, une foule dense et profonde entoura Bachir.

On y trouvait une variété inimaginable de visages et d'accoutrements. Vieillards dont la noblesse était celle des temps pastoraux, faces atrocement grêlées par la petite vérole, gens du Sud et du Nord, de la montagne et de la plaine, des villes et des douars, caravaniers, négociants, débardeurs, nègres et demi-nègres, Chleuhs, Rifains et Darkaouas (ceux-ci de la religion la plus fanatique), paysans et mendiants, chacun avec la coiffure, les guenilles ou la djellabah appropriées à son métier, sa condition, sa tribu ou sa secte. Et les femmes se tenaient derrière les hommes, voilées ou non, et celles qui l'étaient portaient des étoffes blanches, noires, bleues ou roses, et celles qui ne l'étaient pas avaient les nattes au vent ou couvertes par de grands chapeaux de paille. Et ils avaient tous, dans les yeux, la même attention naïve et intense.

Bachir, soudain, cessa de chanter. Un long frémissement de faim inassouvie parcourut la foule. Mais Bachir leva la main et de nouveau se fit un grand silence.

Et Bachir cria :

— Amis de tous les chemins et de tous les métiers, marchands, paysans, artisans, scribes, pêcheurs et caravaniers, vous le savez bien : l'homme est à chaque instant dans la main d'Allah. Et il ignore toujours ce qu'il deviendra dans l'heure qui vient. Et moi surtout qui vais mon sentier dans la vie, en suivant les génies qui volent à travers ma tête. Or voici que, au moment où j'approchais sans dessein du Grand Socco, un esprit m'a parlé :

« — Ô Bachir, deux fois bossu, a-t-il dit, partage tes expériences avec tes amis, pour les enlever à leurs soucis de chaque jour et pour mieux leur découvrir le vaste monde et ses destins. Mais n'agis pas, ô Bachir, à la façon de ceux qui lisent à haute voix les récits dans les livres, ou de ceux qui sans cesse remâchent le passé, ou de ceux-là encore qui se plaisent aux histoires inventées. Non, dis ce que tu as vu par toi-même. Et fais tes contes avec la vérité de tes jours et de tes nuits. Ainsi tes amis approcheront la folie et la sagesse et connaîtront les peines et les rêves de leur temps. Et aussi, ils vivront la vie de dix peuples, car toi, mendiant bossu, tu es de Tanger où se rencontrent les voyageurs de toutes les terres. »

Et tandis qu'un murmure de curiosité fiévreuse courait à travers la foule aux cent bouches, Bachir frappa brusquement sa bosse de devant et s'écria :

— Et qui, en vérité, connaît mieux que moi cette ville, l'ancienne et la nouvelle, et ses rues et ses maisons, et ses secrets, et les fidèles qui la peuplent et aussi bien les étrangers ? Allah ne m'a-t-il pas accordé le don des langages ? L'espagnol et le français, je les ai appris en même temps que l'arabe, car les Français et les Espagnols occupent notre pays. Quand les nations d'Europe se faisaient la guerre et que les Allemands sont venus ici, j'ai servi, tout enfant, de cireur de bottes à leurs officiers. Et quand cette guerre a été finie, en attendant celle dont maintenant ils se menacent, j'ai fait le même service chez les Américains. J'ai porté les plateaux de café dans les jardins des hôtels splendides. Et j'ai soigné les ânes du *foundouk* où s'arrêtent les caravanes. J'ai tiré la navette du tisserand et j'ai mendié. Et j'ai chanté dans les plus riches demeures. Et qui donc se gêne devant un enfant, un pauvre, un bossu ? Personne. Et j'ai regardé les vies et les cœurs, et les pensées. Et voilà de quoi je vais vous faire récit, ô mes frères...

Alors les gens qui entouraient le petit Bachir se laissèrent glisser lentement sur leurs talons ou sur leurs jambes croisées, en un demi-cercle où l'on voyait mieux les faces marquées par tant de métiers, de lieux, de climats, et de peuples divers.

Et placés par le hasard, par la force, ou par la ruse, on vit au premier rang : Mohamed, l'écrivain public, Abderraman, le riche badaud, et le bon vieillard Hussein qui vendait du khol, Ibrahim le jeune et beau marchand de fleurs, Sayed qui lisait à haute voix des histoires anciennes, Abdallah, le pêcheur aveugle, et Zelma la bédouine effrontée au front plein de tatouages.

S'adressant d'abord à eux par politesse, Bachir commença.

Le tambour-major

« Or, une nuit, dit Bachir, ou plutôt à la fin d'une nuit, car le matin n'était pas loin, je me trouvais à l'endroit où les remparts de la vieille ville descendent jusqu'à la route qui mène au port. Il y a là un assez grand espace libre où l'on peut ranger des voitures. Et les étrangers qui veulent visiter la vieille ville, en temps de nuit, et aller dans les établissements où l'on boit et danse, ou dans les maisons des rues mal famées, laissent leurs grandes, leurs belles automobiles à l'abri des remparts.

« On peut gagner quelques pesetas faciles en ouvrant les portières ou en gardant les voitures. La chose est bien connue. Aussi, chaque nuit, vingt ou trente garçons pas plus riches que moi et sans plus de famille, essayent leur chance. Il y en a des petits et des grands, mais ils travaillent tous pour un ou deux chefs, qui sont des hommes faits et auxquels ils portent tout l'argent qu'ils ramassent. La peur les pousse à cela, mais pas seulement la peur. Ils ont besoin d'être dirigés, commandés ; ils n'ont pas de tête à eux.

« Moi, je ne veux pas de patron. Ou alors, c'est moi le patron pour mes amis. Au commencement, les autres ont essayé de m'effrayer. Mais j'ai des dents pour mordre, des doigts pour les enfoncer dans les yeux, des jambes pour courir et quelque chose sous le front. Bientôt ils m'ont laissé travailler à ma guise avec Omar et Aïcha. »

Une voix rêche et monotone s'éleva alors parmi les auditeurs du premier rang : celle de Sayed qui gagnait sa vie en faisant lecture aux bonnes gens de poèmes, de chroniques et de recueils de fables.

— Voilà, voilà, j'en étais sûr, disait-il. Ce petit menteur à deux bosses, après nous avoir appâtés par des promesses extraordinaires, de quoi parle-t-il, en vérité ? Il nous ennuie les oreilles avec les aventures des voyous des rues.

À quoi Bachir répondit sur un ton très suave :

— Rassure-toi, je t'en prie, ô Sayed. Comment pourrais-je te faire concurrence ? Je n'ai besoin ni de tes lunettes, ni des livres éculés que tu trouves chez les colporteurs. Et tous les âges, tu verras, prennent place dans mes contes.

— De toute manière, cet enfant a une voix qui fait du bien à entendre, dit Abdallah, le vieux pêcheur aveugle. Écoutons-le.

— Écoutons, écoutons, cria Abderraman, le badaud bien vêtu, au ventre gras et à la barbe teinte de henné.

— Écoutons, dirent tous les autres.

Et Bachir parla de nouveau.

« Donc, ce soir-là, Allah étant favorable, nous avons fait quelque argent et j'ai emmené Omar et Aïcha manger des brochettes de foie et des gâteaux dans la vieille ville. Quand nous avons eu l'estomac bien plein, bien gai et plus une seule peseta, nous sommes revenus à l'endroit des voitures. Mais toutes étaient parties. La nuit déjà finissait. Les autres garçons étaient allés se coucher ou sous un porche ou sur la plage. Cependant je n'avais pas envie de dormir, ni Omar, ni Aïcha. Le sommeil ne convient pas à ventre joyeux.

« Le désir m'est venu de voir les pêcheurs s'embarquer sur la mer, et nous avons été vers le port. Ainsi, nous sommes passés devant le *Marchico.* »

À ce nom, une main large et courte et toute tachée d'encre se tendit vers Bachir, et Mohamed, l'écrivain public, demanda :

— Explique-toi bien, ô conteur. Car le *Marchico* dont tu parles m'est tout à fait inconnu.

— Et à moi ! et à moi ! et à moi aussi ! crièrent beaucoup d'auditeurs.

— Et à moi-même, dit Abderraman, le riche badaud en hochant avec étonnement sa barbe opulente passée au henné.

À quoi Bachir répondit en continuant de la sorte :

« Je vous comprends, ô mes amis. Vous avez des travaux, un toit, une famille. Le jour fini, vous regagnez vos douars, vos faubourgs, vos foyers, vos *foundouks.* Il vous faut un sommeil honnête avant de reprendre l'ouvrage. Comment connaître alors le *Marchico,* la taverne du cœur de la nuit ?

« Elle est située à main gauche quand on marche vers le port, à quelques pas de ses grilles et en face du Café de la Douane. Mais les grilles et le café sont fermés depuis longtemps et les rues sont vides dans la ville neuve et même dans la ville vieille et la musique a cessé dans les établissements de danse et les femmes de mauvais aloi s'endorment dans leurs maisons silencieuses quand la vraie vie commence au *Marchico.*

« C'est là que viennent les gens que l'esprit de la nuit et du bruit tient debout jusqu'au plein jour, ceux qui ont assez d'argent pour ne pas s'inquiéter du lendemain, ou pas assez de lendemain pour s'inquiéter de l'argent. Et viennent aussi les musiciens et les chanteurs des maisons de danse pour manger et boire et pour écouter des chanteurs et des musiciens encore plus misérables. »

— Le monde est étrange, remarqua doucement le bon vieillard Hussein qui vendait du khol.

— Le monde change, soupira Abdallah, le pêcheur aveugle. Lorsque mes yeux étaient bons, et que chaque matin je traversais le port, je n'ai jamais vu cette taverne.

Il tendit son regard mort vers Bachir et pria :

— Continue, mon fils.

Et l'enfant bossu reprit :

« Donc nous passions devant le *Marchico*. La fenêtre de cette taverne était, comme toujours, ouverte sur la rue. Le patron que je connaissais bien (et qui ne connais-je pas la nuit à Tanger ?) écrivait comme toujours des chiffres à la craie sur le bois sale de son comptoir. Il y avait là comme toujours quelques Espagnols, quelques Arabes, quelques Maltais, quelques Juifs, tous très pauvres, et une grosse Espagnole de vie très éhontée, très gaie, très ivre. Et une autre maigre, très triste, très ivre aussi. Par moments, un Espagnol faisait danser l'une d'elles, tandis que l'autre chantait d'une gorge brûlée par ces boissons de feu qu'Allah, en sa sagesse, nous interdit.

« Tout ressemblait à tous les matins, j'allais donc continuer ma route avec Omar et Aïcha. Soudain, j'ai entendu la voix de Manolo qui commençait un flamenco. Et je me suis trouvé à l'intérieur sans penser à rien d'autre.

« Si les hommes étaient justes, Manolo devrait avoir gloire et fortune, comme personne. Parce que personne ne peut mettre dans sa voix autant de cœur et autant de tristesse. Mais il est laid et il est malade. Il a le cou gonflé sur le côté d'une mauvaise grosseur ; les yeux lui sortent de la tête ; il a des crises qui le font tomber. Il ne peut pas travailler tous les soirs. Alors il ne trouve pas d'emploi. Et il a faim, et, très jeune, il a l'air d'un vieux. Quand il chante dans les rues ou au *Marchico*, les gens, en l'écoutant, oublient tout. Puis ils secouent la tête et ils disent : « Le pauvre ! Comme il est malade ! » Et moi je voudrais leur crier : « S'il n'était pas si malade, il ne chanterait pas comme il fait. »

« Le guitariste qui accompagnait Manolo, je le connaissais bien aussi. Un petit noir, gros, qui porte toujours un manteau déchiré, un chapeau sale enfoncé sur le front et de grosses lunettes noires. Ce n'est pas un très bon guitariste, mais il comprend que Manolo est un grand chanteur et quand il joue pour lui, il fait tout ce qu'il peut. Il le sert, et, aussi, il le soigne.

« Après deux flamencos, Manolo s'est mis à tousser, et s'en est allé au comptoir avec le guitariste demander des saucisses et du vin. Une des Espagnoles, la plus grosse, la plus vieille, l'a embrassé en pleurant.

« Alors je suis revenu à moi, car je reste quelque temps comme endormi quand Manolo cesse de chanter, et j'ai aperçu dans le fond de la salle mon ami Flaherty. Vous l'avez vu souvent. Il habite Tanger depuis avant ma naissance et il n'est pas fier et il s'intéresse à tout dans la ville. Vous l'avez assurément rencontré. Ou bien à la Kasbah, ou bien dans les cafés du Petit Socco. Ou bien ici, au Grand Socco, car il aime beaucoup le marché en plein air. »

Des voix curieuses, pressantes, arrêtèrent Bachir :

— C'est le grand et fort étranger aux cheveux gris et aux longues moustaches rouges ? demanda Abderraman.

— Qui va toujours tête nue ? dit Mohamed, l'écrivain public.

— Il me fait souvent porter des bouquets en ville, cria Ibrahim le marchand de fleurs.

— Et il est très bon, malgré son air féroce, remarqua le doux vieillard Hussein.

À chacun de ces propos, Bachir inclinait la tête sur sa bosse avant. Puis il dit :

— Oui. Tel est bien mon ami Flaherty. Nous nous entendons merveilleusement. Il aime à écouter les histoires et encore plus en raconter. Il en connaît énormément, et de magnifiques, car il a voyagé sur les sept mers.

— Et que fait-il ici ? demanda malgré lui Sayed, le lecteur à haute voix.

— J'allais justement le dire, répliqua Bachir, avec suavité. Et je suis heureux de voir que même toi, ô Sayed, le lettré, tu prends quelque intérêt au récit d'un enfant des rues.

Et il continua :

« C'est en regardant tout ce qui se passe de curieux à Tanger que mon ami Flaherty gagne son existence. Car aussitôt qu'il apprend quelque nouvelle, il l'écrit pour des journaux d'Angleterre. Mais lui, il n'est pas Anglais, il vient d'une autre île, derrière une autre mer, très loin, et qui s'appelle Irlande. Et là il y a des chevaux splendides, beaucoup d'hommes à poil rouge et beaucoup de fantômes. »

À ce mot, toutes les femmes présentes dans l'auditoire firent les signes qui conviennent pour conjurer le mauvais sort. Et, en cachette, bien des hommes les imitèrent.

Et Bachir reprit :

« Chaque fois que mon ami Flaherty me voit, il m'adresse, je ne sais pourquoi, un clin d'œil comme s'il se moquait avec moi de tous les autres.

« C'est ainsi qu'il a fait encore au *Marchico*, mais son clin d'œil était beaucoup plus long que d'habitude. Par là et aussi par son visage enflammé, j'ai compris qu'il avait bu énormément de ces boissons qu'Allah interdit à ses fidèles et que tant d'Européens aiment pour leur malheur.

« M. Flaherty n'était pas seul. Avec lui se trouvaient deux étrangères. L'une avait des cheveux tout blancs, mais elle se tenait très droit, et ses yeux très noirs, très durs, brûlaient d'un feu terrible. L'autre était jeune et sa beauté, ô mes amis, étonnait le regard.

« Leurs habits, à toutes les deux, étaient d'une finesse, d'une richesse extrêmes. On voyait bien que, dans la société des infidèles, elles avaient un haut rang. »

Ici, un tel vacarme éclata dans l'auditoire que, d'abord, Bachir ne put rien discerner. Mais peu à peu il lui fut possible d'entendre les gens qui se trouvaient placés juste devant lui.

— Je n'ai jamais entendu, je n'ai jamais lu honte pareille, disait Sayed.

— Hé quoi, deux femmes de bien, à une heure indigne, dans une sale taverne ? s'étonnait le badaud Abderraman.

— Avec des musiciens de basse classe et des filles éhontées ? criait Mohamed, l'écrivain public.

— Le monde est étrange, en vérité, disait le bon vieillard Hussein.

— Le monde change, le monde change, répétait Abdallah l'aveugle.

— Une femme jeune et belle au petit matin sans son mari ! gémissait la bédouine Zelma, les yeux tout éblouis.

Haussant la voix autant qu'il en avait la force, Bachir s'écria :

« Croyez-moi, croyez-moi, ô mes frères en foi véritable, je dis seulement ce que mes yeux ont vu. Et ne vous étonnez de rien quand il s'agit des infidèles, car leurs coutumes, parfois, ressemblent à la folie.

« Ainsi les deux Espagnoles ivres ont commencé tout à coup à s'injurier, puis à se battre. Le patron était prêt à sortir de son comptoir pour les séparer, quand un autre homme est intervenu. C'était un Maltais sans travail, habitué aux femmes de mauvaise conduite. Il a donné une gifle à la plus vieille et s'est mis à danser avec l'autre. Il le faisait d'une façon dégoûtante. Mais au lieu d'en être fâchées ou écœurées, les deux étrangères regardaient cela avec amusement.

« Elles ont dit quelque chose à mon ami Flaherty. Lui, il m'a cligné de l'œil et il a ri dans ses moustaches rouges, puis il a fait signe au guitariste. Celui-ci s'est mis à jouer un air très vif. La grosse Espagnole a commencé à claquer des mains. Et le danseur s'est montré encore plus éhonté qu'avant. Les deux dames lui ont donné beaucoup de pesetas.

« À ce moment est entré dans la salle du *Marchico* un autre de mes amis. C'était un vieux petit Juif, mais pas de nos Juifs à nous, qui, eux-mêmes et leurs pères et les pères de leurs pères, sont nés à Tanger. Non, le vieux Samuel est de ces Juifs qui sont venus juste avant la guerre de ces endroits de l'Europe où ils étaient battus et même tués. Les Juifs de Tanger ne se sentent pas leurs frères et ne les aident pas. Samuel était très pauvre en arrivant et il est resté très, très pauvre. Il gagne son pain en dessinant les visages des gens dans les restaurants et ceux qui sont contents de ses dessins les achètent.

« Donc le vieux Samuel est entré dans le *Marchico* avec son rouleau de feuilles blanches sous le bras. Il avait l'air très accablé. Pour être debout si tard il ne devait pas avoir eu de chance toute la soirée.

« Ses yeux usés, fatigués, ont fait le tour de la salle et il a vu tout de suite qu'il n'y avait là que deux personnes capables de lui acheter un dessin : les deux étrangères. Mais le vieux Samuel ne semblait pas faire attention à elles. Il s'est mis à dessiner la figure de M. Flaherty. Il l'avait fait cent fois déjà et il n'attendait aucun argent de M. Flaherty. Ils étaient amis et si M. Flaherty avait été riche, le vieux Samuel n'aurait pas eu à s'inquiéter pour son pain. Seulement, à l'ordinaire, l'argent et la générosité ne se trouvent pas dans la même paume.

« Cela ne rapportait donc rien à Samuel de dessiner M. Flaherty, mais le vieux petit homme était fier et timide. Il évitait de s'adresser aux gens pour faire leur portrait, il tachait d'attirer leur attention sans en avoir l'air, en dessinant quelqu'un d'autre qu'il connaissait bien.

« Ainsi faisait-il avec M. Flaherty comme appât et M. Flaherty le savait aussi bien que moi. Et, je vous l'ai dit, il aimait beaucoup le pauvre Samuel.

« Ce dernier a vite achevé un dessin très bien, très ressemblant et M. Flaherty a montré ce portrait aux deux dames qui étaient avec lui. Et la jeune, la belle, a eu un mouvement de pitié pour le vieux petit Samuel. Mais l'autre, aux cheveux blancs et aux yeux noirs terribles, a pris le dessin et l'a déchiré d'un seul coup.

« Mon ami Flaherty s'est levé sans rien dire et il est allé sur le seuil du *Marchico*, en ouvrant grand la porte... Je suis venu près de lui. Il parlait très vite. Pour moi ? Pour lui tout seul ? À cause de la boisson de feu ? Ou à cause d'autre chose ? Je ne pouvais pas le savoir. Mais je ne reconnaissais presque plus sa voix, ses yeux, pas même sa moustache. Tout était devenu si triste, si faible chez cet homme fort et joyeux. Et il disait : « J'en ai assez des gens avec qui j'ai à vivre ici. Riches, durs, vides... Et je dois leur servir de chien savant ! Ils ne m'estiment que si je les fais rire. Alors ils m'aident dans mon métier, ils me prêtent de l'argent, ils me chargent de vendre un terrain, une maison ou un bijou. Est-ce une vie ? J'étais venu pour une semaine... Et dix ans ont déjà passé. »

« J'avais très mal pour mon ami... Je lui ai demandé : « Mais alors pourquoi es-tu resté ici ? Et combien de temps vas-tu rester encore ? »

« Mon ami Flaherty alors, sans répondre, a fait un grand geste... Et j'ai vu que le soleil se levait. Et la mer était toute fraîche. Et les barques des pêcheurs partaient sous leurs voiles. Et toute la Kasbah, toute la vieille ville devenaient roses. Et l'air sentait comme le miel des ruches. »

Dans le silence profond qui, maintenant, environnait Bachir, une sorte de plainte émerveillée se fit entendre. C'était Abdallah, l'ancien pêcheur, qui parlait en renversant la tête, et roulait vers le ciel ses prunelles aveugles.

— C'était ainsi ! Allah ! Allah ! C'était ainsi au temps où mes yeux savaient encore voir. Allah, Allah ! Il est donc des choses dans le monde que Tu ne changes point !

Et Bachir reprit :

« À ce moment, le vieux petit Samuel est sorti du *Marchico*.

« — Je regrette sans fin, lui a dit mon ami Flaherty. Vraiment sans fin. »

« Le vieil homme a eu l'air plus effrayé encore qu'au moment où la dame aux yeux terribles lui avait déchiré son dessin. Il a dit, très vite, dans son mauvais anglais :

« — Mais non, mais pourquoi... Je comprends, il est tard, tout le monde est fatigué... »

« Et il est parti avec ses rouleaux de papier blanc sous le bras.

« Nous sommes rentrés au *Marchico.*

« Alors le petit Omar, mon compagnon fidèle, que vous voyez ici près de moi, s'est approché des deux dames, a enlevé son grand fez rouge et a demandé l'aumône. Je lui avais appris que la fatigue de l'aube rend l'argent plus facile. La vieille dame aux cheveux blancs et aux yeux terribles lui a crié : « Va-t'en, sale petit mendiant. »

« Mais l'autre, la belle, s'est mise à rire et s'est moquée :

« — On m'a demandé des pesetas toute la journée, a-t-elle dit. Je n'en ai plus. Pourquoi ne me donnerais-tu pas, toi, une peseta ? »

« Omar, lui, ne comprend pas l'anglais et il continuait à pleurnicher pour notre aumône. Mais moi, je voyais bien la raillerie de cette belle dame. Et je pensais à toute la richesse qu'elle possédait et au pauvre vieux Samuel et à Manolo et je n'ai pas voulu qu'elle rie de nous. Il me restait juste une peseta. Je l'ai trouvée dans mes haillons, je l'ai sortie. Je suis allé à la table et je l'ai mise dessus en frappant très fort de ma paume.

« D'abord, ce mouvement a effrayé la belle dame, car elle a reculé sa chaise. Ensuite, elle s'est mise à rire de nouveau, mais cette fois très doucement. Mais je lui ai tourné le dos et suis allé rejoindre mon ami Flaherty qui buvait au comptoir.

« La belle dame, alors, a fait signe à Omar et lui a donné cinq pesetas. Comme toujours, Omar me les a rapportées. J'ai pensé « Elle croit que je lui ai fait cadeau de mon argent pour en recevoir davantage ». Et cela m'a donné un grand dépit, parce que, avec d'autres, j'aurais pu en effet calculer de la sorte. Mais pas avec elle !

« Comme je ne savais que faire, un marchand de fleurs arabe a jeté un coup d'œil par la porte ouverte et, ayant aperçu les deux dames, est venu leur proposer sa marchandise.

« — Va-t'en, sale fainéant ! » lui a dit la vieille aux yeux terribles.

« Alors, Allah me poussant, j'ai pris pour cinq pesetas de bouquets au vendeur. Pas pour cinq pesetas d'étranger, mais pour cinq pesetas de marchand de fleurs, car c'est un métier que j'ai fait moi aussi. Et cette brassée, je l'ai posée devant la jeune dame. »

Un beau rire, à ce moment, interrompit le récit du petit bossu et Ibrahim, qui vendait au Grand Socco les jasmins les plus blancs, les œillets les plus vifs et les roses les plus fraîches, s'écria en montrant ses dents éclatantes :

— Par mon père, qui déjà colportait des fleurs dans les rues de Tanger, elle a dû recevoir, de tes mains, tout un buisson. Car les prix sont les plus bas à la fin de la nuit.

— C'est bien ce qui a tant surpris la belle dame, répondit Bachir. Et ma vie, pour un temps, s'en est trouvée changée.

Il sembla réfléchir profondément, mais ce n'était

qu'une ruse pour bien s'assurer de l'attention de tous. Bientôt, il poursuivit :

« Ayant donné les fleurs, j'ai voulu m'en aller. Mais la belle dame m'a retenu par le poignet et a dit :

« — Comme il est drôle, ce petit bossu et il se conduit plus fièrement qu'un enfant de riche. Est-ce que tous les mendiants, ici, lui ressemblent ? »

« J'aurais très bien pu arracher ma main à la belle dame, mais la sienne était si douce que je n'ai pas eu la force de le faire, ni même l'envie. Sa voix me plaisait aussi, parce qu'elle était riche et rapide et avait un son de gorge. Et à cela, j'ai reconnu que cette jeune femme venait d'Amérique, ayant entendu beaucoup de voyageurs et appris à distinguer leurs accents.

« Et quand l'autre — aux yeux terribles — s'est mis à parler, j'ai su tout de suite qu'elle était une Anglaise de haute société, car elle parlait du bout de ses lèvres dures, avec négligence et dédain, sans achever les mots, comme si elle les trouvait indignes d'elle.

« — Lâche-le donc, ma chère, a dit la vieille dame. Ou tu vas nous passer toute sa vermine. »

« La belle Américaine a retiré sa main d'un seul coup et comme si elle avait touché de la braise. Mais en même temps, elle a fait signe à mon ami Flaherty d'approcher. Et elle lui a demandé :

« — Est-ce qu'il a des parents ? Est-ce que quelqu'un s'occupe de ce garçon ? »

« M. Flaherty m'a cligné de l'œil, a souri dans sa moustache rouge et a répondu :

« — Personne au monde. Bachir n'appartient qu'à lui-même. »

« — Quelle horreur, quelle pitié ! » s'est écrié la belle Américaine.

«Je me sentais très gêné et très bête. Surtout que Manolo, à ce moment, a commencé de chanter à mi-voix. Mais la vieille dame a tout remis à sa place, en disant :

«— Allons, allons, ma chère, on voit bien que tu viens d'arriver. De ces petits vagabonds, il s'en trouve, ici, des centaines. On ne peut pas pleurer sur eux tous.»

«La belle jeune femme a secoué ses cheveux clairs avec entêtement.

«— Mais celui-là me plaît, a-t-elle dit, je veux le garder avec moi. Il est amusant comme un jouet.»

«Ce mot a fait que les yeux terribles de la vieille dame se sont posés sur moi, et, enfin, elle m'a vu, car, jusqu'alors, je n'avais été pour elle que l'ombre d'une ombre. Puis elle a déclaré :

«— Allons, allons, ma chère, pas de folies. C'est moi qui vais le prendre. J'aurai meilleur emploi pour ses deux bosses.»

«Et la belle et riche Américaine n'a pas discuté. Et mon ami Flaherty n'a rien dit. Et moi-même, je n'ai pas essayé de fuir. En vérité, cette vieille dame avait dans les yeux un pouvoir effrayant.

«Elle a quitté le *Marchico,* grande, droite, la tête rejetée en arrière. Je l'ai suivie. Une énorme automobile est arrivée aussitôt devant nous. Un chauffeur est descendu qui portait un long manteau blanc et une casquette noire à visière étincelante. Il a enlevé cette casquette et a ouvert la portière à la vieille dame terrible. Moi, je suis monté près de lui et la voiture s'est mise à rouler si doucement qu'elle semblait glisser sur des plumes.»

À cette phase de son récit, Bachir s'arrêta si longtemps que Sayed ne put patienter davantage et s'écria :

— Quel démon te tient la langue en suspens et pourquoi nous fais-tu attendre ?

— C'est que, lui répondit Bachir avec suavité, je ne tire pas comme toi mon récit d'un livre cent fois relu, mais de ma mémoire et je cherche à bien me souvenir des choses étonnantes qui me sont arrivées.

— Prends ton temps ! N'oublie rien surtout ! prièrent les autres.

Alors, Bachir continua :

« Vous savez tous, mes amis, où se trouve l'endroit : à une lieue de la ville, et les étrangers l'appellent la Montagne. On pourrait apercevoir d'ici, en grimpant sur un toit élevé, ces collines pleines de bois et de fleurs, qui sont si fraîches, même aux jours les plus chauds. Mais, en vérité, ceux d'entre nous qui sont allés jusque-là, que connaissent-ils de la Montagne ? Ils ont vu seulement des routes où passent les automobiles des riches et les bourricots des paysans ; de longs murs ; des grilles. Rien de plus. Car la Montagne, pour vaste qu'elle soit, est entièrement partagée en propriétés bien closes, bien gardées, et l'on ne peut pas y entrer sans la permission des maîtres. Et ils sont tous des étrangers, venus de tous les pays.

« Mais ces étrangers, mes amis, ne ressemblent guère aux autres, nombreux et agités, que vous rencontrez chaque jour, ici, au Grand Socco, ou, derrière un guide, à travers la vieille ville. Oh non ! Les maîtres de la Montagne ne font point partie de ces passants qui, tout le long de l'année, se suivent dans les hôtels et les rues de Tanger. Et ils ne sont point pareils non plus aux étrangers qui habitent les appartements et les maisons de la ville neuve. Ceux-là s'occupent, en effet, du négoce de l'argent ou du commerce des marchandises ou d'acheter et vendre des terrains, ou bien encore ils sont armateurs, médecins, fonctionnaires, contrebandiers. Ils ont tous quelque travail, quelque souci d'affaires. Mais ceux de la Montagne, eux, ils ne font rien, vraiment rien, exactement rien, que, s'étant établis sur la terre la plus jolie, la plus heureuse, profiter d'une fortune grande et ancienne pour leur repos et leur plaisir.

« À cause de cela, ils sont respectés, honorés à l'extrême.

« Les propriétaires de la Montagne se trouvent donc, pour le rang, les premiers dans la société étrangère. Et parmi eux, les Anglais tiennent la première place. Et pourquoi, mes amis ? Parce qu'ils savent le mieux s'enfermer dans leurs domaines, se passer des autres et les mépriser. Alors les autres les recherchent.

« Or, chez les Anglais de la Montagne, c'est-à-dire les premiers entre les premiers, la toute première personne était la vieille dame aux yeux terribles qui m'avait emmené du *Marchico.* »

Le même sentiment se fit jour, après ces paroles, dans la foule misérable qui se pressait autour de Bachir. À imaginer tant d'opulence et d'autorité, les plus humbles visages prenaient une expression de plaisir profond.

Et l'enfant bossu poursuivit :

« Le mari de la vieille dame (elle s'appelait Lady Cynthia et lui Sir Percival) avait été longtemps, très longtemps au service du Grand Roi d'Angleterre, et il avait gouverné en son nom toutes sortes de pays incroyablement lointains que son Roi possède sur toutes les mers et les terres du monde. Dans ces pays où les habitants sont de toutes les couleurs, Sir Percival avait exercé un pouvoir aussi grand que l'est à Tanger celui du Mendoub, sur nous, les sujets du Sultan. Oui, pendant des années et des années sans nombre, Sir Percival avait été le Mendoub de son grand Roi, à travers les sept Océans.

« Ainsi, il est arrivé à un âge très avancé et il a voulu donner le plus doux repos à sa vieillesse. Alors il a choisi les collines de Tanger. Et là tout le monde l'a honoré au-dessus des autres, à cause de sa puissance passée, de sa belle fortune et de sa haute taille. Tel est le rang de Sir Percival, mes amis.

« Et cependant, auprès de sa femme, il n'est rien. Car, par la force de son caractère et du feu de ses yeux terribles Lady Cynthia a toujours fait de lui ce qu'elle a voulu. De sorte que chez les peuples noirs ou jaunes ou rouges, dont je vous ai parlé, c'était elle le vrai Mendoub. Et ici, elle est le vrai maître de la Montagne.

« Ces connaissances, je ne les ai acquises que plus tard assurément et grâce aux amis de la maison, tous prompts à bavarder sans retenue devant un petit mendiant à deux bosses. Mais j'ai voulu vous dire tout de suite et en une seule fois ce que moi-même j'ai appris peu à peu, car il me semble que, de la sorte, mon récit sera pour vous et plus vif et plus clair. »

— Et tu as bien fait, s'écria Mohamed, l'écrivain public.

— Car, en vérité, remarqua doucement le bon vieillard Hussein qui vendait du khol, en vérité, qui de nous connaît les âmes et les mœurs de ces puissants infidèles ?

— Pas même Abderraman, dit le badaud en étalant avec importance, sur son burnous bleu, sa large barbe cuivrée.

Mais Zelma la bédouine aux joues pleines de tatouages et aux yeux effrontés, se plaignit hardiment :

— Tu nous parles trop de vieillards, dit-elle. Est-ce qu'il n'y a pas de beau jeune homme dans ton récit ?

— Il viendra à son heure, ma tante, lui répondit Bachir. En attendant, continue donc à tromper ta faim sur Ibrahim.

Et tous les voisins de Zelma qui avaient remarqué ses œillades au marchand de fleurs se moquèrent de la bédouine et celle-ci les injuria, mais en riant.

Et Bachir reprit :

« Le soleil était déjà haut quand nous sommes arrivés à la Montagne, mais la fraîcheur de la nuit y reposait encore et à cause de cela tous les jardins dégorgeaient une odeur merveilleuse. Car si les murailles des propriétés cachaient à la vue des passants les fleurs et les arbres, elles ne pouvaient pas contenir leur parfum, qui, au matin, possède sa force la plus vive.

« La magnifique voiture s'est arrêtée devant une haute grille et la grille a été ouverte tout de suite, comme sur un enchantement, par un serviteur qui veillait tout exprès, et la voiture a roulé vers une autre barrière qui, elle aussi, s'est écartée aussitôt et la voiture est allée jusqu'au perron d'une demeure longue, basse et splendide en ses dimensions. Et un troisième serviteur se trouvait déjà là pour aider la vieille dame à descendre.

« Et aucun de ces domestiques, ô mes amis, n'appartenait au peuple de Tanger. Celui qui avait ouvert la grille était un nègre géant soudanais et celui de la barrière, un homme d'un pays qui s'appelle Malaisie et celui du perron, tout de suite on le reconnaissait pour un Chinois. Et le chauffeur, lui, il venait des Indes. Et à chacun d'eux, Lady Cynthia, la vieille dame aux yeux terribles, parlait dans sa propre langue. Et, incapables de comprendre personne, sauf elle, ils la regardaient tous avec énormément d'effroi et de vénération. Ils n'avaient pas dormi de toute la nuit pour l'attendre, mais ils étaient prêts à reprendre leur journée selon ses désirs.

« Lady Cynthia m'a désigné au serviteur chinois et lui a dit quelques mots très rapides. Puis elle est entrée dans sa demeure magnifique. Le Chinois m'a emmené dans une des nombreuses petites maisons cachées parmi les arbres autour de la maison principale et il y avait là des jets d'eau chaude et froide et des savons, et des onguents et des poudres sans nombre. Et ce Chinois éhonté m'a fait enlever tous mes vêtements et il m'a poussé sous les jets d'eau et il m'a enduit de savon, de pommade, de poudre contre les insectes, depuis les talons jusqu'aux cheveux. Et avec des brosses très dures, il m'a étrillé, comme si j'étais un cheval. Ensuite, il a brûlé tous mes habits et il m'en a donné d'autres si neufs, propres et frais que, dans les premiers instants, je me suis tenu tout raide par crainte de les salir ou les abîmer.

« Mais dès que je me suis trouvé dehors et que j'ai commencé de découvrir les vergers, les jardins, les pelouses, les bosquets et les prés, j'ai perdu la tête. Des fleurs et des arbres de toute nature m'entouraient. Et les herbes étaient plus vertes et les bougainvillées étaient plus rouges et les jacarandas plus bleus que partout ailleurs. Et dans de petits fossés, l'eau chantait sans cesse. Pourtant, cela seul n'aurait pas suffi à me rendre fou d'étonnement et de plaisir. Il y avait bien autre chose, ô mes amis !

« Dans chaque jardin, chaque bosquet, dans tous les enclos, se trouvaient les animaux et les oiseaux les plus admirables. Je ne parle point des chiens de toutes sortes dont les plus grands ressemblaient à des lions et les plus petits à des rats, ni des gazelles aux yeux doux, ni même des singes apprivoisés qui sautaient de branche en branche. Mais il y avait des panthères des sables, des girafes et des bêtes plus étranges, plus mystérieuses encore, avec des nez immenses et d'autres avec des poches dans le ventre, et d'autres, dans un étang, qui flottaient comme des morceaux de bois, munies de dents atroces. Et je voyais aussi des cages pleines de petits oiseaux au plumage plus vif que les rayons du soleil et, sur les arbres, retenus par de longues chaînes, des perroquets géants, aux couleurs extraordinaires. Allah tout-puissant ! Cette propriété ressemblait à un rêve ou à l'un de ces contes d'autrefois que Sayed lit et relit jusqu'à nous en rassasier. Jugez de mon enchantement, ô mes amis, quand toutes ces merveilles se sont offertes, vivantes et véritables, à mes yeux. »

Alors, le pêcheur aveugle, Abdallah, cria solennellement :

— Trois fois heureux celui qui, tant qu'il jouit de la vue, a pu contempler de pareils miracles.

Et Bachir reprit :

« J'avais passé beaucoup de temps à parcourir ce lieu extraordinaire, trouvant sans cesse des surprises et des joies nouvelles, lorsque j'ai aperçu la vieille dame, propriétaire de tous ces biens, s'avancer de mon côté. Elle avait changé de vêtements et ne portait plus de peinture sur le visage. C'était le seul repos qu'elle avait pris et on voyait bien qu'Allah lui avait refusé la bénédiction du sommeil.

« Dans sa figure toute creusée, toute jaune, le feu de son regard était encore plus éclatant et plus terrible. Elle l'a fixé sur moi d'une façon qui m'a donné un grand malaise, puis elle m'a fait signe de la suivre en disant brusquement :

«— Les animaux sont la seule excuse de Dieu sur la terre.»

«Je n'ai rien compris à ces paroles et, à cause de cela même, elles sont restées fidèlement dans ma mémoire. Mais j'ai vu tout de suite qu'elle mettait ses bêtes à un rang bien plus élevé que Manolo, le chanteur malade, que le pauvre vieux petit Samuel ou même que mon ami Flaherty et la belle Américaine. Quand elle regardait des chiens, des gazelles, des singes ou encore des perroquets et des tortues, ses yeux n'avaient plus cette méchanceté qu'ils prenaient toujours pour considérer les gens et quand Lady Cynthia parlait à ses animaux ou à ses oiseaux, sa voix devenait pareille à celle d'un enfant en bas âge et elle leur disait des petits mots insensés. Les entendant de n'importe qui, j'aurais bien ri en moi-même, mais, avec cette effrayante vieille dame, l'envie ne m'en venait même point.

«Nous avons visité ainsi toutes les bêtes et Lady Cynthia donnait à manger à certaines, en caressait d'autres et, si l'une d'elles lui semblait mal soignée, elle insultait les serviteurs qui l'accompagnaient et les frappait quelquefois.

«Ensuite, nous nous sommes rendus à la demeure splendide. Là, sur une terrasse bien ombragée, une table était dressée et à cette table un vieil homme se trouvait assis. Dès qu'il a vu Lady Cynthia il s'est levé. Il avait une taille très haute, très droite, un visage très beau, très noble. On sentait qu'il était de grande famille, de grande richesse et qu'il avait toujours eu pour habitude et métier de commander aux autres hommes. Mais, devant Lady Cynthia, il avait des yeux et des gestes d'esclave. C'était son mari.

«Il lui a embrassé la main, il lui a avancé un petit fauteuil. Seulement après il a osé reprendre sa place et commencer son repas du matin. Quel repas, ô mes amis ! Et le pain le plus blanc, et le lait le plus crémeux, et le beurre le plus gras, et les œufs les mieux dorés, et les confitures les plus exquises, et le miel le plus parfumé, et les fruits les plus rares. Mais Lady Cynthia a dédaigné tous ces présents d'Allah le miséricordieux. Elle leur préférait un breuvage de couleur jaune que les infidèles appellent whisky et dont ils abusent comme des fous. Mais du moins, à l'ordinaire, ils attendent pour cela que le jour soit assez avancé. Lady Cynthia, elle, après s'être nourrie toute la nuit de cette boisson, recommençait dès le matin. Sans doute, remplaçait-elle ainsi le sommeil qui lui était refusé.

« Ayant bu trois verres, la vieille dame aux yeux terribles s'est levée. Son mari a fait de même.

« — Je n'ai pas besoin de vous, mais de Bachir », lui a dit alors avec impatience Lady Cynthia.

« Nous sommes allés dans une direction opposée à celle du parc aux bêtes et Lady Cynthia s'est arrêtée près d'un pavillon entouré de fleurs et de pelouses. Et il y avait là des balançoires et des anneaux, et toutes sortes de jeux tellement amusants qu'on pouvait en perdre la tête. Mais Lady Cynthia ne m'a pas laissé le loisir de les bien regarder et nous sommes entrés dans le pavillon. Alors, en vérité, mes amis, je me suis trouvé dans la demeure des sortilèges. Tous les murs étaient faits d'images qui formaient des contes. On y voyait des dragons et des génies, et des nains, et des châteaux, et des carrosses peints en couleurs enchantées. Et le sol était couvert de jouets d'une intelligence sans pareille. Les automobiles marchaient toutes seules, les trains, des vrais trains couraient sur les rails, des poupées agitaient les bras, ouvraient et fermaient les yeux, des ours parlaient. Et de toutes ces merveilles, celle qui les possédait était la plus étonnante.

« Imaginez, mes amis, une petite fille d'une dizaine d'années, habillée comme une princesse, propre et parfumée jusqu'à l'incroyable ; et ses cheveux étaient si clairs, riches et légers, qu'ils attiraient la main pour les caresser, mais si bien peignés qu'on n'aurait pas osé le faire ; et ses traits semblaient avoir été dessinés par l'artisan le plus habile dans le souk des orfèvres ; et sa peau était blanche, et douce, et dorée en même temps comme la pâte d'amandes la plus fine ; et pour ses yeux bleus on eût dit des fleurs rares. En vérité, mes amis, il ne pouvait pas y avoir, dans le vaste monde, une petite fille aussi belle. »

Alors, tintant de tous ses grelots, un tambourin lancé à toute volée vint s'abattre aux pieds de Bachir, sur sa droite.

Il se tourna de ce côté et vit qu'Aïcha, s'étant débarrassée ainsi de son instrument, courait vers la vieille ville. Sa petite silhouette élancée disparut très vite sous les remparts.

— Qu'est-ce que c'est ? Qu'est-ce que c'est ? Dites-moi ce qu'il y a eu ? s'écria Abdallah, le pêcheur aveugle, avec l'avide curiosité des infirmes.

Ses voisins lui expliquèrent l'incident et Zelma la bédouine tatouée dit en riant à Bachir :

— Prends garde, ô démon bossu, cette enfant a déjà pour toi un sang de femme.

— Je la battrai plus tard, elle ne peut pas se passer de moi, dit tranquillement Bachir.

Et il continua :

« Lady Cynthia, ayant embrassé rapidement la merveilleuse petite fille, m'a tiré vers elle et a dit : « Il s'appelle Bachir et il parle en anglais. Je t'en fais cadeau. » Et la petite fille a répondu très poliment : « Merci, grand-mère. J'aime bien ses deux bosses. » « C'est à quoi j'ai pensé... Elles t'amuseront quelque temps, Daisy, je l'espère », a dit la vieille dame aux yeux terribles. Puis elle est partie.

« J'aurais dû m'offenser d'être traité comme un objet qu'on donne, comme une poupée de son. Mais — et je l'avoue à ma grande honte — j'ai été heureux en cet instant et presque fier d'appartenir à une créature qui sentait si bon et qui était si belle. Et de la sorte j'ai irrité Allah tout-puissant et très sage, qui, entre les hommes et les femmes, nous a choisis pour maîtres. »

— Écoutez-moi ce gamin, ce vaurien, ce difforme ! se mit à crier Zelma la bédouine.

Mais les hommes placés autour d'elle lui imposèrent le silence. Et Bachir reprit :

« Je suis donc resté seul avec Daisy et je lui ai offert de nous amuser avec ses jouets magnifiques : « Non, a-t-elle dit. Ils m'ennuient tous. » J'ai voulu toucher un avion, faire rouler le train. « Non, a-t-elle dit, ils sont à moi. » Puis elle est sortie du pavillon en m'ordonnant de la suivre et j'ai reconnu dans sa voix le ton de sa grand-mère.

« Une fois dehors, j'ai proposé à Daisy de venir dans une des splendides balançoires. Elle a refusé. Cela l'ennuyait aussi. Et, comme je faisais un mouvement pour y monter seul, elle me l'a interdit en frappant du pied. Et j'ai vu que ses yeux ne ressemblaient plus à des fleurs, mais aux yeux de Lady Cynthia.

« Et enfin mon sang s'est indigné. Est-ce que vraiment une petite fille, aussi jolie qu'elle fût, pensait me faire obéir par crainte ? Mais elle a deviné que j'allais, pour la défier, sauter dans la balançoire, et, soudain, elle a poussé un cri d'appel :

« — Bango, Bango ! »

« Un grondement s'est fait alors entendre, tellement sauvage que j'en ai eu la moelle glacée, et, avant que j'aie pu retrouver mes esprits, j'ai vu sortir d'un buisson et s'élancer vers nous l'être le plus terrifiant du monde. D'abord, j'ai cru que c'était un nouvel animal, une espèce de grand singe, habillé et dressé pour ressembler à un homme. Il portait un pantalon et une chemise de toile rouge et courait sur ses pattes de derrière en se balançant. Il était noir, velu, court de taille, avec des épaules très larges, des bras très longs, un front très étroit et des dents énormes. Et le bord de ses yeux avait la couleur du sang.

« Oui, d'abord je l'ai pris pour une bête. Mais Daisy lui a dit quelques mots dans un langage inconnu et l'être redoutable, ayant répondu par le même langage, s'est avancé vers moi en grinçant de ses dents énormes. Daisy a fait un signe et il s'est arrêté. Et Daisy m'a dit :

« — Si je le veux, Bango te mettra en pièces. Ma grand'mère me l'a donné pour gardien et m'a enseigné à lui parler. »

« Je me suis souvenu alors qu'on racontait parfois dans les souks et les marchés qu'une dame anglaise très puissante avait ramené des forêts les plus sauvages qui poussent au bord des grands fleuves sombres un serviteur effrayant, moitié homme et moitié bête. »

— Ainsi, c'était vrai ! s'écria le riche badaud Abderraman, gonflant son gros ventre sous sa barbe teinte.

Et Sayed qui lisait des histoires à haute voix et Mohamed l'écrivain public et le bon vieillard Hussein, et le bel Ibrahim qui vendait des fleurs, et bien d'autres, derrière eux, répétèrent avec émerveillement :

— C'était vrai ! C'était vrai !

— Ça l'était, sur mes yeux ! répondit Bachir.

Puis il continua :

« Me voyant dompté par l'effroi — et qui ne l'eût été à ma place ? — Daisy s'est mise à rire et à battre des mains. C'était la première fois que je la voyais contente. Puis elle m'a commandé de la suivre et nous avons cheminé à travers des allées et des sentiers que je ne connaissais pas encore — ce domaine était immense, en vérité ! La petite fille allait en tête, moi derrière, et Bango sur mes talons. Nous sommes arrivés ainsi jusqu'à une vaste prairie toute verte, toute fraîche et entourée d'une haie de cactus. Daisy a poussé la porte, et au milieu du pré, j'ai aperçu un âne blanc tout jeune qui broutait des herbes et des fleurs.

« Je l'ai déjà dit, mes amis, et je le dis encore : cet endroit était plein d'enchantements. Car, je vous le demande, que peut-on trouver de plus ordinaire au monde qu'un bourricot ? J'en ai vu, comme vous tous, des centaines, et des centaines, et des centaines ! J'ai, dans les *foundouks*, aidé à les bâter, à les charger ; et, par les nuits trop froides, j'ai dormi contre leurs flancs. Et je sais comme vous tous qu'il n'y a rien d'étonnant, d'attirant chez un animal aussi indigne. Hé bien, ce bourricot-là m'a paru merveilleux. Il était blanc, blanc tel le lait ; son poil était fin, fin tel le duvet de cygne ; ses yeux bien ouverts, humides et brillants semblaient rire ; et, pour toute marque, il portait derrière chacune de ses oreilles hautes et minces une étoile à sept pointes. Était-il d'une autre race que les bourricots des rues et des champs ou devait-il sa beauté à des soins qui le faisaient lustré, vif, joyeux et sentant bon ou encore à une selle magnifique, toute en soie et en or, qui lui couvrait le dos, et au ruban bleu qui lui entourait le cou — je ne pourrais le dire en vérité. Mais cet âne blanc ressemblait à un petit roi parmi les autres ânes.

« Daisy lui a crié d'approcher. Il a obéi à sa voix. Elle a sauté sur la selle splendide, s'est assise de côté, et il s'est mis à courir à travers la prairie. Le croirez-vous, ô mes amis, cette petite fille était si légère, si gracieuse et souple sur ce petit âne merveilleux et ses cheveux flottaient si bien autour de son front doré et de ses yeux tout pareils de nouveau à des fleurs brillantes que, malgré toutes ses méchancetés et ses menaces, j'ai été repris envers elle d'admiration et d'humilité.

« Et quand Daisy a fait arrêter le petit âne, j'ai couru pour l'aider à descendre. Mais, l'ayant fait, je ne me décidais pas à lâcher la bride. Voyant cela, elle m'a demandé avec gentillesse : « Tu aimerais bien monter sur mon bourricot, Bachir ? »

« Et alors j'ai senti que tel avait été mon désir depuis que j'avais aperçu le petit âne et que je n'avais pas osé me le dire à moi-même, pour ne pas m'en brûler inutilement. Quelle chance, en effet, un mendiant né dans la rue avait-il de se hisser sur une selle aussi magnifique et se faire porter par une bête d'une telle beauté ? Mais à présent que Daisy me l'avait fait reconnaître, ce désir tenait tout mon cœur, tout mon sang. Et je comprenais que les jouets admirables réunis dans le pavillon et au-dehors je m'en moquais si je pouvais une fois, une seule fois, galoper sur ce petit âne merveilleux. Et, comme Daisy m'avait parlé doucement, j'en ai eu grande espérance et je lui ai dit : « J'aimerais cela mieux que tout au monde. »

« Alors elle m'a répondu : « Tu peux monter tout de suite... »

« Mon corps tremblait de joie tandis que je levais un pied pour le mettre dans l'étrier... Mais juste à ce moment elle a dit :

« — Si je le permets. »

« J'ai tourné la tête vers elle et attendu un peu, et elle a dit encore : « Mais je ne permets pas. Ce bourricot n'est qu'à moi. »

« Ma figure à ce moment devait être très drôle à regarder, je pense, car Daisy s'est mise à tourner sur elle-même de joie.

« Mais bientôt elle a dû voir autre chose sur mes traits, car elle a crié : « Prends garde, ou je lâche Bango. » Et, rien qu'à entendre son nom, l'homme-bête s'est approché en grondant. J'ai abandonné la bride du petit âne et il a commencé aussitôt à jouer tout seul ; si blanc, si beau.

« Alors Daisy s'est assise dans l'herbe et m'a dit :

« — Maintenant, amuse-moi en me racontant des histoires et, si elles me plaisent bien, je te laisserai prendre mon bourricot. »

« Elle m'a souri avec sincérité et elle a dit encore :

« — Je ne tiens plus beaucoup à lui. Je serai assez grande bientôt pour avoir un poney, un vrai petit cheval. »

« Et, à cause de ce sourire et aussi de l'envie terrible que j'avais de monter sur l'âne blanc, je me suis assis en face de la petite fille et je lui ai demandé avec humilité : « Mais que puis-je te dire qui t'intéresse, à toi qui es née parmi les riches et les puissants et qui vis parmi les bêtes les plus singulières et les serviteurs de tous les pays inconnus ? Tes parents doivent te raconter les plus belles histoires. »

« Et Daisy m'a répondu avec une voix soudain toute petite et faible : « Je n'ai ni père, ni mère, Bachir. Ils sont morts avant que je les connaisse. Et grand-mère et grand-père sont trop tristes pour raconter des histoires, et je ne sors jamais du domaine et je ne vois jamais d'autres enfants parce qu'il n'y en a pas dans Tanger qui soient d'une famille comme la nôtre. Car grand-mère est une parente de notre Roi. »

« À ces derniers mots, elle a redressé la tête avec orgueil et s'est écrié impatiemment : « Hé bien, parle. Amuse-moi. Que fait ton père ? C'est lui qui t'a permis de venir jusqu'ici ? »

« Et j'ai répondu : « Moi non plus, je n'ai ni père, ni mère. Seulement, moi, je suis mon seul maître. »

« — Tu vas où tu veux ? Comme tu veux ? Avec qui tu veux ? », m'a demandé Daisy sans me croire.

« Alors, ô mes amis, je me suis trouvé son égal pour le moins, car, je vous le demande, toutes les richesses et tous les jouets et toutes les bêtes étonnantes et même un merveilleux petit âne blanc, quelle joie peuvent-ils offrir sans la liberté ? Et j'ai commencé de dire avec feu, avec bonheur, ma vie dans les rues et les souks, et ici, au Grand Soçco. J'ai parlé de mon ami Omar au grand fez rouge et j'ai parlé de Aïcha. Et d'abord je sentais que Daisy m'écoutait de tout son esprit et mon récit en devenait toujours plus ardent et plus vif. Mais tout à coup j'ai entendu des cris stridents.

« — Assez ! tais-toi ! ce n'est pas vrai ! Tu mens, sale mendiant bossu. Il n'existe pas d'enfants plus heureux que moi. Je suis la plus riche, la plus belle, la plus noble... »

« Et, tout en criant de la sorte, Daisy s'est jetée sur

moi. Elle me frappait et, moi, ma surprise était si forte que, dans les premiers instants, je me suis abandonné à ses coups. D'ailleurs, ils ne me faisaient pas mal. J'ai la peau endurcie à d'autres batailles. Elle s'en est rendu compte et, plus furieuse encore, elle s'est mise à griffer, à pincer mes bosses. Et ce n'est pas la douleur qui m'a enflammé à mon tour, mais la honte et la colère de voir qu'elle m'attaquait dans mon infirmité. Je l'ai repoussée avec violence et elle a roulé sur l'herbe. Elle s'est relevée tout de suite et sa bouche s'est ouverte pour appeler Bango. Alors j'ai sorti ma fronde qui ne me quitte jamais et je l'ai armée d'un gros caillou rond et j'ai crié à Daisy : « Avant que ton sauvage me touche, cette pierre te brisera le nez et les dents. »

« Elle a vu que je disais la vérité et s'est tue. Puis elle s'est mise à sourire craintivement. Elle m'a dit : « Rentrons vite, et soyons amis de nouveau. » Mais sa voix était fausse. Elle me détestait. Et moi, voyant enfin ce qu'elle était — une fille méchante, pleine de caprices et peureuse, je ne la détestais même pas ; je la méprisais. »

À ce moment, un tintement joyeux résonna contre les oreilles de Bachir. Mais cela ne lui fit pas bouger la tête d'une ligne. Il savait ce que le bruit signifiait : Aïcha était revenue et faisait chanter tous les grelots de son tambourin. Et Bachir poursuivit :

« Le petit âne blanc ne me sortait pas de la mémoire...

« Au commencement de l'après-midi, ayant mangé comme un seigneur dans les cuisines immenses, et pendant que Daisy était obligée par sa grand-mère à faire la sieste, je me suis rendu à la prairie où nous avions été le matin. Le petit âne blanc s'y trouvait toujours avec sa selle et son ruban. Il avait l'air de s'ennuyer beaucoup, étant seul. On le nourrissait très bien à coup sûr puisqu'il était tout tendu et luisant de bonne graisse heureuse. C'est pourquoi, rassasié, il ne donnait que de temps à autre un coup de dent paresseux dans l'herbe bien épaisse et fraîche. Puis il faisait quelques pas, se couchait, se relevait, agitait faiblement ses grandes et fines oreilles marquées de petites étoiles à sept pointes. Puis il se mettait à braire sans élever la voix, comme s'il bâillait. En vérité, on pouvait suivre tout ce qu'il ressentait dans ses mouvements et dans ses yeux. Car ce petit âne blanc dépassait tous les autres bourricots aussi bien en intelligence qu'en beauté.

« Et moi, le voyant s'ennuyer si fort, je me suis réjoui. « Il attend quelqu'un qui vienne jouer avec lui, ai-je songé. Il va me faire fête et on s'amusera merveilleusement. » Et je suis allé vers lui tout rempli de bonheur à la pensée que je serais bientôt sur une selle et sur un petit âne dignes d'un fils de roi.

« Comme je m'approchais de lui, il s'est dérobé, a couru un peu, s'est arrêté. Je l'ai rejoint. Il a recommencé son manège. Et d'abord j'ai cru qu'il entreprenait un jeu. Mais à la troisième fois, s'étant échappé encore, il m'a fait face et j'ai bien vu, à la manière dont il tenait la tête et dont il me regardait, que ce n'était pas du tout pour s'amuser qu'il agissait ainsi. Et quand j'ai été de nouveau près de lui, au lieu de fuir, il s'est retourné soudain et m'a lancé une ruade. Je l'ai tout juste évitée, et, la colère m'ayant gagné, j'ai saisi sa bride. Alors il s'est jeté par terre, m'entraînant avec lui et s'est roulé sur moi, me donnant partout des coups de sabot.

« L'herbe, heureusement, était épaisse, mais le bourricot, encore que très jeune, avait été si bien soigné et nourri qu'il était déjà plein de vigueur et m'a fait assez mal. J'ai dû lâcher la bride. Alors, il s'est mis debout et s'est éloigné sans se presser en tournant la tête vers moi de temps en temps. Et j'ai deviné dans les yeux de ce petit âne blanc — en vérité son intelligence était grande — qu'il me jugeait indigne de le toucher. Et ses yeux disaient : « Je suis, moi, un petit seigneur habitué aux choses les plus fines, et toi, tu sens trop une odeur de pauvre. Je te méprise. »

« Jamais, ô mes amis, je n'avais connu pareille déception, pareille humiliation et je ne sais pas ce que j'aurais fait à ce maudit petit âne merveilleux, si je n'avais aperçu de loin venir Daisy accompagnée du sauvage Bango. Je me suis redressé aussi vite que j'ai pu et j'ai remis en ordre mes habits froissés. Et, tout en faisant cela, je m'imaginais cette insupportable petite fille montée sur cet odieux petit âne blanc et tous deux pleins de moquerie pour moi. Alors j'ai couru vers la haie de cactus qui gardait la prairie, j'ai arraché deux épines très pointues, bien déchirantes, et je les ai glissées sous la magnifique selle, de façon à ce que le poids le plus léger les enfonce d'un seul coup.

« — Que fais-tu là ? » m'a demandé Daisy pleine d'orgueil et de soupçon.

« — Je me préparais à tenir ton étrier », ai-je répondu.

« Mais, en l'aidant, je me suis arrangé de sorte qu'elle retombe sur la selle plus fort qu'à l'ordinaire.

« Un bourricot pareil à ceux que nous connaissons, mes amis, battu tous les jours et piqué par des pointes de fer, n'aurait pas fait attention aux épines de cactus. Mais le petit âne blanc, lui, avait la peau tendre comme une fille de pacha et il est devenu fou. Il est parti en flèche, sautant, ruant, et bientôt Daisy est passée pardessus sa tête pour tomber sur l'herbe, tel un paquet de chiffons. En moi-même je riais de tout mon cœur, mais je me suis précipité vers Daisy, faisant semblant d'être très empressé et très inquiet. Elle a dû voir, cependant, sur ma figure combien j'étais peu sincère, car elle s'est relevée seule, et m'a repoussé. Puis elle a dit avec une voix basse, sifflante, cruelle : « Sale bourricot. Tu seras vendu à n'importe qui. Aujourd'hui même. »

« Alors mon cœur n'a plus eu du tout envie de rire, car j'ai senti qu'il en serait comme elle disait. Et, tout de même, j'avais bien espéré que je ferais un jour amitié avec ce merveilleux petit âne. Maintenant, c'était fini ; toute chance en était perdue. »

Alors Abdallah, le pêcheur aveugle, dit à Bachir :

— L'homme qui a ses yeux intacts ne peut pas désespérer de revoir ce qu'il aime.

— Allah est grand ! Allah peut tout ! murmura pieusement le bon vieillard Hussein qui vendait du khol.

La foule répéta les mots consacrés.

Et Bachir reprit :

« Daisy a quitté la prairie et m'a défendu de reparaître en sa présence. Elle avait honte et haine de moi, parce que j'avais assisté à sa chute risible. Et, comme je me trouvais dans le domaine seulement pour lui servir de jouet, j'étais sûr qu'on m'en chasserait ce jour-là, moi aussi. Mais Lady Cynthia, la vieille dame aux yeux terribles, en a décidé autrement. Elle m'a ordonné de rester et, sans m'expliquer rien d'autre, elle a fait venir un tailleur arabe qui a pris soigneusement mesure de mon corps et de mes bosses. Ensuite, Lady Cynthia, — une étrange vieille dame en vérité, — m'a regardé avec une sorte d'estime dans ses yeux de feu et m'a dit : « Maintenant que tu as su te débarrasser de Daisy, tu peux vivre à ta guise. »

« Et elle a commandé à tous les serviteurs de me laisser

aller comme je voudrais à travers les jardins, le parc aux bêtes et même dans la maison splendide.

« Alors, mes amis, a commencé le temps le plus surprenant de mon existence. Je n'avais plus besoin de m'occuper de ma faim. Je mangeais tellement et de si bonnes choses que mon ventre s'épanouissait de bonheur. Je pouvais m'étendre autant que cela me plaisait, repu et joyeux, près des fontaines. Quand le soleil devenait brûlant, je me couchais à l'ombre des sycomores et des jacarandas. Je passais des heures à regarder les bêtes les plus étranges et des oiseaux qui ressemblaient à des joyaux dansants. Et même la grande demeure magnifique m'était ouverte.

« À dire vrai, une foule de chiens et de chats et quelques petits singes avaient la même liberté que moi. On les trouvait jouant et bondissant dans les chambres, ou couchés sur les fauteuils et les tapis précieux. Mais les animaux ne pouvaient pas profiter de ces faveurs à ma façon, moi qui entendais et découvrais sans cesse les choses les plus étonnantes. Car je fréquentais chaque jour des gens qui, à l'ordinaire, ne m'auraient pas laissé approcher d'eux, fût-ce à trente coudées. Seuls, en effet, étaient reçus chez Lady Cynthia les très nobles et les très puissants : des Anglais de haute famille, des princes espagnols, des grands dignitaires français, les ministres des sept nations qui gouvernent Tanger, et M. Boullers, l'illustre marchand d'or, et même, oui, mes amis, même le chef de la police en son plus bel uniforme, ses bottes brillantes et ses éperons aigus. »

À la mention de ce personnage, qui commandait à tant d'agents belges, français, espagnols et arabes, loi et terreur des rues, des places et des marchés, l'auditoire de Bachir frémit tout entier.

— Tu assures que tu as souvent été en sa présence ? s'écria Sayed, le lecteur public.

— Dans la même chambre ? renchérit le badaud Abderraman.

— Plus près que je ne le suis de vous en cet instant, dit Bachir.

— Mais comment, lui demanda Ibrahim, le beau marchand de fleurs, — qui parfois, entre ses œillets et ses roses, vendait aussi du haschich, — comment as-tu fait pour soutenir sa vue sans mourir de crainte ?

— Il était comme les autres : il avait si peur de Lady Cynthia qu'il ne m'effrayait plus, dit Bachir.

Et il continua :

« Dans cette demeure, les bêtes avaient plus d'importance que tous les hommes, fussent-ils les maîtres de Tanger. Il fallait voir, mes amis, comment, pour plaire à Lady Cynthia, les puissants et les riches flattaient quelque vieux chien poussif ou un méchant singe. Et ils me traitaient de même, puisque j'étais moi aussi une sorte d'animal favori. J'aurais pu mordre, en vérité, le chef de la police, et il n'eût rien fait que de caresser mes bosses, j'en suis sûr.

« Pourtant, malgré tous ces amusements et plaisirs, malgré mes bons habits et la nourriture admirable, je ne me sentais pas tout à fait heureux. Et je n'arrivais pas à savoir pourquoi. C'est par mon ami Flaherty que j'ai enfin compris.

« Lui, il ne possède ni fortune, ni rang, ni titre, ni pouvoir, ni grande naissance. Mais il connaît toutes les histoires du monde et il les raconte de manière à faire rire les plus maussades. Et aussi il peut boire infiniment les liqueurs de feu. À cause de cela, Lady Cynthia l'aimait et l'honorait particulièrement et l'invitait à des repas où personne d'autre n'était reçu.

« Il est arrivé ; il m'a cligné de l'œil ; il m'a souri dans sa moustache rouge. Et, d'un seul coup, je me suis rappelé toutes nos promenades, le jour et la nuit, à travers le port et la ville vieille et nos rencontres aux terrasses des cafés, place de France et à la Kasbah ou encore au Petit Socco. Et j'ai revu alors dans mon esprit Omar et Aïcha et les autres enfants des rues et les *foundouks* et la rue des Siaghines. Et j'ai pensé à la liberté.

« Quand mon ami Flaherty est monté dans la voiture de Lady Cynthia pour s'en aller, j'ai voulu partir avec lui. Le chauffeur hindou m'en a empêché. Il n'avait pas l'ordre de m'emmener. J'ai couru jusqu'à la grande grille qui donnait sur la route. Elle était déjà refermée. Et le portier soudanais a refusé de me laisser sortir. Il n'en avait pas reçu la permission.

« Alors, ô mes amis, alors, j'ai senti que si je ne trouvais pas un moyen de m'échapper tout de suite, j'allais devenir misérable, méchant, insensé. J'ai fait en courant le tour de ce domaine merveilleux qui me paraissait maintenant aussi détestable qu'un cachot. Mais c'est en vain que j'ai cherché une issue. Malgré ses dimensions énormes, la propriété de Lady Cynthia se trouvait entourée tout entière d'un mur très haut et recouvert de ferraille déchirante. Le désespoir me prenait déjà, quand je suis arrivé devant une petite porte, très éloignée de l'entrée principale et par laquelle on amenait les provisions, le bois de chauffage, le fumier pour le jardin et toutes choses nécessaires au service du domaine. Sans doute cette porte était bien verrouillée et, de plus, gardée par un grand chien sauvage. Mais j'avais eu le temps de faire amitié avec lui et, quant aux serrures ordinaires — et celle-ci l'était — on les ouvre à sa guise, quand on sait tordre un fil de fer d'une certaine façon — et je le sais.

« Si bien que la nuit même, j'étais dans Tanger la Bénie, ayant fait en bondissant et chantant tout le chemin qui va de la montagne à la ville, tant l'impatience et la joie me poussaient Allah ! Allah ! Que sentaient bon les éventaires de brochettes et de poisson frit ! Allah ! Allah ! Quel bonheur de frotter mes bosses aux haillons des fidèles et d'écouter leurs palabres, leurs cris, leurs injures ! »

— Rien n'est plus cher, parfois, que ce qu'on avait dédaigné, dit avec douceur le vieil Hussein qui vendait du khol.

Et ceux qui l'entouraient commencèrent à discuter sur cette sentence. Mais le pêcheur aveugle, Abdallah, était, à cause de son infirmité, le plus avide aux belles histoires. Et il cria, s'adressant à Bachir :

— Tu es tout de même revenu au Paradis de la Montagne ?

— Assurément. Je ne suis pas fou, répondit l'enfant bossu. Je me réjouissais dans la journée des avantages de la fortune, et, la nuit, des plaisirs de la liberté. Mon bout de fil de fer, tordu ainsi qu'il convenait, me faisait passer sans peine de l'une à l'autre condition. En vérité, je n'avais plus personne à envier dans ce monde.

— Quoi ! Pas même les maîtres de ce domaine si admirable ? s'écria Abderraman, le badaud.

— Pas même, et je n'avais pas tort en cela, comme vous allez maintenant l'entendre, répondit Bachir.

Et il poursuivit :

« Le vénérable Sir Percival avait coutume de faire la sieste après le repas du milieu du jour. Pour cela il choisissait, dans le même petit salon, toujours le même fauteuil profond, large et magnifique. Et, au-dessus de ce fauteuil, était installé un *pankha.* C'est un grand carré flottant de paille tressée suspendu au plafond et muni d'une corde. On tire la corde, le *pankha* remue et une brise légère enveloppe celui qui se trouve dessous. Cette espèce d'éventail très énorme a été inventé aux Indes où les chaleurs sont terribles. Remarquez, mes amis, que la pièce où Sir Percival aimait à prendre son repos était bien ombreuse, bien fraîche. Remarquez aussi que cette maison était pleine de ces appareils à ailes de métal et grands faiseurs de vent, et qui tournent tout seuls. Mais Sir Percival, ayant gouverné très longtemps des pays très brûlants et très barbares, avait tellement pris l'habitude, pour sa sieste, du *pankha* lent et silencieux, qu'il ne pouvait plus s'en passer. Et il se montrait avec l'âge bien difficile à satisfaire. Le mouvement du *pankha* était toujours trop lent à son gré, ou trop rapide, ou encore son balancement ne lui semblait pas assez égal. Il avait essayé tous les serviteurs de la maison à cet usage et aucun d'eux ne l'avait contenté. C'est pourquoi j'ai été, à mon tour, appelé à remuer le *pankha.*

« Je crois, mes amis, que si l'on fait un travail pour une personne qui vous plaît, on le fait bien. Or, j'aimais beaucoup le vénérable Sir Percival. C'était un grand vieillard très droit, très beau, très digne et très bon. Il avait l'air d'un seigneur et d'un père. Et je voulais lui donner du plaisir avec le *pankha.* Et je m'appliquais de mon mieux à le faire aller et venir avec douceur et mollesse et régularité. Et le vénérable Sir Percival était content et sa tête blanche s'inclinait peu à peu sur sa haute poitrine et il s'endormait, rêvant sans doute à ses années de jeunesse, de force et de gloire, sous le *pankha.*

« Or, avant d'être pris par le sommeil, Sir Percival regardait longtemps une photographie. Et ce n'était pas une de ces images majestueuses comme il y en avait tant dans les salons de cette demeure et où l'on voyait les grands rois et les grandes reines d'Angleterre, dans leurs habits de couronnement ou de mariage, avec des inscriptions de leur main pour Lady Cynthia, leur parente et Sir Percival, son mari. Non. Le vieil homme sortait de son portefeuille une petite image sur papier brillant, la mettait dans le creux de sa main et la contemplait sans bouger. Puis il la glissait dans sa poche. Et, placé loin de lui comme je l'étais pour tirer sur le *pankha*, je ne pouvais pas découvrir ce qu'il y avait sur cette image.

« Or, un jour que, déjà dormant à moitié, Sir Percival tenait encore sur la photographie ses yeux très âgés et très pâles, Lady Cynthia est entrée tout à coup dans ce petit salon, je ne sais pour quoi faire. Son arrivée m'a tellement surpris, car elle n'y venait jamais, que j'ai lâché la corde et que le *pankha* s'est arrêté. Mais Sir Archibald n'y a pas fait attention. Il paraissait plus étonné que moi encore et même épouvanté. Son vieux visage si beau ressemblait à celui d'un serviteur coupable. Il a essayé de mettre la petite image dans une poche, mais ses mouvements, au sortir d'un demi-sommeil, n'étaient pas assez rapides.

« — Qu'est-ce que c'est ? » lui a demandé Lady Cynthia.

« Il n'a pas répondu. Elle a marché vers lui en tendant la main. Sir Archibald lui a remis la photographie. Alors Lady Cynthia s'est mise à parler d'une voix plus basse que de coutume et très effrayante. Elle a dit :

« — Nous avions pourtant décidé de les détruire toutes. »

« Et Sir Percival a répondu d'une telle façon que je l'entendais à peine :

« — Celle-ci, je ne pouvais pas... Je l'ai retrouvée par hasard... Notre fils... Notre seul fils... Et là, il est tout jeune, avant toutes les mauvaises histoires... »

« Mais Lady Cynthia a dit, avec la même voix très effrayante :

« — Il n'y a pas d'avant... Il n'y a jamais eu de fils. »

« Elle a quitté le salon et moi je l'ai suivie parce qu'un esprit me conseillait de le faire.

« Lady Cynthia s'est rendue dans une pièce ou se trouvait un grand meuble en demi-cercle tout chargé de bouteilles. Elle a bu très vite, verre plein après verre plein, le whisky.

« Ses yeux devenaient toujours plus noirs, plus brillants, et sa figure blanche, blanche, étroite, étroite. Puis elle a posé cette petite image sur le meuble entre deux bouteilles, et elle s'est mise à lui parler. Comme si, vraiment, elle avait eu devant elle un homme qu'elle détestait entre tous les hommes. Son regard et sa bouche étaient aussi durs que pierre, tandis qu'elle disait : « Tu as été chassé du plus ancien, du plus honoré des régiments du Roi pour tes folies, tes fautes, tes désobéissances. Et cela encore, je l'ai pardonné... J'ai payé tes dettes... J'ai voulu te marier comme il convient. Mais tu t'es accroché à une fille de rien et tu l'as épousée. Tu as osé la faire entrer dans ma famille ! Puis elle est allée rouler ailleurs. Alors tu nous as envoyé Daisy. Depuis ce moment, tu es mort pour nous tous. Mort ! Mort ! »

« Disant cela, Lady Cynthia a pris l'image de son fils et l'a mise en morceaux, en tout petits morceaux. Et moi, parce que sa figure me faisait trop peur, je me suis enfui. »

Zelma la bédouine, à ces mots, poussa un long ululement que d'autres femmes reprirent de rangée en rangée. Et elles se lamentaient :

— Elle a lacéré son fils !

— La folle !

— La maudite !

— Le malheur était sur cette maison !

— Ne le porte pas sur nous, vagabond bossu !

Et le pêcheur aveugle, Abdallah, cria à son tour :

— Allah est miséricordieux qui m'a enlevé la lumière, sans que j'aie eu l'occasion de voir ce que tes yeux ont contemplé.

Et le doux vieillard Hussein qui vendait du khol dit à Bachir avec amitié :

— J'espère que tu t'es échappé pour de bon et pour toujours, car rien de favorable ne pouvait plus t'arriver en ce lieu.

Et Bachir lui répondit :

— C'était bien là ma pensée, ô mon père, et je n'attendais plus que la nuit pour ouvrir la petite porte avec mon fil de fer tordu.

— Mais tu ne l'as pas fait, car je sens ton récit encore loin de sa fin, dit l'écrivain public Mohamed.

— C'est juste, reconnut Bachir.

Et il reprit :

« L'ombre du soir n'était pas encore venue quand s'est présenté le tailleur arabe auquel (vous en souvenez-vous, mes amis ?) Lady Cynthia avait ordonné de prendre mes mesures. Il apportait un habit de la soie la plus magnifique et sa couleur était d'un vert brillant et il m'allait à merveille. Lady Cynthia en a été très satisfaite ; puis elle m'a ordonné de l'enlever, disant : « Il faut qu'il soit tout neuf demain, car demain sera un grand jour. » Elle n'a rien ajouté et sa figure était très mystérieuse.

Quand elle m'a quitté, j'ai interrogé le tailleur et tous les domestiques en état de me comprendre. Personne n'a été capable de me dire ce qui devait se passer le lendemain. Alors je suis resté. J'avais trop envie de savoir. »

— Nous le voulons, nous le voulons aussi... cria l'auditoire.

Mais au lieu d'apaiser cette impatience, Bachir demanda soudain :

— Vous rappelez-vous, mes amis, la semaine de fêtes étonnantes qui ont attiré chez nous encore plus de voyageurs qu'à l'ordinaire, et qui s'appelait la grande semaine de Tanger ?

On répondit avec une sorte d'enivrement :

— Comment peux-tu demander cela, Bachir ?

— Comment ces beautés pourraient-elles être sorties de la mémoire ?

— Les danses sur les places !

— Les musiques militaires de toutes les nations !

— Les feux d'artifice.

— Les courses des voiliers.

— Et, dans le stade qui sert d'habitude aux jeux et aux sports, le défilé des voitures ornées et parées magnifiquement.

À cette réplique, Bachir leva la main et demanda encore :

— Dans ce défilé, vous souvient-il, mes amis, d'une automobile découverte, la plus longue de toutes, conduite par une grande vieille dame très droite, ayant auprès d'elle une petite fille aux longs cheveux d'or ?

À quoi Ibrahim, le beau marchand de fleurs, répondit le premier :

— Tant de roses et d'iris l'enveloppaient que je n'en vends pas la moitié dans un mois.

Mais d'autres voix couvraient déjà la sienne.

— Et tout l'arrière était plein d'animaux et d'oiseaux.

— Des chiens de race inconnue.

— Les singes de toutes tailles.

— Les deux gazelles.

— Les perroquets géants.

Alors Bachir demanda une troisième fois :

— Et parmi les bêtes, vous avez bien remarqué, je pense, la plus étrange de toutes, habillée de vert et bossue dans le dos aussi bien que de face ?

Il y eut un long, très long silence, puis Abderraman, le badaud, éclata le premier :

— Par ma barbe, cria-t-il, et par celle, sacrée, du Prophète, c'était donc toi ?

Bachir inclina son menton vers sa bosse avant, d'une manière à peine visible, mais cela suffit pour susciter un tumulte effréné.

— Toi ? entouré par ces iris et ces roses ?

— Toi ? au milieu de ces bêtes rares et précieuses ?

— Toi ? habillé de la sorte ?

— Toi ? mené par cette femme si puissante ?

— Toi ? dans la voiture la plus belle ?

Bachir abaissa les yeux à cet instant et dit d'un air modeste :

— En effet, aucune automobile n'a été accueillie par autant de battements de mains que la nôtre et c'est nous, en effet, qui avons obtenu la plus haute récompense.

On entendit alors la voix aigre de Sayed, le lecteur public :

— Mais pourquoi, dis-nous, pourquoi avoir retenu ta langue si longtemps ? Et comment se fait-il que le jour même toute la ville n'ait pas retenti du récit de ta gloire ?

— C'est justement ce qui me reste à conter, dit Bachir.

Et il reprit :

« Une musique militaire qui avait traversé le détroit, et venue tout exprès de la forteresse de Gibraltar, jouait sans arrêt, pendant que les voitures décorées roulaient sur la piste l'une après l'autre. Et les musiciens sont encore tout vivants dans mon esprit et dans le vôtre, ô mes amis, j'en suis sûr. Car leurs instruments n'étaient pas ceux — flûtes, fifres, cuivres ou tambours — que l'on voit à l'ordinaire chez les soldats étrangers, mais d'énormes cornemuses, pareilles à des outres géantes, en peau de bouc, et qui chantaient d'une manière lente et déchirante ainsi que nos propres chansons. Et, de plus, ces musiciens, qui appartenaient pourtant, assure-t-on, aux régiments les plus illustres et les plus virils du Roi d'Angleterre, étaient habillés d'une jupe couleur safran et si courtes que nos filles les plus effrontées rougiraient de les mettre. Et sur leurs épaules étaient jetées des peaux de léopard.

— Oui, ils étaient bien tels que tu les dépeins, s'écria Ibrahim, le jeune marchand de fleurs.

Mais Zelma, la bédouine tatouée aux yeux hardis, récrimina :

— On les voyait si mal... De loin... De biais...

— C'est juste, vous étiez placés vers le fond du stade, aux places gratuites, sur les gradins des pauvres, dit Bachir.

Et il poursuivit :

« Mais j'ai pu, moi, le mendiant, les contempler de plus près que n'importe qui, puisque notre voiture est passée deux fois, et lentement, lentement, tout contre la plate-forme sur laquelle ils jouaient.

« Et ainsi j'ai pu admirer, avant que d'arriver devant lui, le chef des musiciens que vous ne pouviez même pas apercevoir, car les autres l'entouraient de trois côtés. Il portait, lui, des pantalons étroits et noirs et une tunique écarlate. Il était si grand, si fort, et le pommeau de la canne immense avec laquelle il battait la mesure ressemblait si bien à un astre étincelant, que je n'entendais plus les applaudissements et que je ne pensais plus à ma gloire. Je me sentais ébloui par tant de beauté, tant d'éclat. Cet homme était le seigneur des cornemuses. Et cependant que les musiciens allaient et venaient le long de la plate-forme d'un pas dansant, tout en soufflant dans leurs outres merveilleuses, lui, il se tenait droit, raide et complètement immobile, et seuls les moulinets de sa canne montraient qu'il était vivant. Et plus nous approchions de lui, plus il devenait magnifique ! Ses yeux n'étaient fixés sur rien d'autre que le ciel d'horizon ; la foule n'existait pas pour lui ; ni les voitures qui attiraient l'attention de tous.

« La nôtre pourtant était si extraordinaire, et si violents les battements de mains et les cris par lesquels on la saluait, que le chef des cornemuses a baissé son regard vers nous. Ses yeux ont glissé sur les fleurs, les bêtes et sur moi avec indifférence, mais ils se sont arrêtés soudain sur Daisy, la petite fille aux cheveux de fée.

« Alors, le bâton immense est resté suspendu dans l'air, le pommeau a cessé de briller et les cornemuses ont perdu leur cadence.

« Lady Cynthia n'a même pas détourné la tête, notre voiture a dépassé les musiciens. L'homme rouge et noir a brandi sa canne de nouveau et tout est rentré dans l'ordre. Le trouble n'avait duré qu'un instant. »

— Es-tu bien sûr de n'avoir pas rêvé? demanda Mohamed, l'écrivain public. J'étais là-bas avec tous mes amis et nous n'avons rien remarqué de pareil.

— Rappelle-toi, répondit Bachir, que je me trouvais tout contre l'estrade.

Et il ajouta doucement :

— Rappelle-toi aussi que les esprits de la musique m'ont suivi depuis ma naissance et que, par eux, mon oreille se réjouit ou souffre des sons plus que celles des autres hommes.

— Il a raison, il a raison! s'écrièrent tous ceux qui avaient entendu chanter l'enfant bossu.

Et Bachir continua :

« Le défilé des automobiles a pris fin. Alors il y a eu la distribution des récompenses, puis on a prononcé des discours, puis des gens sans nombre sont venus faire des louanges à Lady Cynthia. Il était nuit quand nous sommes revenus au domaine de la Montagne. Une fois là-bas, je n'ai eu qu'un désir : me montrer dans Tanger, vêtu de mes habits étonnants et faire connaître toute ma gloire. Mais il m'a fallu attendre encore longtemps. Car Lady Cynthia avait ordonné un banquet pour tous ses serviteurs et, comme elle y prenait part elle-même, j'ai dû rester jusqu'au bout. Enfin, chacun a gagné son lit, les lumières se sont éteintes. Alors, contre la fraîcheur de nuit, et pour ne pas me faire remarquer trop vite, j'ai jeté un vieux burnous sur mon splendide costume vert et je me suis échappé, grâce à mon fil de fer tordu, par la petite porte qui lui obéissait si bien.

« Les rues de la vieille ville étaient, malgré l'heure

avancée, encore pleines de gens et ces gens étaient plus bruyants, plus joyeux qu'à l'ordinaire. La fête continuait dans les esprits et le sang. On achetait, on criait, on mangeait, on riait davantage. Et les plus pauvres étaient les plus heureux, parce que, en cette semaine de grands spectacles, ils profitaient de toutes les merveilles autant que les plus riches et qu'ils savaient mieux s'en réjouir. »

— Ceux qui avaient des yeux, ceux qui avaient des yeux, gémit Abdallah, le pêcheur aveugle. Mais pas moi.

— Et c'est pour toi, mon père, que je conte les choses plus longuement, dit Bachir avec gentillesse.

Et, tandis que l'aveugle lui adressait une bénédiction, Bachir poursuivit :

« En vérité, personne encore ne me remarquait. Je n'en ressentais pourtant aucune peine ou même inquiétude. Je savais bien qu'il me suffirait de laisser tomber le vieux burnous par lequel mon splendide costume vert était caché pour attirer sur moi et l'étonnement et la louange et pour me faire offrir, contre mes récits, plus de brochettes grasses, de gâteaux au miel et de thé très sucré que mon ventre n'en pouvait contenir. Mais, d'abord, je tenais à retrouver Omar et Aïcha, ou, à leur défaut, d'autres amis des rues, car une escorte empressée fait honneur à celui qui veut se montrer dans tout son éclat.

« Ainsi donc j'allais par les carrefours et les ruelles, sans trop me hâter, sûr de briller bientôt à tous les regards. Soudain, d'un passage plus étroit et plus sale que les autres, est venu jusqu'à moi un chant qui m'a fait oublier mes recherches. Ce n'était pas un de ces airs espagnols, arabes, ou andalous, ou juifs, auxquels nous sommes si bien habitués dans ces quartiers. Et, un jour plus tôt, je n'aurais pu deviner sa nature. Mais, pendant le défilé des automobiles, j'avais déjà écouté la même plainte si douce et si terrible, et qui ne finissait jamais. C'étaient les cornemuses des soldats du Roi d'Angleterre, vêtus de jupes couleur de safran et de peaux de léopard.

«J'ai couru vers le fond de l'impasse, je suis entré dans le café, misérable entre tous, d'Antonio le Chauve, et il y avait bien là, en jupes de safran et peaux de léopard, trois cornemusiers. Et avec eux le grand sergent à pantalons noirs et tunique rouge feu.

« Le croirez-vous, ô mes amis, dans cette manière de couloir, aux murs et au plafond humides, qui empestait la mauvaise fumée de tabac, la bière aigre et la crasse, j'ai trouvé ces musiciens et leur chef plus magnifiques encore que sur leur estrade pendant le défilé des belles voitures. Chez Antonio le Chauve, où un tas d'Espagnols et d'Arabes, et de Juifs, et de Maltais les plus pauvres se pressaient autour d'eux, leurs uniformes et leurs instruments paraissaient tout à fait admirables auprès d'une telle misère et de tant de haillons. Et cependant ils étaient des hommes simples, camarades et amis de tout le monde. Ils riaient gentiment des plaisanteries auxquelles ils ne comprenaient rien. Ils buvaient avec des guenilleux, des pouilleux, des mendiants, des voleurs. Sans cesse, tantôt l'un, tantôt l'autre prenait sa cornemuse. Et, cette fois, comme ils ne jouaient pas sur ordre, mais pour eux et leurs amis d'un soir, ils faisaient gémir, crier, geindre, supplier, lamenter tous les esprits cachés dans leurs outres merveilleuses et leur chant vous arrachait le cœur.

« Oh ! ils s'amusaient bien ces trois cornemusiers, et ils amusaient bien tous les autres. Mais pas leur chef à tunique de feu.

« Lui, il buvait beaucoup, tout seul, et son visage était si blanc, si raide et si fermé, que personne n'osait approcher de lui. Il avait l'air d'un seigneur enchaîné par les mauvais génies à sa propre infortune.

« La voix des cornemuses attirait toujours de nouveaux clients chez Antonio le Chauve et leur foule me poussait, me poussait sans cesse vers le coin où était assis le grand sergent immobile. Et cette poussée a fait tomber le vieux burnous de mes épaules, et mon splendide costume vert, qui montrait si bien mes deux bosses, est apparu soudain. Mais la foule n'a pas eu le temps d'admirer mon vêtement. Une main, terrible par la force et la dureté, m'a pris au collet, soulevé de terre, et ma figure s'est trouvée à la hauteur d'une grande et belle figure, toute blanche avec des yeux tout pâles, presque blancs eux aussi. Puis une voix basse et sauvage et qui sentait l'eau-de-vie, a sifflé contre mon oreille : « C'est toi qui étais dans la voiture, derrière la petite fille ? » Et, me tenant toujours à bout de bras, le sergent à tunique de feu s'est levé, a fendu la foule ; et les cornemusiers continuaient de jouer ; et nous sommes partis de la sorte. »

— Que tu as eu peur, j'imagine ! s'écria Abderraman le badaud.

« Oh ! oui, j'ai eu peur, dit Bachir, et encore davantage quand le grand sergent m'a rejeté sur les pierres de la rue et m'a ordonné de le conduire tout de suite auprès de Daisy, dans le domaine de Lady Cynthia. Et que pouvais-je faire contre lui ? Il était assez fort, assez ivre et assez fou pour faire éclater entre ses poings ma tête comme une coquille creuse.

« Nous sommes donc allés en taxi, sans dire un mot, jusqu'à la Montagne. Et nous nous sommes arrêtés assez loin de la demeure, pour ne pas éveiller les serviteurs. J'ai mené le sergent à la petite porte dérobée et je l'ai ouverte avec mon fil de fer tordu. Le chien de garde a commencé de gronder, mais je lui ai parlé en ami et il nous a laissés pénétrer dans le domaine.

« Il y avait un clair de lune très vif. Les pelouses, les vergers, les grands morceaux de terre couverts de fleurs et les bosquets d'arbres fleuris se voyaient comme à la lumière du jour, mais celle de la nuit laissait croire que ces beautés remplissaient les limites du monde. Et, tout en marchant devant le sergent, je regardais de tous mes yeux autour de moi pour tout disposer au fond de ma mémoire, car je savais que je ne reviendrais plus en ces lieux... Et je pensais aux animaux et oiseaux merveilleux qui reposaient dans leurs enclos ou derrière leurs grilles, ou sur leurs perchoirs, ou en liberté, et j'aurais tant voulu les visiter une dernière fois, car eux aussi, je savais que je ne les reverrais plus. Mais le chef des cornemusiers était sur mes talons et ses jambes étaient longues et j'entendais son souffle lourd au-dessus de moi. Et j'avançais aussi rapidement que je le pouvais, sans faire de bruit, et je sentais mon cœur prêt à éclater d'angoisse, mais aussi de curiosité.

« Nous avons été assez vite en vue de la magnifique demeure et tout près du pavillon où habitait la petite Daisy. Je l'ai montré au sergent. « Va la chercher ! » m'a-t-il dit, en remuant à peine les lèvres.

« Mon fil de fer tordu a ouvert aussi cette porte-là. J'ai réveillé Daisy. Elle n'a pas eu peur. Au contraire.

« Elle se rappelait à merveille le sergent, dans sa tunique de feu sur l'estrade, et plus haut d'une tête que les grands cornemusiers à peau de léopard. Elle était contente de le voir de près et croyait qu'il était venu pour jouer avec nous. Je ne l'ai pas détrompée. Ma seule pensée était de satisfaire la volonté du sergent redoutable. Et, en vérité, que savais-je de ses desseins ?

« S'il avait commencé par amuser gentiment Daisy, il aurait peut-être obtenu ce que son cœur désirait tant. Mais, lorsque la petite fille est apparue sur la pelouse, dans toute sa beauté et entourée par ses cheveux d'or et de soie qui brillaient au clair de lune, elle a été saisie, enlevée loin de terre. Le sergent immense et terrible s'est mis à la serrer, à l'écraser contre les boutons de sa tunique. Et il grondait et gémissait en même temps :

« Mon enfant, ma petite... mon enfant. »

« Alors me sont revenues en un seul souvenir, et l'image que regardait tous les jours, sous le *pankha*, le vieux Sir Percival, et les paroles sans pitié de Lady Cynthia, et la surprise pareille à la mort qui avait arrêté les mouvements du chef des cornemusiers, quand la voiture aux fleurs et aux bêtes était passée devant lui. Et j'ai tout compris et vous aussi, maintenant, mes amis, vous comprenez...

« L'homme à tunique de feu était le fils perdu et maudit de Lady Cynthia et de Sir Percival, et il tenait dans ses bras sa fille qu'il avait fait serment de ne plus jamais voir. Mais le destin aux mille détours l'avait offerte à ses yeux et il était venu reprendre la rose de son sang.

« Seulement Daisy, elle, était dans une ignorance entière de tant d'épreuves et de secrets. Pour elle, cet homme énorme et comme fou était un étranger qui lui faisait très mal et très peur. Elle s'est mise à pleurer, à hurler. Le sergent l'a descendue doucement sur la pelouse et a tendu la main pour caresser les cheveux de soie et d'or. Mais alors une bête enragée s'est élancée par-derrière sur la tunique rouge et, aux grognements qui sortaient de sa poitrine, j'ai reconnu Bango. En vérité, mes amis, ce sergent des cornemuses était d'une force refusée à la plupart des mortels. Tout autre serait tombé sous le choc. Lui, il n'a fait que plier un peu et, saisissant Bango, il l'a rejeté contre le sol. Bango est resté un instant étourdi et j'ai supplié la petite fille :

« — Commande-lui, par tes yeux, de ne pas toucher à cet homme... Si tu savais... »

« Je n'ai pas eu le temps de parler davantage. Daisy criait :

« — Bango, au secours ! Attaque, Bango... Attaque... »

« Et le sauvage, cette fois, a sauté sur la gorge du sergent et, dans le clair de lune, ses crocs étaient féroces, pointus, énormes. Et il visait la veine qui porte le sang et la vie. J'étais sûr que le grand chef des cornemusiers allait l'arrêter, l'étrangler avec ses mains de fer. Mais il ne s'est pas défendu tout de suite. Sa force semblait embarrassée, empêchée par la voix de la petite fille aux cheveux de soie et d'or qui était sa fille et qui criait avec haine et fureur : « Attaque, attaque, Bango ! Mords... Tue !... »

« Quand le grand sergent a levé les bras, il était trop tard d'un instant. Les crocs de Bango étaient refermés sur la veine de vie. Les bras du chef des cornemuses sont retombés et il a chancelé une fois, deux fois, trois fois, et Bango avait la face inondée du sang qu'il faisait jaillir de la veine coupée. Mais ses dents ne lâchaient pas la gorge. Enfin, la tunique de feu s'est abattue à terre d'un seul coup.

« À ce moment, la porte de la demeure principale s'est ouverte avec fracas et Lady Cynthia s'est montrée sur le perron avec Sir Percival. Trois serviteurs, armés de fusils, les suivaient. Aucun d'eux ne m'a vu, car, aussitôt, je me suis aplati contre la pelouse et j'ai roulé jusqu'au buisson le plus proche et m'y suis terré.

« Ainsi, sans être aperçu moi-même, j'ai pu tout regarder et tout entendre. Mais mon corps entier tremblait, tremblait sous mon splendide vêtement vert, déchiré par les épines et les ronces.

« Lady Cynthia s'est approchée du sergent étendu, s'est penchée sur son visage, l'a bien examiné au clair de lune. Puis, elle a considéré Daisy. La petite fille caressait Bango et lui, il léchait le sang encore frais sur ses babines. Alors Lady Cynthia a dit aux serviteurs :

« — Emportez le corps ! C'est un simple accident arrivé à un soldat ivre… »

« Ensuite, elle a dit à Daisy :

« — Va dans ma chambre, tu coucheras là désormais. »

« Ensuite, elle a dit à Sir Percival :

« — Que le chef de la police vienne ici tout de suite, et, en même temps, le consul d'Angleterre. Je leur expliquerai… »

« Alors, Sir Percival a demandé en hésitant :

« — Mais qui… enfin… qui donc était ce soldat mort ? »

« Et Lady Cynthia lui a répondu :

« — Il faut téléphoner tout de suite, comme j'ai dit. »

« Sir Percival l'a laissée et la vieille dame est restée quelques instants sur la pelouse, grande, droite, immobile, avec ses yeux terribles tournés vers la lune.

« Bango se léchait les babines.

« — Je te ferai abattre sans que tu souffres », lui a dit Lady Cynthia doucement.

« Enfin elle est rentrée dans sa maison splendide.

« Alors je me suis glissé hors du buisson, j'ai repris mes vêtements ordinaires et je me suis enfui plein de terreur…

« Sans doute, j'ai couru trop vite et sans doute tant de sentiments, et si violents, étaient trop en une seule journée pour mon cœur. À mi-chemin de Tanger, mes jambes ont fléchi et j'ai roulé dans un champ. Là, j'ai dormi, dormi, dormi. Le soleil s'en allait déjà du côté où il se couche quand je suis arrivé aux faubourgs. La fatigue me tenait encore. Je me suis traîné vers le milieu de la ville. Mais soudain, aux abords de la place de France, j'ai commencé à courir... Je venais d'entendre des cornemuses.

« En effet, sur le boulevard, les soldats en jupes couleur de safran et à peaux de léopard défilaient vers le port. Leurs outres merveilleuses chantaient et se lamentaient sur leurs pas. Et, les menant, avançait un sergent immense, vêtu d'un pantalon noir et d'une tunique rouge feu qui agitait une longue, longue canne dont le pommeau étincelait comme un astre. »

Aux pieds de Bachir, et d'une façon suraiguë, Zelma la bédouine gémit :

— Un revenant ! Le Prophète nous garde ! Un revenant !

— Mais non, calme-toi, bonne femme, lui dit Abderraman le badaud, ils ont habillé un soldat de la même manière.

— Ou bien, remarqua l'écrivain public Mohamed, ils ont fait venir de Gibraltar un nouveau chef de musique...

Et Bachir leur répondit :

— Pour en avoir le cœur net, j'ai décidé de suivre les cornemusiers jusqu'à leur navire.

— Hé bien, hé bien ? lui demanda-t-on de toutes parts.

— Le destin est nouveau à chaque instant, soupira l'enfant bossu.

Puis, il dit :

« Nous n'étions déjà plus loin du port. Mais alors, venant en sens inverse, est apparue, cuivres soufflant, tambours battant, fifres chantant, une autre musique militaire. La Légion espagnole débarquait à son tour, pour la grande semaine de Tanger. Et, bien en avant, seul, sans gardien, se tenait un sanglier énorme et magnifique, tout harnaché de cuirs et de grelots brillants. Il marchait au pas des soldats et ses grelots sonnaient en cadence.

« Alors, j'ai suivi le sanglier. »

Bachir avait terminé son histoire.

Une longue rumeur d'approbation et de louanges à l'égard du conteur courait dans l'auditoire. Mais une voix méchante vint interrompre ce concert.

— Dis-nous, ô Bachir, demanda Sayed, le lecteur public, dis-nous ce qui t'a donné le courage de parler aujourd'hui, après nous avoir si longtemps caché ta gloire ?

— Je le dirai très volontiers, répliqua Bachir. Lady Cynthia est maintenant en Angleterre, où elle doit laisser Daisy dans une école très religieuse et très austère. Je l'ai appris par son chauffeur, ce matin, ici même, au Grand Socco.

Alors Bachir se tourna vers Omar et Aïcha. Le petit garçon enleva son grand fez, la petite fille tendit son tambourin et ils recueillirent ce que les fidèles voulurent bien y jeter.

Abd-el-Meguid Chakraf, l'Américain

Bachir revint au Grand Socco la semaine suivante. Et il n'eut plus besoin, pour attirer l'attention, de faire battre tambourin ou de chanter lui-même. Les gens accoururent de tous les coins du marché et s'assirent autour de lui avec empressement.

Et les yeux du petit bossu retrouvèrent Zelma, la bédouine effrontée qui savait se glisser partout et, près d'elle, Ibrahim, le jeune et adroit marchand de fleurs. Et il y avait aussi le bon vieillard Hussein qui vendait du khol, respecté par ses voisins, et Abdallah, le pêcheur aveugle, que son infirmité protégeait. Mais il y avait de nouvelles figures. Parmi celles-là, Bachir reconnut Kemal, le charmeur de serpents ; Caleb, le porteur d'eau ; et l'aïeule édentée Fatima.

Il sourit aux visages familiers comme aux autres et commença ainsi :

« Je n'ai pas besoin de vous rappeler, ô mes amis, l'émerveillement qui a saisi notre ville à l'arrivée d'Abd-el-Meguid Chakraf, et des choses étonnantes qu'il a faites tout d'abord. Chacun de vous l'a souvent rencontré, soit à travers les rues, soit aux terrasses des cafés, sur le Petit Socco. Mais personne de vous ne sait, j'en suis sûr, comment il a disparu tout d'un coup, ni pourquoi.

Et quelle incroyable destinée il est venu chercher ici. Écoutez donc Bachir le bossu, car Allah, dans sa miséricorde infinie, a bien voulu le découvrir pour moi. »

— Nous écoutons, nous écoutons, cria la foule. N'oublie rien, ne cache rien.

Et Bachir reprit :

« Je n'avais jamais été aussi affamé. Je venais de quitter la demeure de Lady Cynthia, dans la Montagne, où je n'avais pas eu un seul jour à m'occuper de ma nourriture. Et moi, là-bas, ô mes frères, comme un chien des rues qui soudain a trouvé une bonne niche, j'avais perdu l'habitude de vaincre la misère. Je n'avais plus l'œil aussi vif ni le pied aussi léger. Les bonnes places devant les restaurants étaient toutes prises. Les gens généreux s'étaient faits d'autres amis parmi les petits cireurs, mendiants et marchands de journaux, de cacahuètes ou de fleurs. Aïcha et Omar, longtemps privés de ma surveillance et de mes conseils, ne savaient plus se tirer d'affaire. J'avais vendu mes vêtements propres et repris des haillons. Mais ils me faisaient honte. Ainsi, un peu de prospérité passagère tourne la tête de l'homme, même si elle est appuyée sur deux bosses.

« Donc les choses allaient très mal pour moi. Si mal que je me suis décidé à chercher ce que j'aime le moins : un travail régulier. Le seul que je sache faire est de tirer la navette chez un tisserand. Et c'est le plus détestable. On y gagne juste assez pour ne pas mourir de faim, en peinant dans une échoppe obscure toute la journée et une partie de la nuit. Mais que ne fait-on pour un ventre tordu par la faim ? Je m'en suis allé dans le quartier des tisserands à mi-pente de la vieille ville.

« Or, ce matin-là, j'ai trouvé toutes les échoppes vides

et tous les patrons, tous les artisans, entourés de leurs apprentis, assemblés dans la rue. Et tous ils montraient la boutique de Rahim el Danaf, le vieil Hindou qui tient avec sa famille commerce des habits princiers du temps passé. Et ils criaient que seuls les Hindous pouvaient avoir chance pareille, plus encore que les Juifs, car un fou, ayant visité leurs boutiques à eux tisserands et tailleurs de la vraie religion, et n'ayant rien trouvé d'assez beau à son goût, était entré chez Rahim el Danaf et n'en sortait plus.

« Les tisserands sont enfin retournés à leurs échoppes, mais de si mauvaise humeur, qu'ils étaient prêts à me donner plutôt un coup de pied que de l'ouvrage. Ainsi je suis resté sur le pavé, tout contre le magasin tenu par le vieil Hindou. Et j'apercevais confusément, à travers les vitres, une grande animation dans la boutique. Toute la famille hindoue y prenait part. N'y tenant plus, j'ai essayé d'ouvrir la porte. Elle était fermée à clef.

« J'ai mis alors mon œil contre la serrure. Cela ne m'a servi de rien car, soudain, j'ai été rejeté en arrière par le battant poussé avec force et sur le seuil s'est dressé un homme tel que je n'en avais encore jamais vu de pareil. Ni vous, mes amis. C'était, en effet, la première apparition d'Abd-el-Meguid Chakraf dans une rue de Tanger.

Il était grand et gros, et large de corps et de figure. Et il était entièrement vêtu d'or. Son caftan à l'ancienne, ses pantalons plus vastes et plus bouffants que ceux qu'on porte aujourd'hui, ses babouches, son gilet, son turban, — tout était orné, brodé, cousu, couvert de tissu et de fil d'or. Et il se tenait avec majesté, remplissant de sa stature la porte de la boutique, pareil à une image. Mais ses yeux étaient bien vivants et pleins de vanité.

« Alors, je me suis écrié :

« — Ô toi, puissant seigneur inconnu dans cette ville,

ô toi qui ressembles à Haroun-al-Raschid, puisses-tu être aussi généreux que ce prince pour le pauvre qui te salue et chante ta louange. »

« L'homme tout drapé d'or m'a considéré en souriant d'aise à cet éloge, mais à mesure qu'il me contemplait, je voyais s'allumer dans son regard le feu de la bonté.

« — Depuis peu d'heures que je suis à Tanger, a-t-il dit, j'ai vu bien des enfants misérables, mais aussi vrai que mon nom est Abd-el-Meguid Chakraf, tu as l'air le plus disgracié de tous. »

« Il parlait l'arabe sans faute et d'une gorge juste, mais avec une grande lenteur, et j'ai cru, à ce moment, que c'était par souci de dignité. Il a réfléchi sans bouger, puis il m'a ordonné d'entrer dans la boutique et m'a fait habiller magnifiquement de la tête aux pieds. Puis il m'a fait donner un grand sac d'étoffe éclatante et nous sommes sortis. Alors j'ai connu des heures de vraie gloire.

« Nous sommes allés d'abord rue des Siaghines — et déjà, à cause de nos costumes, un grand concours de peuple nous suivait. Et à chaque comptoir, chaque boutique de changeur qui peuplent cette rue, l'homme que j'accompagnais monnayait de grands billets en poignées de pesetas et demi-pesetas d'argent qu'il jetait dans le sac dont il m'avait chargé. Bientôt ce sac a été si lourd que je le portais avec peine. Alors nous sommes allés au Petit Socco et Abd-el-Meguid Chakraf s'est assis à la terrasse du café le plus cher.

« Déjà beaucoup d'enfants mendiants tendaient la main vers lui. Alors il a crié :

« — Je veux qu'aujourd'hui soit un jour de joie pour les déshérités et j'ai décidé qu'ils recevraient tous leur aumône. Et je confie à mon secrétaire Bachir le soin de les répartir selon le mérite et la misère de chacun. »

« Ô mes amis, les nouvelles de cette sorte vont vite à Tanger. En quelques instants, du haut de la vieille ville et de toutes ses rues, ruelles et impasses et de toutes les places et avenues de la ville neuve et même des faubourgs, les enfants sont accourus. Et les hommes et les femmes les ont suivis. Et il y avait là toutes les guenilles et tous les ulcères de la cité. Et c'est à moi que l'on s'adressait. Et moi je puisais à pleines poignées les pièces dans mon sac et les vidais dans les paumes. Oui, en vérité, par Allah et Mohamed son prophète, ce fut une heure de gloire pour Bachir, le mendiant bossu. »

— Et cette gloire-là, tu pouvais l'étaler sans crainte, remarqua Ibrahim, le marchand de fleurs.

Ceux qui avaient entendu le premier récit de Bachir comprirent l'allusion et approuvèrent. Mais il n'en fut pas de même pour les autres, et leurs voisins durent leur expliquer ce qu'Ibrahim avait voulu dire.

Et Bachir, ayant attendu avec patience la fin de ces palabres, continua :

« Or, dans un autre café du Petit Socco, était assis mon ami Flaherty, le journaliste à la moustache rouge, qui, je ne sais comment, se trouve toujours aux endroits intéressants. Mais, tout au feu et aux honneurs de ma nouvelle fonction, je ne l'avais pas remarqué.

« Lorsque le sac aux pesetas a été vide et que la foule a commencé de se disperser en chantant les louanges d'Abd-el-Meguid Chakraf, mon ami Flaherty est venu à moi et, me clignant de son œil qui riait, m'a demandé de lui faire connaître cet étonnant et mystérieux seigneur. Nous sommes allés vers la table où Abd-el-Meguid Chakraf était entouré, comme d'une cour, par de vénérables marchands et de sages lecteurs de la Loi qui ont l'habitude de venir boire majestueusement leur café au Petit Socco. Eux seuls avaient osé approcher Abd-el-Meguid Chakraf. Ils tenaient des propos lents et dignes quand j'ai amené mon ami Flaherty et dit sa qualité. Au mot de « journaliste », j'ai vu dans les yeux aimables de mon nouveau maître s'allumer de nouveau le feu de la vanité.

« Comme je servais d'interprète à M. Flaherty, il m'a dit en anglais :

« — Demande-lui... »

« Mais alors Abd-el-Meguid Chakraf a éclaté de rire et donné une tape sur l'épaule de M. Flaherty et c'est lui qui s'est mis à parler en anglais avec une facilité et une vitesse surprenantes (qu'il n'avait pas pour l'arabe) et avec tous ces bruits du nez et de la gorge des vrais Américains.

« La surprise a été immense pour tout le monde et Abd-el-Meguid Chakraf en a joui profondément. Puis il a dit à M. Flaherty que sa vie avait vraiment commencé à New York, où il était arrivé à l'âge de quinze ans en un temps extraordinaire quand les hommes voyageaient en toute liberté, sans les papiers et cachets qu'il faut aujourd'hui. Là, il avait vendu, à travers les rues, colliers, babouches et parfums, puis avait ouvert un petit bazar marocain, puis un plus grand. Ainsi il était arrivé à la fortune. Et le grand gouvernement américain, le plus riche, le plus puissant du monde, l'avait accueilli comme citoyen. Mais, après quarante années, il avait voulu revenir à Tanger, d'où il était parti affamé, en guenilles, pour jouir de son opulence et la faire admirer. Et il était là.

« — Mais rappelez-vous, mon ami, disait-il tout le temps à M. Flaherty, que je suis citoyen du plus riche et du plus puissant pays du monde. »

« Et, en vérité, parce qu'il était Américain, il se sentait d'un rang plus élevé que les hommes des autres peuples. Et Tanger lui plaisait surtout, parce que dans cette ville il pouvait le mieux montrer son rang.

« Pour le bien assurer, il a fait coudre par des artisans stupéfaits un drapeau américain trois fois plus grand que celui-là même qui flotte sur le Consulat de cette nation. Et le jour où le drapeau a été planté sur une belle maison achetée par lui au cœur de la vieille ville, ce jour a été le plus beau d'Abd-el-Meguid Chakraf. »

— Je me souviens, je me souviens, grommela Fatima, l'aïeule édentée. Avec cette toile inutile, j'aurais pu habiller tous mes petits enfants.

— Tais-toi, bonne femme, tu ne peux rien comprendre à la gloire des honneurs ! s'écria Abderraman, le badaud.

Et Bachir poursuivit :

« Dans les premiers temps, tout a été parfait pour mon nouveau maître. Les Arabes l'aimaient à cause des longs récits qu'il leur faisait, dans les cafés maures, d'une vie merveilleuse qu'il avait connue de l'autre côté des océans. Il amusait les étrangers par ses habits extraordinaires et ils se montraient enchantés de sa compagnie. On a publié ses photographies dans les journaux de Tanger, de Rabat, de Tetouan et même des portraits faits par mon ami, le vieux petit Samuel Horwitz, qu'il a payés avec la générosité la plus éclatante.

« Mais, petit à petit, et sans que Abd-el-Meguid Chakraf l'ait remarqué, cette situation a changé. Les hommes, ô mes amis, se fatiguent vite d'admirer. Et celui que, d'abord, ils portaient aux nues, bientôt il ennuie et irrite.

« Et puis Abd-el-Meguid Chakraf avait un trait de nature encore plus fâcheux pour lui : il était très bon.

« Alors, ses largesses ont fait paraître les voisins avaricieux. Et ceux-là ont répandu le bruit qu'il gâchait les prix et pourrissait les pauvres.

« Enfin, poussé par sa bonté, Abd-el-Meguid Chakraf s'est mis à donner des conseils. Aux Arabes, il voulait persuader qu'ils devaient changer leur façon de vivre, avoir plus de propreté, de confort, mieux traiter leurs animaux et leurs femmes. Et aux étrangers, il essayait de faire honte sur la façon dont ils profitaient des Arabes et sur leur manière de disposer en maîtres d'un pays qui ne leur appartenait pas. Alors les Arabes ont commencé à le traiter de renégat et les étrangers de traître.

« Mais, lui, il ne s'en doutait point et continuait à être heureux sous les étoiles de son drapeau, comme si elles avaient été les étoiles du ciel.

« Or, un vendredi matin, au sommet de la Kasbah, Sa Hauteur le Mendoub qui représente Sa Majesté le Sultan, notre Seigneur à tous, arrivait en procession, comme tous les vendredis, à la Grande Mosquée. Pour voir cela, Abd-el-Meguid Chakraf avait revêtu ses plus riches habits et je l'accompagnais, vêtu, moi aussi, au plus somptueux.

« Vous savez tous, combien est magnifique la procession du vendredi. Sa Hauteur le Mendoub avance lentement, suivi de la garde militaire à pied et de la garde militaire à cheval. Les couleurs des uniformes brillent et les musiques de la fanfare éclatent au soleil. Les pères de la ville sont là pour recevoir le Mendoub avec leurs bonnets — insignes de leur rang, — les uns couverts de fourrure, les autres d'écarlate, les autres d'or. Et la foule des fidèles, à l'ordinaire, n'a de regards que pour ce spectacle.

« Mais cette fois la présence d'Abd-el-Meguid Chakraf et de son serviteur deux fois bossu attirait l'attention de tous.

« Et aux puissants de ce monde un tel partage déplaît.

« Ce n'était encore rien.

« Soudain, un misérable qui ressemblait plus à une bête furieuse qu'à un homme, s'est jeté, courant à quatre pattes, rampant, se tordant sur la chaussée, vers Sa Hauteur le Mendoub. Cet être affreux poussait des cris sauvages, déchirait ses haillons et l'écume coulait de sa barbe couverte d'immondices. C'était Rim-el-Kam, le fou, bien connu, et sacré par sa folie même pour tous les fidèles. L'auguste Sultan en personne, oui, le Sultan de Rabat, n'oserait pas entraver ses mouvements.

« Les gens s'écartaient donc devant l'insensé et le Mendoub ne faisait pas un mouvement pour l'éviter. Mais Chakraf, mon maître, qui avait quitté le pays pendant quarante années, et habitué à d'autres coutumes, a craint un attentat, un sacrilège. Et, pour protéger le Mendoub, il s'est précipité sur Rim-el-Kam, l'a saisi aux épaules, l'a rejeté en arrière.

« Je crois que si les gardes n'avaient pas contenu la foule, elle eût déchiré dans sa fureur terrible les vêtements princiers d'Abd-el-Meguid Chakraf et lui-même avec. Et le Mendoub a réprimandé sévèrement celui qui avait voulu le secourir.

« Alors mon maître n'a pas su contenir sa surprise et son indignation. « Mœurs de sauvages », a-t-il dit.

« Et, comme la foule grondait de nouveau, il a crié : « Silence ! Je suis citoyen américain ! »

Alors, parmi les auditeurs de Bachir, le pieux et doux vieillard Hussein qui vendait du khol dit avec pitié :

— Le plus fou des deux n'était pas Rim-el-Kam.

Bachir hocha la tête et reprit :

« Maintenant, ô mes amis, je vais vous parler d'un lieu que personne de vous assurément ne connaît, puisque moi-même qui n'ai point d'autre plaisir ni métier que de vagabonder à travers cette ville et ses environs, moi-même j'ignorais son existence.

« Fort loin d'ici (car il faut du temps même à une automobile rapide pour l'atteindre) et sur la grand route du Sud, on trouve, près d'un bouquet d'arbres, un petit chemin tortueux. Il s'engage vers une colline pointue située à main droite et conduit à son faîte par des boucles sans fin. Là, il n'y a qu'un seul bâtiment : une auberge. Et cette auberge a été construite par des gens à l'esprit très étrange, car elle ressemble à un château fort et aussi aux églises des infidèles. Les murs en sont très épais ; des tours se dressent à tous les coins ; à l'intérieur, c'est tantôt des salles énormes, tantôt d'étroites cellules ; les plafonds sont très hauts et voûtés ; et les pierres nues apparaissent partout. Et les fenêtres sont composées de petites vitres de couleurs différentes et très sombres. »

Ici, le badaud Abderraman interrompit vivement Bachir.

— Mais c'est un endroit bien sinistre que celui-là ! dit-il en étalant sa barbe teinte.

Et Fatima, l'aïeule édentée qui toujours avait froid dans la moelle des os, s'écria :

— Et on doit y geler.

Et Selim, le marchand d'amulettes, ajouta :

— Le lieu dont tu parles semble fait tout exprès pour les djinns, fantômes et autres esprits méchants.

Et Bachir ayant approuvé tous leurs propos s'écria :

— Et maintenant laissez-moi vous demander, mes amis, s'il vous souvient de cette jeune femme américaine que je vous ai montrée au commencement de mon premier récit et à qui j'avais acheté par orgueil tout un buisson de fleurs.

— La dame si belle ? Si libre ? demanda Zelma la bédouine.

— Dans cette sale taverne, le *Marchico* ! grinça le vieux Nahas qui prêtait sur gages.

— Et qui voulait te prendre à son service ! dit Ismet, le beau marchand de roses.

— Mais tu as été alors enlevé et mené à la Montagne par la vieille aux yeux terribles, remarqua l'écrivain public Mohamed.

Et Bachir répondit :

— Je vois que Madame Elaine — car tel était son nom — est restée dans vos mémoires. Et, en vérité, elle le mérite, ainsi que vous allez bientôt l'apprendre.

Et Bachir continua :

« Or, arrivée depuis peu dans notre ville, Madame Elaine avait décidé, pour se faire connaître avec honneur par toute la haute société étrangère, de donner à celle-ci un splendide bal costumé. Et sa maison étant trop petite à cet effet, elle a loué pour une nuit entière cette auberge si froide et si triste au sommet de la Colline Pointue. Et il a fallu remplir les cheminées de bûches énormes ; il a fallu amener de Tanger boissons et nourritures ; il a fallu faire venir également cuisiniers, serveurs et musiciens. Tout cela coûtait, vous le pensez bien, un argent terrible. Mais, comme je l'ai su par la suite, quand

Madame Elaine avait envie de quelque chose, elle ne réfléchissait jamais au prix de ses désirs. »

Alors le sage vieillard Hussein qui vendait du khol, demanda avec un doux étonnement :

— Mais pourquoi trouvait-elle merveilleux un endroit si horrible ?

Et Bachir lui répondit :

— Le croiras-tu, ô mon père, elle pensait que c'était un vrai palais arabe. Car, venant tout droit d'Amérique, elle connaissait notre pays seulement par quelques livres mensongers dont elle avait rempli sa tête folle.

On rit beaucoup dans l'assistance et Bachir reprit :

« Naturellement, Abd-el-Meguid Chakraf n'avait pas été invité par Madame Elaine qui ne le connaissait point, mais mon ami Flaherty à la moustache rouge qui ne prend rien au sérieux et que les gens aiment bien parce qu'il les fait rire, l'a emmené avec lui et m'a dit de les suivre.

« Pour cette occasion, mon maître avait dépassé en splendeur tous ses autres accoutrements. Il étincelait des pieds à la tête. Un vrai khalife. Et moi, il m'avait habillé comme le bouffon d'un grand prince.

« Il a obtenu, parmi la foule qui se pressait dans le château fort, un succès si vif que certains hommes en ont pris ombrage qui jusque-là avaient été les plus admirés. Ainsi, M. Boullers, le marchand d'or, habillé de pièces de monnaie de tous les pays. Ainsi, le chef de la police, costumé en cavalier du temps passé.

« Mais l'apparition d'Abd-el-Meguid Chakraf a ravi Mme Elaine au-delà de tout ce qu'on peut imaginer. Costumée elle-même en danseuse mauresque, elle voyait enfin un homme comme ceux des livres qu'elle croyait pleins de vérité. Un grand seigneur arabe, un caïd, un pacha, un sultan. Elle s'est attachée à lui et ne l'a laissé parler à personne. Et, pour entretenir le jeu, Abd-el-Meguid Chakraf ne disait pas un mot d'anglais et je lui servais d'interprète.

« Quand est venue l'heure des danses, Abd-el-Meguid Chakraf, dignement, s'est contenté de les regarder. Et Madame Elaine, pour rester avec lui, a refusé tous les hommes qui la demandaient. Et les gens qu'elle avait invités et dont elle ne s'occupait en aucune manière commençaient à chuchoter et à ricaner en la regardant, mais elle ne s'en apercevait pas. Et même, se levant tout à coup, elle s'est mise à se balancer en l'honneur de mon maître, d'une manière qu'elle pensait tout à fait mauresque.

« Je vous ai dit combien cette jeune femme était belle, mes amis. Et Abd-el-Meguid Chakraf n'a pas su résister à l'attrait de ce corps magnifique à moitié découvert : il a caressé de ses deux mains les flancs nus de Madame Elaine. »

Entendant cela, le badaud Abderraman s'écria, en frottant ses mains grasses l'une contre l'autre :

— Oh ! Oh ! l'heureux homme !

Et Ibrahim, le beau marchand de fleurs, montra toutes ses dents éclatantes et dit :

— Ô Bachir, tu donnes faim à ma jeunesse.

Mais la plupart des femmes et même quelques hommes aux principes sévères crachèrent sur le sol, par dégoût de tant d'indécence.

Et Bachir poursuivit :

« Madame Elaine s'est arrêtée de danser et ma crainte, alors, a été vive. J'ai pensé que Madame Elaine allait faire grand scandale et même frapper mon maître à la figure. Et les invités l'ont cru également. Mais rien de tel ne s'est passé. Madame Elaine s'est tournée vers moi et m'a demandé avec la plus grande innocence :

« — Est-ce la manière, chez les princes arabes, de prier une jeune femme en mariage ?

« Alors, mes amis, alors — voyez comme la folie se gagne — mon maître a oublié qu'il s'agissait d'un jeu et, sans me laisser répondre à sa place comme interprète, il s'est mis à parler anglais merveilleusement et il a dit qu'il serait, en vérité, l'homme le plus heureux, s'il pouvait épouser Madame Elaine.

« Et celle-ci n'en a point été surprise, dans sa tête insensée, ni qu'Abd-el-Meguid Chakraf ait soudainement changé de langage. Ses yeux ont brillé de bonheur et, appelant son invité le plus important, le Grand Consul d'Amérique, elle s'est écriée :

« — Voici mon quatrième mari. »

À ces mots, un immense étonnement se fit entendre dans l'auditoire de Bachir et Sayed, le lecteur public, s'en fit le porte-parole.

— Tu ne vas pas nous faire croire, obscène bossu, cria-t-il furieusement, que, même chez les infidèles, les femmes ont droit d'avoir leur harem.

— Pas encore, lui répondit Bachir, mais elles peuvent répudier leurs maris à leur gré et en prendre un autre aussitôt. Surtout en Amérique. Et c'est pourquoi Madame Elaine, si jeune encore, avait eu déjà trois époux.

Alors le vieil usurier Nahas, à la barbiche rare et couleur de fiel, grommela :

— Ce ne sont point là choses utiles à répandre.

Et il regardait autour de lui avec réprobation et haine

les femmes les plus jeunes qui murmuraient comme en rêve : « Répudier les maris... répudier les maris. »

Mais Bachir répliqua sans confusion à Nahas :

— Qu'y puis-je ? Mes contes ne disent que la vérité !

Puis il continua :

« L'annonce faite par Madame Elaine a été suivie d'un silence terrible. Puis le Grand Consul l'a emmenée dans un coin de l'énorme salle voûtée et plusieurs Américains d'importance les ont rejoints. Je me suis glissé auprès d'eux et j'ai entendu leurs propos sur mon maître. Ce n'était pas un prince, disaient-ils à Madame Elaine, mais un petit marchand de bazar, un homme de couleur, un rien du tout. Mais elle n'a fait que rire de leur indignation. « Vous êtes tous jaloux de lui, disait-elle. Et puis, s'il n'est pas un prince, il en a l'air. Et il me plaît ainsi ! » Et elle est revenue auprès d'Abd-el-Meguid Chakraf et ils ont bu ensemble.

« Alors tous les invités sont partis très vite, sauf notre ami Flaherty à la moustache rouge qui était très ivre et s'amusait merveilleusement de tout cela.

« Et le lendemain mon maître a envoyé une bague magnifique à Madame Elaine en présent de fiançailles. Et, pour bien montrer à tous combien son mariage était proche, et combien il en était fier, il a donné une fête à son tour. Et à cette fête il n'a pas invité de femmes. Telle est la coutume en effet chez les étrangers pour enterrer leur vie d'hommes seuls. »

Ici le lecteur public Sayed qui toujours essayait de prendre Bachir en faute, lui demanda :

— Puisque, d'après tes propres paroles, tout le monde détestait ton maître, personne n'a dû venir.

À quoi ce ne fut pas Bachir, mais le vieux et sage marchand de khol qui répondit :

— Tu oublies, ô Sayed, la force de la curiosité et le goût des plaisirs qui ne coûtent rien.

— Tu connais la vie et les hommes, en vérité, mon père ! dit humblement Bachir au vieillard.

Puis il reprit :

« Tous, Arabes ou infidèles, tous ils ont accepté l'invitation de mon maître et lui qui ne soupçonnait pas du tout combien maintenant il était mal vu, envié, méprisé ou même haï dans Tanger par les notables et par les puissants, il a été satisfait, en son cœur innocent, de voir que sa maison était si bien remplie. Et il souriait avec bonheur à ses pires ennemis. Par là, je veux dire M. Boullers, le marchand d'or et le bel officier chef de la police, et aussi, entre les Arabes, le vieux cheik Maksoud Abd-el-Rahman que vous connaissez tous pour sa fortune, ses grandes alliances et sa superbe.

« Et, en vérité, ils n'ont pas eu à se repentir d'être venus dans la maison de mon maître. Il avait préparé sa fête le plus somptueusement du monde et de la manière la plus raffinée. Les meilleurs cuisiniers de la vieille ville et les meilleurs pâtissiers avaient composé les mets et les gâteaux. Pour boire, on trouvait aussi bien le thé le mieux parfumé que les vins les plus riches. Et les boissons brûlantes, certes, ne manquaient point. Et pour ceux qui aiment le Kif, des pipes étaient toutes prêtes.

« À moi, ce que la nuit m'a donné de plus beau, ce fut la musique. Abd-el-Meguid Chakraf, qui avait peu de connaissances en cet art, m'avait chargé de réunir les meilleurs joueurs de viole et de guitare arabes, et les plus habiles au tambourin. Je n'y avais pas manqué et lorsqu'ils se sont mis à faire entendre les vieux airs andalous, je n'y ai pu tenir et je me suis mis à chanter.

« Vous le savez bien, mes amis : je n'aime pas me faire écouter en public. Quelques-uns s'étonnent de ma timidité, d'autres me reprochent mon orgueil et disent que je veux me faire prier. Inventions que tout cela et sottises. Je ne chante vraiment bien que si l'esprit me visite et se mêle à mon souffle. Et cela n'arrive que rarement. Et surtout pas devant des gens qui me déplaisent, et jamais sur commande. Voilà pourquoi, peut-être, trouve-t-on de telles louanges pour ma voix. Mais ce n'est pas la voix. C'est l'esprit dans la voix.

« Or, ce soir, chez Abd-el-Meguid Chakraf, la musique était excellente, et aussi je voulais faire plaisir et honneur à mon maître devant ses ennemis. Car, sauf M. Flaherty à la moustache rouge, tous les autres invités lui étaient vraiment hostiles, et mon maître ne le méritait pas. Il avait le cœur innocent, il protégeait les misérables, et toutes ses fautes, il les devait surtout à sa bonté et à l'assurance candide qu'il avait d'être un citoyen du pays le plus riche, le plus puissant et le plus libre du monde.

« Aussi j'ai chanté pour lui de toute mon âme, afin de laisser seulement retentir la gloire de l'esprit qui m'habitait. Et ceux qui l'écoutaient en ont été contents.

« Mais quand l'esprit m'a quitté, je me suis tu. Et on avait beau me demander de chanter encore, cela m'était devenu impossible. Et j'ai refusé à Maksoud Abd-el-Rahman lui-même, ce gros et méchant notable si puissant. Alors, il a dit à mon maître :

« — À ta place, je le ferais fouetter et il chanterait toute la nuit. »

« — Dans mon pays il n'y a plus d'esclaves », lui a répondu Abd-el-Meguid Chakraf.

« Et j'ai fait serment dans mon cœur de ne jamais chanter pour un brutal comme Maksoud.

« Mais lui, il n'a plus fait attention à moi, car dix danseuses arabes ont paru à ce moment. Il y en avait qui exerçaient la profession depuis longtemps, mais d'autres étaient simplement des filles toutes jeunes et d'une grâce charmante.

« Les invités, alors, se sont mis à boire plus qu'avant. Les pipes de Kif ont circulé davantage. Les danseuses balançaient leurs hanches parmi tous ces hommes. Cela n'était plus amusant et je suis allé jouer dans les rues avec Omar et Aïcha. »

— Quoi ! Au plus beau de la fête ! s'écria le jeune marchand de fleurs Ibrahim dont les yeux brillaient de convoitise.

— Tu oublies que Bachir n'est pas encore un homme, répondit en riant Caleb, le porteur d'eau.

— Heureusement pour lui, murmura le doux vieillard Hussein.

Et Bachir reprit :

« Le lendemain dans l'après-midi, Abd-el-Meguid Chakraf s'est rendu chez Madame Elaine pour échanger avec elle les paroles les plus douces. Et moi je suis allé au port, car il était l'heure où arrivent chaque jour, l'un après l'autre, les bateaux d'Algésiras et de Gibraltar et l'on tire toujours distraction et profit de ces arrivées.

« Comme je passais devant le Café de la Douane qui se trouve aux grilles même du port, j'ai aperçu à la terrasse, — et j'étais sûr de le trouver là, — mon ami Flaherty à la moustache rouge et un très vieil homme français.

« J'aime beaucoup le Café de la Douane. À travers ses

vitres, on voit tout le mouvement du port, et les beaux yachts, et les courriers d'Espagne et les grands navires qui vont sur les sept mers, et les barques de pêche. Et, dans le café même, viennent des Espagnols, des Maltais, des Arabes, des Juifs, des douaniers, des policiers, des marchands qui sont honnêtes, et d'autres qui ne le sont pas, des matelots, des contrebandiers. Et ils se réunissent tous autour des jeux de dominos. Chaque table en porte un. Et, à chaque table aussi, à voix basse, on propose, on achète, on vend, on arrange des affaires étonnantes.

« Aussi, profitant de la présence de mon ami Flaherty, je me suis assis à son côté, sur la terrasse du Café de la Douane, et j'ai fait un profond salut à son compagnon, M. Ribaudel. Et c'était de grand cœur, en vérité, parce que M. Ribaudel est d'un âge vénérable et d'une science étonnante. Il connaît notre ville mieux qu'aucun étranger et même, ô mes amis, mieux qu'aucun Arabe. Voilà cinquante ans qu'il habite Tanger. Il est venu ici alors que le Grand Socco était encore la campagne, que le Sultan seul régnait sur le Maroc, et que les consuls des pays étrangers, pour le voir, devaient se rendre jusqu'à Fez à cheval et protégés par une escorte, car, au-delà des murs de la vieille cité, les *djichs* couraient les monts et les plaines. Oui, c'est depuis ce temps que le vieux Ribaudel habite et connaît Tanger. Et alors que les fils de ses fils sont déjà des hommes faits, il continue à exceller dans sa profession d'avocat. Et il connaît mieux que personne les lois si compliquées de ce pays et, mieux que personne, il est renseigné sur ce qui se prépare et se médite chez les juges, les grands notables et même les consuls.

« À le voir, on ne dirait pas qu'il possède tant de mérites. Gras et mou, voûté par l'âge, peu soigneux dans ses vêtements, il toussote et crachote et promène de tous côtés ses petits yeux très rouges sur les bords. Mais écoutez-le parler et vous reconnaîtrez tout de suite un sage.

« Il vient tous les jours à la même heure au Café de la Douane, depuis que ce café a été construit. Et il le disait à M. Flaherty, au moment ou je me suis approché d'eux. Et mon ami a demandé :

« — Il y a longtemps ? »

« Et M. Ribaudel a dit, toussotant et crachotant, selon son habitude :

« — Vingt années, jeune homme. Et pendant vingt années je vois à ce Café de la Douane des gens qui viennent regarder l'arrivée des bateaux, d'abord une fois par semaine, puis plusieurs fois, puis chaque jour. Et ainsi jusqu'à la fin de leur vie. Et vous voilà maintenant, jeune homme, vous y voilà aussi… »

« — Mais moi ce n'est pas la même chose, a crié mon ami Flaherty. Moi je partirai un jour… Je n'ai qu'à vouloir… »

« — C'est ainsi que parlaient également les autres, a dit M. Ribaudel en crachotant. Faisons notre partie. »

« Au bout de quelques instants, un Juif très jeune et l'air très intelligent s'est approché de M. Ribaudel et mon ami Flaherty s'est écarté un peu pour ne pas entendre leur entretien.

« Le jeune Juif parti, M. Ribaudel et M. Flaherty ont repris leur jeu. Et tout en jouant et crachotant, M. Ribaudel a demandé :

« — Vous avez de l'amitié, je crois, pour cet imbécile heureux d'Abd-el-Meguid Chakraf ? »

« — Oui, a dit M. Flaherty. Je l'aime bien. »

« — Alors qu'il vienne me voir un de ces soirs au Petit Socco », a dit M. Ribaudel.

« Il a posé un domino et il a dit encore :

« — Et le plus vite possible. C'est dans son intérêt. »

« Alors, je suis revenu en courant à la maison de mon maître pour le prévenir. Et le soir même, nous avons été au Petit Socco.

« J'avais compris tout de suite le dessein du vieux M. Ribaudel quand il avait indiqué ce lieu pour parler à mon maître : il ne voulait pas que leur rencontre attire l'attention. Et où donc en vérité, mes amis, cela peut-il mieux se faire qu'au Petit Socco ?

« Depuis que Tanger est Tanger, et même alors que la ville était tout entière contenue dans les remparts, cette petite place où aboutissent et la rue des Changeurs et toutes les rues et ruelles qui descendent de la vieille Kasbah, cette petite place tout entourée par les cafés et leurs terrasses a toujours servi de lieu de compagnie, de loisir et de paresse. Les riches et les pauvres, Arabes, Juifs, Espagnols et les étrangers de distinction et les touristes ébahis se coudoient là, sur son pavé ou à ses tables. Et, dans cette foule qui tourne sans cesse comme au fond d'un entonnoir, à ce carrefour où les gens vont, viennent, passent et repassent, quoi d'étonnant à ce que deux hommes s'aperçoivent comme par hasard, s'asseyent l'un à côté de l'autre, conversent quelques instants et se séparent ?

« Ce fut ainsi, et obligé à feindre l'insouciance, qu'Abd-el-Meguid Chakraf a entendu M. Ribaudel, le très vieux et très sagace, lui conter de terribles nouvelles.

« Qui avait dénoncé mon maître ? Était-ce M. Boullers, le marchand d'or qui jugeait ne pas recevoir de lui tous les égards mérités par sa prodigieuse fortune ? Ou quelque Américain indigné de voir l'immense drapeau aux étoiles sur la maison d'un ancien colporteur arabe ? Ou un Arabe jaloux de ce même drapeau ? Ou d'autres hommes enragés par le mariage prochain d'Abd-el-

Meguid Chakraf avec la belle Madame Elaine ? Ou tous ensemble ?

« De cela, M. Ribaudel n'était pas encore informé précisément. Mais une chose ne faisait pour lui aucun doute : mon maître était accusé auprès du Grand Consul américain. Et par des gens d'influence très grande.

« Alors mon maître Abd-el-Meguid Chakraf, tout heureux encore de sa visite chez Madame Elaine, et souriant avec assurance et incrédulité, a demandé de connaître quelle était cette accusation. Mais le vieux M. Ribaudel ne lui a pas répondu tout de suite. Au lieu de cela, il s'est informé si Abd-el-Meguid Chakraf avait bien donné une fête la nuit dernière. Et mon maître a répondu que c'était vrai et même que sa fête avait réjoui tous ses invités qui étaient nombreux. Et M. Ribaudel s'est enquis des plus influents. Et mon maître, très satisfait dans son orgueil, a cité leurs noms et leurs titres, Enfin M. Ribaudel l'a interrogé sur les petites danseuses. Et Abd-el-Meguid Chakraf a dit qu'elles étaient venues en effet et s'étaient montrées d'une grâce accomplie et n'avaient quitté sa maison qu'au matin en lui baisant les mains pour le grand argent qu'elles avaient reçu.

« — Hé bien, a dit M. Ribaudel en toussotant, hé bien, c'est à leur sujet que le Grand Consul est saisi, car on te reproche d'avoir abusé d'elles. »

« À ces paroles, Abd-el-Meguid Chakraf s'est mis à rire très fort. On ne pouvait inventer plus grand mensonge, a-t-il dit. Non point qu'il se fût retenu, s'il en avait eu envie, mais, pendant sa longue absence de notre contrée, il avait perdu désir et goût pour les filles arabes. Et d'ailleurs, n'allait-il pas épouser bientôt une Américaine merveilleuse ?

« Et mon maître a dit encore que certains de ses invités — comme le gros Maksoud ou M. Boullers, le marchand d'or, avaient pris de l'amusement avec les danseuses, car elles y avaient mis beaucoup de bonne volonté. Mais quant à lui, quelle idée ! Et il s'est mis à rire de nouveau.

« Alors le vieux M. Ribaudel a remarqué doucement :

« — Ton innocence ne me regarde pas. Elle dépend de la puissance des gens qui t'accusent. Et cette puissance est redoutable. »

« Mais Abd-el-Meguid Chakraf continuait de rire. »

À ce moment, plusieurs voix, dans l'assistance, s'élevèrent avec vivacité. Abderraman le badaud, Ibrahim qui vendait des fleurs, le vieil usurier Nahas et Ismet le débardeur sans travail criaient tous ensemble :

— Et il avait bien raison de se moquer ainsi.

— Quel danger courait-il, même s'il ne s'était pas abstenu ?

— Le Prophète n'interdit à personne de réjouir son corps !

— Et les danseuses ne sont-elles pas faites pour cela ?

— Pourvu qu'on les puisse payer !

Or, Bachir, ayant approuvé tous ces propos, poursuivit :

« C'est bien ainsi que mon maître a parlé au vieux M. Ribaudel. Mais ce dernier, soudain, lui a demandé :

« — Est-ce que tu dépends du Mendoub ? Es-tu donc Marocain ? »

« Et, dans toute sa grande fierté, Abd-el-Meguid Chakraf a répondu :

« — Que non ! Je suis citoyen de la libre et puissante Amérique ! »

« Et M. Ribaudel a demandé encore :

« — Et dans cette libre et puissante Amérique, te rappelles-tu quelle est la punition pour user, même avec leur consentement, de filles qui n'ont pas atteint l'âge de vraies femmes ? »

« À ces mots, le sourire a quitté le visage de mon maître et ses joues sont devenues un peu grises et il n'a rien répondu et M. Ribaudel a murmuré :

« — Vingt années de prison, n'est-ce pas ? »

Alors, autour de Bachir, les cris reprirent de plus belle :

— La prison !

— Pour le plus simple plaisir !

— Vingt années !

— Mais ce sont des insensés !

— Ce sont des barbares !

Et Bachir répondit :

— Des infidèles, en vérité.

Et il poursuivit :

« Cependant Abd-el-Meguid Chakraf s'est bien vite remis de son effroi et il a dit avec force :

« — C'est un tribunal de toutes les nations qui juge ici les étrangers. Et ses lois ne sont pas les lois de l'Amérique. »

« — Mais l'Amérique a ses lois dans Tanger », a répondu M. Ribaudel.

« Et il s'est frotté les mains avec contentement, car rien ne lui plaît davantage que de bien montrer à quel point, dans notre ville, les choses ne vont point comme ailleurs. »

Ici, l'écrivain public Mohamed, dont l'esprit agile était renommé pour son habileté à résoudre les questions les plus obscures, parla au nom de tous.

— Veux-tu nous expliquer pas à pas, demanda-t-il à

Bachir, les détours de ces règles et coutumes, auxquelles, en vérité, nous n'entendons rien.

Et Bachir s'écria :

— Je vais essayer de mon mieux, ô mes frères, en répétant les propos du savant vieillard Ribaudel qui les a tenus trois fois de suite à mon maître Abd-el-Meguid Chakraf, car lui aussi avait mal immense à le comprendre.

Les visages de la foule se creusèrent sous l'effort de l'attention et Bachir poursuivit :

« Vous le savez, mes amis, il y a dans cette ville deux lois, toutes différentes. L'une est pour les fidèles que nous sommes et Sa Hauteur le Mendoub nous l'applique. L'autre est pour les étrangers et c'est un tribunal très spécial qui s'en charge, où entrent les juges de toutes les sept nations qui, ensemble, gouvernent Tanger. Mais il y a un peuple — et un seulement — qui n'obéit à aucune de ces lois. Car il a obtenu pour ses gens de n'être jugé ici par personne sauf leur propre consul. Et c'est le peuple américain. »

En entendant cela, l'assistance cria tout entière :

— Mais alors il est le plus puissant du monde.

À quoi Bachir répondit :

— C'est la raison pour laquelle mon maître était si fier de lui appartenir.

Alors Mohamed le sagace demanda :

— Mais, en même temps, n'est-il pas vrai, alors qu'un Marocain, un Espagnol, un Français, bref, personne de quelque pays que ce soit, n'aurait couru le moindre danger dans l'affaire des petites danseuses, lui, il était sous une menace terrible ?

— En vérité, en vérité ! s'écria Bachir.

Et il continua vivement :

« Car, comprenez-vous, mes amis, si le Grand Consul d'Amérique estimait coupable son citoyen Abd-el-Meguid Chakraf, il devait le faire embarquer par force pour son pays où il serait jugé selon les lois impitoyables que vous avez entendues. Et, de la sorte, comme le disait M. Ribaudel, ce vieillard si savant, la propre gloire de mon maître se retournait contre lui-même. Et c'était un cas vraiment intéressant, disait encore M. Ribaudel avec satisfaction, car il ne pouvait se produire que pour un citoyen d'Amérique et seulement à Tanger. »

Ici Bachir s'arrêta un instant, pour laisser le temps à ceux qui l'écoutaient de pénétrer une situation aussi extraordinaire.

Et Abdallah, l'aveugle, s'écria :

— Le monde est obscur, même pour les yeux de l'esprit.

Et le porteur d'eau, Caleb, dit ensuite :

— Seule est bonne la loi du Prophète !

— Seule ! répétèrent ses voisins.

Et Bachir poursuivit :

« Il a fallu du temps à mon maître pour prendre vraiment conscience du péril où il se trouvait. Car ce péril semblait une sorte de moquerie insensée. Quoi, lui, Sidi Abd-el-Meguid Chakraf, il était citoyen du pays le plus puissant, du pays au-dessus des lois de Tanger, et, à cause de cela même, il risquait d'être châtié plus cruellement que le plus misérable fils de la plus misérable des nations et pour une faute que, non seulement il n'avait pas commise, mais qui, dans Tanger, n'existait pas.

« Son indignation et la certitude de son innocence l'ont poussé à tout raconter à Madame Elaine. Et celle-ci l'a soutenu de toutes ses forces et lui a dit d'aller trouver tout de suite le Grand Consul d'Amérique, afin de faire éclater sa juste colère et d'établir sa vertu.

« Mais le Grand Consul n'a pas voulu recevoir mon maître. Un fonctionnaire lui a parlé très froidement, très courtement. Il lui a dit qu'il devait attendre la fin de l'enquête...

« L'enquête ? Il y avait donc une enquête...

« À partir de ce moment, Abd-el-Meguid Chakraf s'est mis à regarder moins souvent le drapeau immense qui protégeait sa maison.

« Cependant il se rassurait de son mieux. Enquête ou non, il était innocent.

« Cet homme au cœur ingénu comptait sans ses ennemis. Il en avait de tous côtés et dans tous les milieux. Ils s'entendirent pour sa ruine. Vous savez, mes amis, comment se font les choses. La police a-t-elle menacé les fillettes et leurs parents ? Leur a-t-on offert de l'argent contre des témoignages ? L'un et l'autre, je pense. En tout cas, les dénonciateurs ont été confirmés.

« Et nous l'avons deviné, avant même que M. Ribaudel nous en eût avertis. Car Madame Elaine, soudain, a fait savoir partout qu'elle n'épouserait plus Abd-el-Meguid Chakraf. Et puis elle a disparu de la ville.

« Dès lors, mon maître a fait pitié à voir. Il n'en voulait pas à Madame Elaine. Il comprenait fort bien qu'elle ait ajouté plus de foi aux assurances de tous les Américains influents de Tanger et aux rapports de la police qu'à sa seule parole. Mais puisque elle-même ne croyait plus à son innocence, il s'est senti perdu.

Alors notre ami Flaherty à la moustache rouge l'a pressé de quitter Tanger. Il ne restait plus, disait-il, qu'à terminer quelques démarches légales et Abd-el-Meguid Chakraf serait arrêté et embarqué comme criminel pour l'Amérique.

« — Allez en Espagne, en France, conseillait M. Flaherty. Vos ennemis demandent surtout de vous savoir ailleurs. Loin de Tanger, ils vous laisseront tranquille. »

« Et mon maître a couru au Consulat espagnol pour avoir son visa. Je l'ai accompagné. D'abord, à son aspect, on l'a pris pour un sujet marocain et on l'a traité avec insolence. Il a tendu timidement son passeport. Aussitôt on s'est montré empressé.

« — Américain, Américain ! » disaient les employés avec respect.

« — Oui, oui », murmurait Abd-el-Meguid Chakraf.

« Il a ramassé son passeport comme un voleur, lui qui l'avait montré tant de fois et d'une main si orgueilleuse.

« Cependant, il ne pouvait se décider à partir tout de suite. Il errait en soupirant dans sa maison. Il mettait et enlevait ses vêtements d'apparat. Il regardait son drapeau.

« Mais un jour notre ami Flaherty est venu, essoufflé, pour avertir Abd-el-Meguid Chakraf que son nom avait été donné aux services du port, au terrain des avions et aux postes des frontières. Il ne pouvait plus sortir selon la loi.

« — Je suis perdu », a dit Abd-el-Meguid Chakraf.

« Et il s'est assis sans force.

« Mon ami Flaherty m'a regardé alors, comme si j'étais seul à pouvoir trouver le salut. Et il avait raison. Le chien maigre des rues en sait toujours davantage sur la vraie vie que le chien gras des jardins. J'ai demandé à M. Flaherty de me donner une heure et un peu d'argent.

« — Retrouve-nous au *Minzah*, m'a dit M. Flaherty.

C'est le dernier endroit où l'on voudra faire un scandale. »

« Je les ai accompagnés jusqu'à cet hôtel illustre. Puis j'ai couru au *foundouk* de la rue du Statut, quelques portes plus loin.

« C'est à Tanger seulement, dit-on, qu'on trouve presque côte à côte tant d'opulence et tant de misère. Vous êtes tous entrés dans ce caravansérail qui n'a pas changé depuis le temps de nos ancêtres, où les hommes en guenilles couchent près de leurs ânes pleins d'ulcères, où se prépare la contrebande d'huile et de grains vers la zone espagnole et la zone française, et où se forment les caravanes. Moi, j'y connais tout le monde et j'ai pu m'entendre rapidement avec les gens qu'il fallait.

« Puis j'ai couru chez un fripier et, de mes emplettes, j'ai fait un ballot que j'ai chargé sur ma bosse de derrière.

« J'ai voulu déposer ce ballot dans la maison d'Abd-el-Meguid Chakraf. Mais, comme je m'en approchais, j'ai vu le bel officier, grand chef de la police, en sortir et laisser devant la porte deux agents.

« Alors j'ai avisé Omar qui, sous son grand fez rouge, rôdait autour de la maison et j'ai ordonné qu'il aille chercher Abd-el-Meguid Chakraf et me rejoigne avec lui au cimetière juif.

« Si j'avais choisi ce cimetière, plus ancien que la mémoire des hommes, c'est qu'il se trouve à quelques pas du *Minzah* (et nous n'avions pas de temps à perdre) et qu'il est toujours désert, et qu'entre ses tombes ruinées, derrière ses cyprès immenses, on peut se dissimuler aisément.

« J'y ai trouvé, comme à l'ordinaire, et juste à l'entrée, quelques malheureuses mendiantes juives, certaines tenant une poule (tout ce qu'elles possédaient au monde), et qui attendaient qu'un Juif pieux vînt leur faire l'aumône ; plus loin, il n'y avait personne.

« Parmi les tombes qui s'enfonçaient dans la terre, à l'abri d'un rideau d'arbres, face au port et au détroit, j'ai défait mon ballot, j'ai quitté mes vêtements et endossé des haillons.

« Bientôt, conduit par Omar, est arrivé Abd-el-Meguid Chakraf.

« Et une fois de plus il s'est déguisé. Mais adieu caftans et culottes magnifiques ! Guenilles sur guenilles, voilà son accoutrement. Un instant, il a hésité, puis lui, l'Américain, il a murmuré doucement, profondément, de tout son cœur :

« — *Inch' Allah !* »

« Cependant, Omar mettait mon ancienne chemise, mon ancien costume. Ils étaient beaucoup trop grands pour lui. Peu importe, il dansait de joie.

« Nous sommes sortis du cimetière. Nous avons passé devant le *Minzah*. Là, un policier parlait au portier. Mais qui aurait reconnu Abd-el-Meguid Chakraf dans un mendiant ? Encore quelques pas et nous étions au *foundouk*. Là, Sidi Chakraf a payé le prix convenu. Et le soir même, nous sommes partis avec une caravane de bourricots. »

À ces mots, Bachir rejeta légèrement sa tête en arrière et son regard se porta, brillant et inspiré, sur tous les visages et jusqu'aux dernières rangées de la foule. Et il reprit d'une voix ardente :

« Qui parmi vous, ô mes amis, est allé aussi loin que nous a menés cette caravane ? Qui donc est allé jusqu'à Alcazar Kébir ?

« Il a fallu traverser toute la zone de Tanger en marchant vers le Sud et passer en zone espagnole, de nuit, par des sentiers dissimulés et des herbes secrètes. Il a fallu pousser nos ânes sur des routes poudreuses et laisser derrière nous bien des villages et des villes et contourner Larache, la capitale, et encore aller, aller, pour trouver enfin, sur le bord de la zone française, Alcazar Kébir.

« Ô mes amis, c'est une ville extraordinaire, brûlante, bruyante, violente et qui déjà sent la piste sauvage et le sauvage désert. Elle ne compte que quelques rues tristes, poudreuses et sales, avec des maisons et des cafés sales et tristes. Mais sa vraie vie, sa vraie destinée, on les trouve dans son marché et dans ses souks.

« Là, dans le vent de poussière et de sable, parmi des tentes et de petites cellules couvertes d'une chaux grise, s'assemblent et se défont les caravanes et les groupes de tribus, les complots de la contrebande, les marchandages d'armes, les rencontres des villes, des bleds, de la montagne et de la mer. Rien que des visages brûlés par le soleil, rien que des yeux farouches, rien que de pauvres et rudes djellabahs. Et les démarches sont plus fières et les voix sont plus rauques et les ceintures portent les longs fruits lourds des poignards.

« Oh ! ce n'est pas une ville joyeuse, mes amis, ni voluptueuse, ni même aimable. Mais elle offre le meilleur asile pour le vagabond sans papiers, pour l'errant que la loi pourchasse, pour l'homme qui a besoin de se perdre parmi d'autres hommes. Et qu'était donc devenu Sidi Chakraf, sinon cet homme-là ?

« Et il a décidé de demeurer dans Alcazar Kébir et, avec l'argent qui lui restait, il a acheté une place dans un souk et un lot de bijoux berbères et maurétaniens. C'est par ce commerce qu'avait commencé sa vie. Il acceptait sagement de le reprendre.

« Je lui ai tenu compagnie quelques jours.

« Et puis, un matin, une belle automobile venant de la zone française est arrivé dans les souks. Un homme et une femme en sont descendus : Madame Elaine et un jeune Américain. Ils se sont arrêtés dans toutes les boutiques et enfin devant celle d'Abd-el-Meguid Chakraf.

« Madame Elaine a reconnu mes bosses et m'a fait très joyeux accueil. Mais il ne lui est pas venu à l'esprit que le marchand loqueteux qui enveloppait sa face d'un haillon sale était l'homme qu'elle avait pris pour un prince arabe et voulu épouser. Sans doute avait-elle oublié jusqu'à son existence.

« Puis, comme elle m'aimait bien, elle m'a dit :

« — Nous retournons du Maroc français à Tanger. Si tu veux, nous te ramènerons. Tu chanteras pour nous en route. »

« Je connaissais tout d'Alcazar Kébir. C'était amusant de faire le chemin dans une si belle voiture. Quant à chanter, je pouvais toujours promettre. La poussière me ferait sûrement trop mal à la gorge. J'ai salué Abd-el-Meguid Chakraf et je suis monté dans la voiture.

« Par la vitre du fond, je lui ai fait des signes, quand nous avons commencé de rouler. Mais ce n'était pas moi que ses yeux regardaient, ni même Madame Elaine. La voiture appartenait au Consulat américain de Tanger et il y avait sur son toit un petit drapeau avec toutes les étoiles. »

Ayant achevé ainsi, Bachir fit signe au petit Omar et à la belle Aïcha qui offrirent aussitôt fez et tambourin à la bonne volonté des fidèles.

Le rezzou

Quand Bachir se présenta de nouveau sur la place du Grand Socco, il fut tout de suite entouré par une foule beaucoup plus nombreuse encore que la fois précédente. Il vit ainsi qu'il avait assuré fermement sa renommée de conteur et il commença son récit avec exaltation.

« Que l'homme se connaît mal, ô mes amis, s'écria Bachir. J'avais le pouvoir de m'éviter le plus grand chagrin, la peine la plus vive. Ce choix était dans mes mains. Et j'ai pris parti contre moi-même. Pourquoi ? Allah m'est témoin, ce petit âne m'était aussi cher que mes yeux ! »

Mais, parmi les auditeurs de Bachir, tous n'étaient pas ses amis, et l'un d'eux le montra tout de suite.

— Voilà maintenant qu'il s'agit d'un âne, grommela Nahas, le vieux prêteur d'argent (et une salive, jaune comme du fiel, se mit à couler sur sa barbe au poil terne et pauvre). Un âne ! Nous ne sommes pas des enfants stupides pour nous amuser avec des histoires de bourricot.

— Tu étais pourtant, dit Bachir, bien heureux d'avoir

le tien, ramasseur de pesetas, quand tu le poussais, l'autre nuit, au clair de lune, et chargé de sacs pleins d'argent...

— On ne te demande rien, marqué par le diable, cria le vieux Nahas en brandissant sa canne. N'es-tu pas ici seulement pour faire des récits? Qu'est-il arrivé à ton âne blanc?

— Maintenant tu cours trop vite, répliqua Bachir. Laisse-moi dire comment Allah a ordonné les événements et par quels détours il les a fait aboutir.

Des voix s'élevèrent dans la foule :

— Raconte selon ton désir.

Et Bachir commença :

«J'étais, dit-il, cette fois encore, avec Monsieur Flaherty, mon ami à la moustache rouge.»

Mais il fut interrompu de nouveau.

— Ô ma mère! Toujours lui! s'écria Zelma, l'effrontée bédouine en se redressant un peu sur ses jambes repliées sous elle et recouvertes de cuir brut. Ô ma mère! Je donnerais bien la moitié de ces quatre œufs que j'ai apportés à vendre pour connaître ton ami!

— Hé quoi, ma tante? demanda doucement Bachir. Tu veux encore un enfant qui ne ressemble en rien à son père légitime?

Le tumulte des rires empêcha d'abord la bédouine de répondre. Puis elle cria :

— Sois tranquille, je n'en aurai jamais un avec deux bosses, ou seulement une.

Mais elle riait aussi.

Et Bachir reprit :

« Nous allions donc à travers le port : M. Flaherty parce qu'il n'avait rien d'autre à faire et moi parce que j'aime à écouter les aventures qu'il a connues sur les sept mers et à voir ses yeux bleus briller sous ses sourcils rouges.

« Mais, ce matin-là, mon plaisir était gâté par le ciel contraire. La pluie me battait au visage et le mauvais vent qui vient du côté froid me perçait d'une bosse à l'autre comme une lance très pointue. M. Flaherty, lui, qui portait des souliers épais, des gants, un gros manteau et un chapeau à larges bords, se sentait très heureux. Cette pluie et ce vent lui rappelaient son pays, son île d'Irlande. Et il disait que la fraîcheur de l'air faisait du bien à sa santé.

« Si les paroles de M. Flaherty sont justes, ô mes amis, alors le temps d'hiver est un temps de riche. Mais pour ceux qui vont pieds nus, et le corps mal nourri, mal couvert et qui dorment dans la rue, le soleil est un grand frère, même au plus fort de son été. Il engourdit la faim et endort le souci.

— La pluie n'est bonne que pour la terre, dit pensivement Fuad le cultivateur aux épaules étroites.

Fatima, la vieille qui n'avait plus d'âge et qui n'était que plis, rides et nœuds, gémit :

— Le charbon de bois que nous faisons au douar, il n'est jamais à nous et c'est pour en chauffer les autres que je viens de si loin l'offrir au Grand Socco.

— Et moi... Et moi... dirent plusieurs hommes.

Alors Bachir se fâcha ou fit semblant de se fâcher (cette fois, on ne pouvait pas savoir).

— Comment arriverai-je à vous faire un récit animé et fidèle, s'écria-t-il, quand vous discourez à ma place ?

— Silence, silence, pria Hussein, le doux vieillard qui

vendait du khol. Les génies de la parole et de la mémoire vont se troubler chez cet enfant.

— Silence, répète Selim, le sévère marchand d'amulettes.

Ismet, le débardeur sans travail, agita ses bras lourds en grondant :

— Silence.

Tout le monde obéit et Bachir s'écria :

— Écoutez, ô mes amis, écoutez d'abord l'histoire des trois cents chevaux perdus.

Et, assuré que cet effet de surprise lui valait plus d'attention que prières ou menaces, Bachir poursuivit rapidement :

« Au commencement de notre promenade, mon ami Flaherty et moi nous ne savions rien de l'affaire. Mais en approchant du bas port et des bassins où se trouvent les yachts de contrebande, nous avons entendu un bruit très étrange. Cela ressemblait aux sifflements d'une tempête lointaine et aux roulements affaiblis du tonnerre quand il voyage sur les côtes d'Espagne. Nous avons marché vers le bruit. Le vent nous apportait toujours plus fort des plaintes aiguës, terribles et le son de mille marteaux sur mille enclumes. On eût dit, ô mes amis, que tous les *chaïtanes* hurlaient ensemble.

« En plein soleil, je n'aurais pas eu peur. Mais, avec la pluie, le ciel bas et noir, les mâts nus sous le vent et les quais déserts, j'ai dit à M. Flaherty : « Allons-nous-en, les esprits sont mauvais en ce lieu. » Il ne m'a pas entendu, je crois. Quand sa curiosité est en route, rien ne peut l'entraver. Je me suis caché derrière son large dos et j'ai suivi. Le bruit devenait tellement effrayant que ma peau se levait sur ma nuque. Enfin M. Flaherty s'est arrêté, s'est écarté et j'ai vu les chevaux.

« On les avait tous enfermés à l'intérieur d'un enclos à claire-voie et à ciel ouvert. Allah tout-puissant, quel spectacle ! Ce n'étaient plus des chevaux mais des bêtes sauvages et folles. Trempés par la pluie, frappés par le vent, à l'étroit, ils se cabraient, ruaient, mordaient, piétinaient le sol. Et ils hennissaient, hennissaient sans arrêt dans la fureur, dans le désespoir, en rejetant la tête, avec des yeux insensés, et leurs naseaux pleins d'écume.

« Ils se lançaient les uns sur les autres pour arracher et manger les crins des queues et des crinières. Ou encore ils donnaient de grands coups de mâchoires dans les planches pour ronger quelque lambeau de bois. Et ils essayaient de boire la pluie en écartant leurs grandes lèvres pendantes.

« Allah tout-puissant ! Je grelottais maintenant de crainte et non plus de froid.

« M. Flaherty tremblait aussi, mais lui, c'était de colère. Car il a l'amour des chevaux. On dit que, dans son pays, dans son île, tous les gens sont ainsi.

« Trois Espagnols, garçons d'écurie, se tenaient devant l'enclos sous la pluie, maigres, sales, effrayés. M. Flaherty les a interrogés durement, contre son habitude :

« — D'où arrivent ces bêtes ? »

« — De Barcelone, ont-ils dit. Mais ce ne sont pas des chevaux espagnols. On les a fait venir par bateau d'une île, plus loin que l'Angleterre. »

« — Irlande ! » a crié M. Flaherty, et sa figure est devenue aussi rouge que sa moustache.

« — Oui, oui, c'est ce pays-là », ont dit les pauvres Espagnols.

« La pluie tombait, le vent soufflait. Les bêtes souffraient de faim, de soif, de froid, tournaient, ruaient et hennissaient, hennissaient toujours.

« — Des chevaux ! Et des chevaux d'Irlande ! » a crié mon ami Flaherty.

« Puis, comme il parle mal l'espagnol, il m'a ordonné d'avoir toutes les explications des garçons d'écurie. Ce n'était pas facile parce qu'ils me parlaient de choses où je n'entends rien. Ils parlaient d'un pays tout petit et en pleine montagne qu'ils appelaient Andorra et qui touche l'Espagne. Et les chevaux avaient été amenés de l'île de M. Flaherty, par mer, à Barcelone, en Catalogne, pour être conduits dans Andorra. Mais ce n'étaient pas des chevaux de montagne et, pour cette raison, le chef de la police à Barcelone avait pensé que les chevaux n'étaient pas vraiment pour le pays d'Andorra, mais pour ailleurs, en contrebande. Et il avait chassé du port le bateau des chevaux. Et pour faire entrer les chevaux sans papiers il n'y avait pas d'autre pays que Tanger. Alors ils étaient venus ici l'avant-veille et le bateau était reparti, les laissant. Et, depuis deux jours, ils étaient là, sans rien savoir de plus.

« — Il n'y a pas deux villes comme Tanger », a dit alors M. Flaherty.

« Ces paroles, il en est coutumier, et, quand il s'en sert, il me cligne toujours de l'œil. Mais, cette fois, il a oublié de le faire. Et il a crié rudement aux garçons d'écurie :

« — Qu'est-ce que vous attendez pour leur donner à boire et à manger ? »

« — Avec quel argent ? » ont demandé les pauvres Espagnols. « Nous n'avons même pas de quoi nous acheter du pain. »

« Alors M. Flaherty a sorti son portefeuille, mais il n'avait presque rien dedans. Il dépense toutes ses pesetas pour acheter des boissons qui enivrent et dont il se réjouit avec ses amis.

« Et les chevaux hennissaient toujours.

« Alors, M. Flaherty s'est détourné avec violence et s'est mis à marcher si vite vers la ville que j'ai dû courir tout le long du chemin. Il ne disait pas un mot et il ne s'est arrêté que devant la Mendoubia.

« Il m'a laissé dans les jardins et a été voir les hauts fonctionnaires arabes dans le palais. Je l'ai attendu caché sous un des grands canons de l'ancien temps que vous connaissez bien, ces grands canons pleins d'images de bronze et d'inscriptions qui chantent nos sultans d'autrefois, libres et guerriers, terreur des infidèles. J'étais ainsi protégé un peu de la pluie, mais surtout j'avais le cœur réchauffé de m'abriter dans notre gloire.

« M. Flaherty est sorti bientôt.

« — Naturellement, les Arabes me renvoient aux Européens... », m'a-t-il dit.

« Il s'est rendu alors au consulat d'Angleterre, qui est tout près de la Mendoubia. Et en est sorti plus vite encore en grondant :

« — Ils me renvoient aux Espagnols... Ceux-là m'adresseront aux Français et les Français me retourneront aux Arabes. »

« Il s'est mis à crier : « Et pendant ce temps les chevaux crèvent, les chevaux irlandais ! »

« Puis il a pris sa moustache dans son poing et il a dit à mi-voix :

« — Il n'y a dans Tanger qu'un homme, un seul, qui peut arranger cette affaire tout de suite. »

« M. Flaherty a fait un mouvement pour se remettre en route, mais il ne l'a pas continué et il tenait toujours sa moustache rouge dans son poing et il tirait dessus en me regardant. Tout à coup, il m'a demandé :

« — Tu sais qui est M. Evans ? »

«— Bien sûr, ai-je dit. Tout le monde le sait dans la ville, mais je ne lui ai jamais parlé.»

«— Cela ne fait rien, a répondu M. Flaherty. Moi, j'ai trop parlé de lui. Je veux dire que je me suis trop moqué des chiens et des chats qu'il soigne et des vieilles folles qui lui donnent de l'argent pour les soigner et de leurs petits cris et de leurs manières. Tu as vu toi-même Lady Cynthia avec ses perroquets, ses poneys, ses singes...»

«Les yeux de M. Flaherty sont devenus gais et il a commence d'imiter la terrible Lady Cynthia dans sa ménagerie et puis d'autres femmes de la société. Et je riais beaucoup. Soudain, il a pris un air coupable et soupiré :

«— Tout ça c'est très bien... mais les chevaux irlandais...»

«Il m'a mis la main sur l'épaule en disant doucement :

«— Mon petit Bachir, va chez M. Evans et raconte-lui ce que nous avons vu... C'est tout...»

«Et M. Flaherty est entré dans un bar, et moi je suis allé à l'Hôpital des Animaux Malades.

«J'étais passé mille fois devant cette maison qui, vous le savez bien, se trouve à quelques pas du Grand Socco où nous sommes, et la porte en est toujours grande ouverte. Mais, bien que j'aime à tout connaître dans la ville et dans la vie, je ne m'étais jamais décider à entrer là. L'odeur des médecines infidèles, qui sentent la mort, m'en avait empêché. Et aussi la vue de ces chiens galeux, de ces chats dégoûtants, de ces bourricots couverts d'ulcères et de pustules qu'on y amène chaque jour. Et surtout la peur que me donnait M. Evans, le médecin de toutes ces bêtes. Il était fou, me disais-je. Car je pensais qu'un homme devait l'être pour passer toutes les heures de sa vie à soigner des animaux immondes, sans même prendre d'argent.

« Mais cette fois j'étais obligé de le voir. Car M. Flaherty me l'avait demandé, de tout son cœur. Et c'est mon ami.

« Je suis donc entré dans l'Hôpital des Animaux Malades en faisant de mon mieux pour ne pas voir et même pour ne pas respirer. Un infirmier arabe, après beaucoup de palabres, m'a mené chez M. Evans, dans une chambre blanche pleine de remèdes et d'instruments. Il tenait sur ses genoux un ignoble chat, tout en os et en plaies, et lui caressait doucement la nuque. Le chat avait très peur, mais bientôt il s'est calmé. M. Evans le caressait toujours. J'ai voulu lui parler.

« — Un instant », a dit M. Evans.

« Il a fait signe à un autre infirmier arabe qui lui a donné une sorte d'étui en verre étroit et long, muni d'une aiguille à un bout et d'un ressort à l'autre. M. Evans, avec la rapidité la plus extraordinaire, a enfoncé l'aiguille dans la nuque du chat en même temps qu'il appuyait sur le ressort. Et le chat est devenu un cadavre. L'infirmier arabe l'a emporté.

« — Tu vois, m'a dit paisiblement M. Evans, quand on ne peut plus guérir une pauvre bête, elle reçoit ici la mort sans souffrance. »

« Je n'ai pas osé parler tout de suite. Il me regardait avec des yeux trop grands, trop calmes, trop doux, des yeux de sorcier. Et sa figure était aussi blanche que sa longue blouse. Et si maigre et immobile qu'elle semblait faite en plâtre. Il n'y avait que son sourire qui était d'un homme très fatigué mais tout de même vivant. Quand il m'a demandé si je venais à cause d'un animal malade, alors j'ai pu lui parler des chevaux.

« M. Evans, sans même me répondre, a enlevé sa

grande blouse. Puis il a donné quelques ordres aux infirmiers et on voyait bien que, malgré sa voix si tranquille et si lente, il savait se faire obéir — et nous sommes partis. En chemin, il a essayé de se faire expliquer par moi comment et pourquoi ces chevaux étaient abandonnés dans notre port et j'ai essayé de lui raconter l'histoire : Irlande, Barcelone, Andorra, police, douane, papiers, liberté de Tanger. Il courbait son dos creux, ses yeux étaient vides et il disait :

« — Je ne comprendrai jamais rien à ces choses d'ici... Jamais... non, vraiment... »

« Mais, quand il a vu l'enclos où les bêtes affamées et folles hennissaient, hennissaient sous la pluie, il est devenu de nouveau très droit et il a repris son regard de sorcier. Il est entré dans l'enceinte, au milieu des trois cents chevaux qui piétinaient, mordaient et ruaient. « Il est mort », disaient les garçons d'écurie en faisant la grande conjuration des infidèles, qui est le signe de croix. Mais croyez-moi, ô mes amis, aucun des chevaux n'a touché M. Evans. Et même, à mesure qu'il passait entre eux et qu'il leur disait des mots que nous ne pouvions pas entendre, ils se calmaient, baissaient la tête et soufflaient avec douceur. J'ai compris alors pourquoi les gens de chez nous qui ont approché M. Evans l'appellent le Prophète des Bêtes Blessées. Cela donne à rire à ceux qui ne le connaissent pas et j'avais fait comme eux. Mais là, mes amis, je ne riais plus. C'était de la magie. »

— Allah est grand, murmura le bon vieillard Hussein, en inclinant sa tête blanche tout enturbannée.

— Allah donne des pouvoirs à qui les mérite ! s'écria Selim, et il agita les amulettes qu'il vendait.

Et Bachir reprit :

« Quand M. Evans est sorti de l'enclos, il a ordonné à deux garçons d'écurie de le suivre. J'ai couru derrière eux. Et M. Evans est allé acheter de l'avoine, du fourrage, des grands baquets pour l'eau, des brosses, des étrilles, des couvertures. Il a dépensé tout ce qu'il avait, — des paquets et des paquets de gros billets de pesetas, — pour des chevaux qui n'étaient pas les siens. C'était de la folie.

« Et M. Evans a donné sa folie à tous les puissants de la ville. Il s'est adressé à Lady Cynthia et à d'autres grandes dames anglaises et à de riches Américaines et à de nobles Espagnoles et au bel officier, chef de la police, et aux puissants fonctionnaires du gouvernement. Et à tous il a pris beaucoup de pesetas pour faire manger les chevaux. Et il a obtenu pour eux un grand pré, derrière la Rivière des Juifs, où ils pouvaient bien s'amuser.

« Pendant une semaine, M. Flaherty et moi nous sommes allés les voir tous les matins. Et le cœur de M. Flaherty se réjouissait à regarder les chevaux irlandais, courant et jouant, bien propres et le ventre plein. Mais, au bout de cette semaine, il est devenu inquiet. « Trois cents bêtes à nourrir, disait-il, c'est très cher, même pour des gens riches. Ils vont en avoir vite assez. »

« Je lui ai demandé alors si on ne savait rien du propriétaire des chevaux.

« — Le propriétaire ! a-t-il répondu. Mais ils sont sûrement plusieurs. Une sorte de bande. Il y en a peut-être un en Irlande et un autre à Gibraltar et un autre en Algérie et un autre à Malte. Et le temps qu'ils s'entendent et qu'ils s'arrangent avec les papiers, la douane et le reste, les chevaux auront le temps de crever. »

« M. Flaherty s'est mis alors à tirer sur sa moustache rouge et il a réfléchi longtemps. Puis il a dit : « Au diable les propriétaires ! » Et il a lâché sa moustache, et il a dit encore : « Il n'y a pas deux villes comme Tanger... » et il m'a cligné de son œil qui riait.

« Le jour suivant, j'ai vu M. Flaherty au café de la Douane avec le vieux et sage M. Ribaudel, et mon ami était si occupé à sa conversation qu'il ne m'a pas fait signe. Et, le jour suivant, dans le patio du *Minzah*, j'ai vu M. Flaherty avec le bel officier, chef de la police. Et, le jour suivant, j'ai vu M. Flaherty au Petit Socco avec Rahib l'Hindou, bon musulman et bon maquignon. Et, chaque fois, l'attention de mon ami était si bien prise qu'il ne m'a pas remarqué.

« Moi, en vérité, je souffrais dans mon orgueil. Tous ces grands palabres secrets, je le sentais, je le flairais, avaient rapport aux chevaux. Ces chevaux, j'avais été le premier à les découvrir avec M. Flaherty. Et c'était moi qui avais parlé d'eux au Prophète des Bêtes Blessées. Et on me cachait tout ! Aussi, quand j'ai rencontré M. Flaherty dans la rue, je lui ai présenté ma bosse de derrière. Et il a tout de suite compris pourquoi, car il est, chez les infidèles, mon meilleur ami. Il s'est mis à rire et il m'a crié :

« — Bachir, toi qui fus au commencement de l'histoire, tu vas en voir bientôt la fin. »

« Qu'auriez-vous fait à ma place, ô mes frères ? »

Un grand murmure s'éleva de l'assistance.

— Parle, ô bon conteur, parle !

— Tu nous fais brûler d'impatience, démon bossu !

— Qu'est-il arrivé, toi qui sais les choses ?

Et Bachir continua :

« Un soir, dans la petite automobile de M. Flaherty, nous sommes allés jusqu'à la Rivière des Juifs. De là, nous avons marché vers le pré des chevaux. Mais les chevaux n'étaient plus dans le pré. En deux longues files, ils s'éloignaient vers le sud. On voyait vaguement leurs croupes au clair de lune, et aussi les cavaliers qui les emmenaient.

« Alors, d'une haie, un gros homme est sorti. À sa démarche et à son haut turban, je l'ai reconnu pour Rahib l'Hindou, pieux musulman et grand maquignon.

« — Le rezzou s'est bien passé ? » a demandé M. Flaherty.

« — Selon la permission d'Allah, notre maître », a dit Rahib l'Hindou.

« Et il a dit ensuite de sa voix qui semble toujours chanter des prières :

« — Les valets espagnols sont derrière la haie, solidement attachés et la bouche pleine de chiffons, comme il le fallait. On les retrouvera demain matin sans qu'ils aient pris mal, car la nuit est douce, par la grâce d'Allah notre maître. »

« — Et les bêtes seront bien traitées ? » a demandé M. Flaherty.

« — Tu peux en être assuré par le Prophète, a dit Rahib l'Hindou. Les gens de Larache savent s'occuper des chevaux, et puis ils les ont payés aussi cher pour en prendre bon soin. »

« Et Rahib, le pieux, a sorti de son burnous un gros sac qui sonnait clair le vif argent, et il a dit à M. Flaherty :

« — Voici ta part, que Dieu protège tes entreprises. »

« M. Flaherty a pris le sac et nous sommes revenus près de la voiture, à la Rivière des Juifs. J'ai dit alors :

« — C'est un faux rezzou, n'est-il pas vrai ? »

« — Il fallait bien placer les pauvres bêtes, a dit M. Flaherty. Et si, un jour, leurs propriétaires s'inquiètent d'elles, personne ne peut rien contre des voleurs. »

« — Mais les valets espagnols, eux, vont se plaindre au chef de la police », ai-je dit alors.

« — Il aime les chevaux autant que moi », a répondu M. Flaherty.

« Il a jeté le sac à l'arrière de la voiture. Je l'ai félicité sur l'argent qu'il venait de gagner par son intelligence.

« — Mais je ne le garde pas ! » s'est-il écrié.

« Puis il s'est mis à rire, disant :

« — Je fais comme les vieilles folles, je le donne à ton ami Evans. »

« Il a mis l'automobile en marche et nous sommes rentrés à Tanger. »

Déjà, Bachir ordonnait à Omar et Aïcha de faire la quête, lorsque Nahas, le prêteur d'argent, se mit à crier :

— Tu nous triches, tu nous voles, mendiant sans foi ! Tu nous avais promis l'histoire d'un petit âne blanc.

— Il fallait bien que vous sachiez d'abord comment j'ai connu le Prophète des Bêtes Blessées, dit Bachir.

Et il s'engagea à conter la suite dès le lendemain.

Le petit âne blanc

Et le lendemain, devant une foule toujours plus dense, Bachir raconta l'histoire du petit âne blanc.

« Après l'affaire des chevaux perdus, commença-t-il, je me suis mis à travailler pour M. Evans, le Prophète des Bêtes Blessées. N'allez pas croire, ô mes amis, que c'était dans son hôpital. Je ne sais pas rester sur place. En outre, les odeurs des médecines et des animaux en douleur me dégoûtaient toujours autant. Et leur Prophète continuait à me faire peur avec sa figure de plâtre et ses yeux si doux. Il aimait trop les bêtes pour être vraiment un homme et les bêtes l'aimaient trop. Quand il ouvrait la chair d'un chien pour le soigner, le chien lui léchait la main. Et même quand son aiguille faisait entrer la mort dans les animaux qu'il ne pouvait plus guérir, on aurait dit qu'il leur donnait le miel le plus suave. Il en piquait ainsi chaque jour : chats, ou chiens, ou bourricots, ou mulets, ou chevaux. Et bien d'autres bêtes passaient chez lui : des cochons, des dindons, des veaux, des lapins, des chèvres, des singes. »

— Des singes ! Ô mes yeux ! s'écria Zelma, la bédouine hardie. Comment étaient-ils faits ? Grands ? petits ? gentils ?

— De toutes les tailles, ma tante. Et certains plus sages que la plupart des femmes, répliqua Bachir.

— Bien dit, bien dit, déclara Hussein, le bon vieillard qui vendait du khol.

Et beaucoup d'hommes l'approuvèrent.

Et Bachir reprit :

« Mais avec tous ces animaux de l'hôpital, moi je n'avais rien à faire. Mon travail était dans la rue. Quand je voyais un mulet, ou un cheval, ou un âne très faible, ou très malade, ou très battu, j'avais à trouver le nom du maître et le dire à M. Evans. Et M. Evans appelait celui-ci et, de gré ou de force, sa bête devait venir à l'hôpital pour y être soignée. »

À ce moment, un tumulte assourdissant de protestations et de querelles éclata dans l'assistance. Ce fut Caleb, le porteur d'eau, qui fut le premier à crier :

— Je le sais bien, maudite soit sa blouse blanche ! Il m'a obligé par la police à lui laisser trois jours mon mulet sur qui je charge mes outres en peau de bouc.

— Mais il te l'a rendu plus vigoureux que jamais et, en trois jours de soins, il a gagné trois ans de vie, répliqua Mohamed, l'écrivain public.

— Allah, ni le Prophète, n'ont jamais prescrit la bonté pour les animaux ! glapit le vieux prêteur Nahas, et sa barbe rare et molle fut inondée d'une salive jaune comme le fiel.

— Mais ni Allah ni Mahomet n'ont ordonné d'être cruel envers une créature vivante, dit le bon vieillard Hussein qui vendait du khol.

— Et les infidèles ! cria Selim en agitant ses amulettes qu'il offrait au bout d'une longue perche, les infidèles nous appellent barbares de tant faire souffrir nos animaux.

— Et eux, est-ce qu'ils ne font pas souffrir les musulmans ? hurla Ismet, le débardeur sans travail, tandis que la fureur gonflait son cou de taureau.

— Et pourquoi, se mit à vociférer l'aïeule Fatimah, ses doigts crochus levés comme des griffes, pourquoi les femmes auraient-elles pitié de ces êtres sans âmes ? Nos maris, nos frères et nos fils nous traitent plus mal que leurs buffles et que leurs bourricots !

— Mais aussi quand l'âne est à bout, c'est nous qui devons porter sa charge ! lui cria Zelma la bédouine.

Et, de proche en proche, de rangée en rangée, tous et toutes se joignirent à la dispute. Si bien que, leur ayant laissé le loisir de perdre un peu leur souffle, Bachir dut ordonner à la petite Aïcha d'agiter très fort son tambourin pour rétablir l'attention et le silence.

Alors il dit :

— En vérité, ô mes amis, quant à moi je me moquais bien des mulets et des ânes fourbus ou malades. La vie est dure pour tous, n'est-il pas vrai ? Mais pour chacun que je désignais au Prophète des Bêtes Blessées, il me donnait une peseta. C'était plus facile et plus amusant de chasser de la sorte que de cirer des bottes ou crier des journaux. Et les animaux souffrants ne manquent pas, Dieu merci, à Tanger.

— Tu as toutes les chances dans tes deux bosses, grogna le vieux Nahas.

— Et de quoi te plains-tu, ô grand-père de tous les usuriers ? lui répondit Bachir. Il y a dans cette ville encore plus de pauvres qui ont besoin d'un prêt.

Ayant laissé rire comme il convenait aux dépens du méchant prêteur, Bachir déclara d'une voix plus grave :

— C'est ainsi que j'ai trouvé ce petit âne blanc.

Alors, dans l'auditoire on se rappela que, la veille, Bachir, en commençant son récit, avait parlé de cet âne, et on comprit qu'il entrait maintenant dans le vif de son histoire. Les épaules se penchèrent en avant et les yeux, dans les faces bistrées, bronzées, blanches ou noires, mais surtout chez les femmes voilées, brillèrent davantage.

Et Bachir reprit :

« Un soir, je venais de la place de France avec Omar et Aïcha. Ils avaient bien mendié et j'avais décidé que nous irions à un café maure dans la Kasbah pour y boire du thé bien sucré et manger des gâteaux aux amandes et au miel. Le chemin passait par la rue du Statut et devant son *foundouk*. J'ai toujours aimé cet endroit pour son odeur de caravanes et pour les contes qu'y font les voyageurs. Et depuis que je travaillais pour M. Evans j'y trouvais en outre du profit, car, après les longues étapes, la faiblesse des bêtes apparaît mieux. Mais, cette fois, je ne pensais pas au *foundouk*. J'étais riche jusqu'au jour suivant — et à quoi sert de l'être davantage puisque tout l'avenir est dans les mains d'Allah ? — et j'étais pressé d'arriver à la Kasbah avant la nuit, car, sans le soleil, la menthe du thé a moins de saveur et le miel des gâteaux n'est pas aussi doux.

« Mais le destin, ô mes frères, est nouveau à chacun des pas que l'homme pose devant lui et je n'ai pas eu à descendre les marches du *foundouk* pour voir le petit âne blanc. Il était à l'extérieur et il s'appuyait contre le mur.

« Comment, ce soir-là, étaient faits mes yeux et mon cœur ? Sans doute autrement que les autres jours, car je n'ai jamais ressenti cela auparavant, et plus jamais depuis : j'ai été saisi tout de suite pour ce petit âne d'une amitié qu'on ne peut pas imaginer pour une bête. Et quelle bête ! Pas un seul parmi vous tous, mes amis, qui avez connu tant de bourricots malingres, estropiés, pustuleux, trébuchant de faiblesse et de maladie, pas un seul n'a vu, j'en suis sûr, pareille laideur et pareille misère.

« Ce petit âne là, s'il s'appuyait au mur du *foundouk*, c'est qu'il ne pouvait plus tenir debout tout seul. Il était écorché vif. Le pus lui coulait de cent plaies et des naseaux. Les mouches faisaient sur lui de grands paquets gonflés et remuants sans qu'il eût la force de remuer la queue ou la tête pour les chasser. Tout ce qu'il pouvait faire était de tendre ses flancs qui saignaient et laissaient pendre des lambeaux de peau, de chair et de poils. Mais il ne parvenait même pas à les décoller des côtes, qui semblaient lui couper la peau.

« Pourquoi me suis-je arrêté prés de lui ? Pourquoi, Omar et Aïcha me pressant de gagner la Kasbah, leur ai-je donné l'argent afin qu'ils m'attendent au café maure ? Était-ce que le petit âne avait le garrot et le ventre si gros qu'il semblait, lui aussi, bossu des deux côtés ? Ou bien qu'il m'a regardé avec tant de douleur et de confiance ? Ou bien que le Prophète des Bêtes Blessées m'avait donné son mal et que mon heure était venue ?

« Pour savoir cela, il faut être mieux éclairé que je ne le suis, ô mes frères. Mais j'ai laissé Omar et Aïcha courir vers la Kasbah, et moi, je suis descendu dans le *foundouk* pour chercher qui était le maître du petit âne appuyé contre le mur. »

— Et j'espère qu'il a nourri ta curiosité à grands coups de bâton, grommela Caleb, le porteur d'eau.

— Ton esprit est aussi rance que tes peaux de bouc, lui répondit Bachir, car si j'avais trouvé un maître à ce petit âne, il n'y aurait plus d'histoire et tu serais bien vexé, toi qui m'écoutes la bouche grande ouverte, ô marchand d'eau comme si tu mourais de soif.

Et, laissant Caleb tout étourdi, Bachir continua :

« En effet, j'ai fouillé entièrement le *foundouk*, la cour, les écuries, les boutiques — et j'ai interrogé tous les amis que j'ai là-bas — sans découvrir à qui appartenait ce petit âne. Et les gens qui sont venus le voir avec moi ont tous dit qu'il avait été abandonné là parce qu'il allait crever. Alors, j'ai résolu de le conduire chez M. Evans.

« Vous savez que la route est courte de la rue du Statut à l'Hôpital des Animaux Malades. Eh bien, mes amis, elle m'a semblé plus longue que pour aller jusqu'à ces souterrains du cap Spartel, que les étrangers appellent les grottes d'Hercule. C'est que le petit âne était trop faible pour avancer tout seul et je devais le soutenir sans cesse de mon bras et de mon épaule, de mon dos et de ma bosse arrière. Son sang et son pus se mélangeaient à ma sueur, les passants ou s'étonnaient ou se moquaient et les garçons des autres bandes qui vivent dans la rue, me voyant impuissant, nous jetaient des pierres. Mais je n'ai pas lâché le petit âne : je savais que s'il tombait il ne se relèverait plus.

« Enfin, nous voilà dans l'hôpital du Prophète des Bêtes Blessées.

« J'ai laissé le petit âne appuyé contre le mur de la cour intérieure et j'ai appelé M. Evans. Il faisait déjà nuit, mais M. Evans était encore à l'hôpital, bien qu'il y vienne toujours avant tout le monde. D'écurie en écurie et de cage en cage, il visitait pour la dernière fois de la journée ses animaux malades. Quand il a entendu ma voix, il s'est approché du petit âne, portant une grande lanterne lui-même, car les infirmiers arabes étaient partis. Il a promené la lanterne tout autour du bourricot, et il a dit :

« — Aide-moi à le mener dans le hangar du fond. »

« J'ai compris tout de suite : c'était là que M. Evans faisait mourir sans souffrance les animaux de grande taille. Mais j'ai demandé tout de même :

« — Il faut donc le tuer ? »

« — C'est le mieux pour lui », a dit M. Evans.

« Je voyais ses yeux, plus tranquilles et plus tristes que la nuit. J'ai eu très mal dans mon cœur pour ce petit âne tout écorché et tout bossu. Et j'ai demandé encore :

« — On ne peut rien faire pour lui rendre la vie ? Rien ? »

« Alors, M. Evans a relevé sa lanterne sur ma figure et il m'a examiné en silence, presque aussi longtemps qu'il l'avait fait pour le bourricot perdu. Enfin il a dit lentement, lentement :

« — Si quelqu'un peut essayer, c'est toi, Bachir. »

« — Moi, ai-je crié. Moi infirme, moi ignorant ? »

« — Quelquefois, l'amitié vaut mieux que le savoir », a répondu M. Evans.

« Je n'ai pas très bien deviné ce qu'il voulait me faire entendre, et je n'ai pas eu le temps d'y penser davantage parce qu'il s'est mis à parler d'une voix tout à fait différente, comme un maître d'école. Et il m'a dit :

« — Tu vois, cet animal a été poussé plus loin que ses dernières forces et il est vidé de son souffle. Regarde bien au garrot, au ventre, aux genoux, aux tendons. Tu découvres partout des entailles terribles. Elles ont été faites par une mauvaise selle ou un bât trop lourd, et aussi par des pointes de fer qui piquaient ou déchiraient profondément la peau pour faire avancer le bourricot malgré sa fatigue et sa faiblesse. Mais le pire, ce sont les soins qu'on a voulu lui donner. Sur chacune de ces blessures à vif, le fer rouge a été appliqué par un maître barbare. »

À ce moment, Caleb, le porteur d'eau, se redressa à demi et cria de toute la puissance de sa voix habituée à héler la pratique :

— Pourquoi barbare ? Nos pères et les pères de nos pères ont fait ainsi.

— C'est juste, c'est juste, dit le cultivateur Fuad. Le plus petit enfant des campagnes sait que, sur les bêtes, le feu guérit tous les maux.

Bachir qui, à l'accoutumée, s'en tirait par une moquerie ou une gentillesse, perdit soudain son égalité d'humeur et répondit avec emportement :

— Le père de vos pères, les enfants des campagnes, dites-vous ! Est-ce qu'ils ont étudié dans autant d'écoles et lu autant de livres et acquis autant d'expérience et de savoir et de sorcellerie que M. Evans, le Prophète des Bêtes Blessées ? Le feu guérit tout, dites-vous encore ! Est-ce que vous avez vu ce petit âne blanc ? C'est du fer rouge qu'il mourait. Il avait tant de brûlures que son corps ne respirait plus et chaque endroit brûlé pourrissait sur lui-même. Je vous le dis : il mourait par le fer rouge.

Alors Kemal, le charmeur de serpents qui, bien qu'au premier rang, n'avait point parlé jusque-là, car il usait peu du langage des hommes, intervint.

— Calme-toi, conteur de bon aloi, dit-il. Moi qui connais les peaux les plus fines dans la race des bêtes, j'atteste que tu as raison.

Ce propos rendit à Bachir et la régularité du souffle et la paix du cœur. Il poursuivit donc avec une courtoisie extrême :

« Si vous avez entendu de moi quelques paroles trop vives, ô mes amis, ce n'est pas moi, en vérité, qui les ai dites, c'est le Prophète des Bêtes Blessées, car je rapporte seulement son discours. Et il m'a dit encore :

« — Oui, Bachir, à cause du mal fait par le fer rouge à ce petit âne, le savoir des hommes assure qu'il va mourir. Mais lui — c'est très important, Bachir — lui, il a encore le désir de la vie. Je le vois à ce qu'il épuise ses dernières ressources à ne pas se coucher. Il sait que s'il le fait une seule fois, pour un seul instant, c'est la fin. Et il lutte afin de rester debout. Tu vas lui venir en aide. Je mettrai dans tes mains toutes les médecines, je te montrerai à t'en servir, mais déjà tu possèdes la meilleure, et c'est l'amitié. Tu vois, la mort est dans ce petit âne, et ma science me fait penser qu'elle est inévitable. Mais, tout de même, lui et toi, à vous deux, en le voulant beaucoup, vous pouvez tenter de me donner tort. »

« Ayant parlé ainsi, M. Evans a fait sortir deux mulets peu malades d'une écurie et nous y avons mené le petit âne en le soutenant chacun de notre côté. Au plafond était fixée une barre très solide, à laquelle pendait une sangle ouverte. Je l'ai passée sous le ventre du petit âne et je l'ai ajustée sur lui, de façon à ne pas toucher son échine à vif. Il pouvait alors rester debout sans fatigue, parce qu'il était comme suspendu dans l'air. Pour tout cela je ne faisais que suivre, vous le pensez bien, les ordres de M. Evans.

« Puis je l'ai accompagné dans la grande chambre de l'hôpital où il garde toutes ses médecines et nous avons fait deux voyages pour rapporter à l'écurie ce qu'il fallait. Ô mes amis, si vous aviez vu ces bouteilles, ces boîtes, ces pots, ces tubes, ces flacons, ces jarres, ces poudres, ces pâtes, ces aiguilles, ces pilules, ces liquides ! Et certaines médecines sentaient le poisson, d'autres les œufs pourris, et d'autres les herbes sèches, et d'autres, beaucoup d'autres, rien du tout. Celles-là, j'avais à les reconnaître par leur couleur ou par la forme des fioles ou des boîtes qui les contenaient. Car, après m'avoir expliqué leur usage et l'ordre dans lequel j'avais à m'en servir, M. Evans m'a laissé seul avec le petit âne.

« Alors, mon vrai travail a commencé. Tantôt j'appliquais des morceaux de coton trempés dans une eau qui bouillonnait, tantôt j'enlevais les croûtes avec une pince, tantôt je nettoyais les naseaux avec une pâte, tantôt j'étendais des onguents sur l'échine, tantôt je faisais avaler des pilules qui rendent la vigueur et forment un sang nouveau, tantôt je donnais des piqûres contre la chair pourrie… Et j'avais à faire dix autres choses que j'ai oubliées maintenant. »

— Et tant mieux que tu les ais oubliées ! glapit alors Fatimah, l'aïeule édentée.

Elle souleva ses deux mains que l'âge avait nouées comme des serres et en frappa ses seins tellement vides et flétris qu'ils lui tombaient jusqu'à la ceinture. Et elle gémit :

— J'ai nourri des garçons et des filles qui sont morts en bas âge sans qu'on leur donne le moindre soin ! Et les enfants de ceux qui ont survécu ont eu le même destin et ce destin continue pour mes arrière-petits-fils.

— C'est vrai, c'est vrai aussi pour nos familles ! cria l'assistance.

Bachir répondit de sa voix la plus douce :

— Je le sais, ô grand-mère, je le sais, mes amis. J'ai peu d'années sans doute, mais je les ai vécues, depuis que je sais que je vis, sans abri, sans parents et parmi des enfants de la même condition que la mienne. Et combien en ai-je vu tremblant dans la fièvre et dans le mal mortel, seuls, affamés, couchés dans la poussière ou la boue de la rue, le ventre gros comme une outre, et couverts de mouches. Et qui se souciait de ces enfants, sauf ceux qui avaient à ramasser leurs cadavres petits et légers ? Et moi-même, quand j'ai été malade, je me suis trouvé sans plus de secours qu'un chien crevé, et je n'ai gardé mon souffle que par la volonté d'Allah. Oui, mes amis, je sais mieux que vous peut-être quelle est la destinée pour les fils des pauvres.

Ici, Bachir fit une pause et promena sur les visages qu'il avait devant lui ses yeux bruns tout chauds et tout lumineux du soleil de midi. Et il demanda plus doucement encore qu'il ne venait de parler :

— Mais en quoi est-ce la faute d'un petit âne qui se meurt du fer rouge ?

En même temps qu'il posait cette question, Bachir avait arrêté son regard sur le plus insensible, le plus endurci parmi ceux qui l'écoutaient. Et le vieux Nahas, qui avait la réputation de peser au plus juste dans ses balances de prêteur les monnaies et les pierres précieuses, marmonna en hochant la tête :

— Je ne trouve point de contrepoids à ce que tu viens de dire.

Alors Bachir continua :

« Toutes les médecines et tous les soins que je donnais tenaient éveillé le petit âne, et c'était là une grande partie de leur utilité. Car s'il s'endormait ou même se laissait engourdir, il était perdu, m'avait dit M. Evans. On ne lutte plus dans le sommeil, m'avait-il dit, et le petit âne devait lutter, lutter sans arrêt pour prolonger son souffle de vie jusqu'au moment où repos, soins et médecines commenceraient d'avoir leur effet. Alors, m'avait enseigné M. Evans, la chair pourrait s'aider elle-même ; en attendant, il fallait que le petit âne, par sa volonté, aide sa chair. Et le petit âne le savait très bien, car il était très intelligent. Et il se laissait manier par moi du mieux qu'il pouvait et il avalait tous les remèdes que je lui donnais. Et il ménageait sa pauvre respiration. Et il tenait les yeux aussi grands ouverts que lui permettait le pus qui collait ses paupières. Et il me regardait de temps en temps, comme pour me dire : « Tu vois, Bachir, je veille, je veille ; je vis, je vis. »

« Toutefois, il était si malade et fatigué et couvert de blessures que, parfois, il n'en pouvait plus. Je sentais qu'il laissait porter son corps uniquement par la sangle qui pendait du plafond et que le désir de vie l'abandonnait. Ses yeux restaient ouverts sans doute, mais ce n'était plus des yeux qui voyaient. Ils se couvraient d'une sorte de peau grise comme chez les aveugles. Et, en vérité, ô mes amis, j'entendais les vers immondes de la mort lui étouffer le cœur.

« Alors, laissant ou la fiole, ou l'onguent, ou l'aiguille que j'avais à la main, je caressais son museau et je lui parlais. Je l'encourageais. « Tu as un ami maintenant, petit âne, lui disais-je. Tu n'es plus seul et perdu dans cette grande ville. Tu vas guérir, tu vas guérir. Je te le promets, moi, Bachir, qui t'aide dans ton souffle. Tu connaîtras de nouveau le bon soleil, l'ombre douce, l'eau fraîche. Encore un peu de courage, mon petit. Tu vas guérir, tu vas guérir. »

« Dans ces paroles, je mettais toute la force de mon corps, depuis les jambes jusqu'à la tête, et d'une bosse à l'autre. Et ma force entrait dans ce petit âne. La peau grise qui lui couvrait les yeux devenait plus mince, devenait transparente, s'en allait. Et il pouvait me voir, et il pouvait comprendre ce que je lui disais, car il était vraiment très intelligent. Le désir de vivre lui revenait. Il me regardait à travers la peau de ses yeux, avec remerciement ; il abandonnait son museau sur mon épaule ; même il bougeait une oreille. Alors je recommençais à le piquer, à le laver, à le panser, à le nourrir de médecine. Et je l'aimais encore davantage.

« Puis la peau grise s'étendait de nouveau sur sa vue, et les immondes chenilles de la pourriture avançaient vers son cœur sans défense. Et moi, il fallait que je retrouve dans mon amitié les maîtres-mots contre la mort. Cela devenait toujours plus difficile, parce que la fatigue m'empêchait de vouloir et d'espérer autant que je devais le faire pour nous deux. Et plusieurs fois j'ai pensé que jamais, jamais plus le petit bourricot ne me regarderait avec toute sa confiance et ne bougerait l'oreille. Mais justement cette pensée me faisait trop souffrir et la souffrance réveillait mon courage, et ce courage passait dans le petit âne. Et tout recommençait.

« Mes amis, je ne saurais vous dire si cette nuit a été très longue ou très courte, mais quand le matin est venu, j'ai été tout surpris de voir entrer M. Evans, et il m'a semblé entendre son propos comme dans un rêve. « Le bourricot respire encore, et c'est déjà très étonnant. Mais rien n'est changé. Il ne tient que par un souffle. À chaque instant la vie peut le quitter. La seule espérance de le sauver est toujours dans ton amitié pour lui, Bachir. »

« Et M. Evans est allé s'occuper des autres bêtes malades. Et parce qu'il faisait grand jour, j'ai aperçu toutes les saletés du petit âne qui avaient inondé l'écurie, et j'ai senti sa puanteur, et j'ai reniflé dans mes habits, et à travers leurs trous, sur ma peau, l'odeur du sang flétri, du pus séché et de la chair en pourriture. Le désespoir m'a pris. Je me suis dit que tout ce que je pouvais entreprendre serait inutile. J'ai pensé au soleil, à la rue, à Omar et Aïcha, aux gâteaux de miel. Et je me suis dirigé vers la porte, sans plus vouloir regarder le petit âne mourant.

« Alors, lui, il s'est mis à braire, faiblement. Si faiblement que je l'entendais à peine, mais cela m'a forcé à me retourner vers lui et j'ai vu ses yeux. Et ils étaient pleins d'une grande intelligence et d'une grande misère. Et ils disaient : « Vas-tu me laisser, Bachir, toi mon ami, toi, mon seul ami ? Tu sais bien que si tu pars, je n'aurai pas la force de vivre. Et j'ai si grand désir, moi aussi, de revoir la lumière, de retrouver la chaleur, de trotter gaîment à travers les rues joyeuses, de me rouler dans l'herbe des champs… »

« Et je me suis approché du petit âne, et il a mis son museau sur ma bosse de devant ; c'était un effort terrible pour sa faiblesse. Aussitôt j'ai vu son regard devenir aveugle, et son corps inerte pendre sur la sangle qui le soutenait. Et j'ai pensé que je l'avais tué en voulant l'abandonner. Alors, je me suis maudit de mon peu de courage et n'ai plus désiré rien que lui rendre le souffle. J'ai employé à cela tout ce que la nuit m'avait enseigné. Mais cette fois, la mort était encore plus près. Et j'ai senti que je ne pouvais plus rien. Alors, ô mes amis, j'ai subi la honte des larmes. Vous le savez, les enfants sans famille et sans abri ne peuvent pas pleurer, ou bien ils sont traités en esclaves. C'est la loi de la rue. Même les plus petits, même les filles la connaissent. Regardez Omar, regardez Aïcha : leurs yeux sont toujours secs. Hé bien, moi qui suis leur chef et, déjà, un homme, moi, Bachir, de tous le plus dur, je me suis mis à sangloter à cause de ce petit âne mourant et j'ai passé mes bras autour de son col écorché, déchiré et brûlé. Et j'ai appuyé mes larmes contre sa tête. Ainsi étais-je faible et lâche, quand j'ai senti quelque chose de tiède et tendre caresser ma joue. C'était une des oreilles du petit âne qui remuait. Une fois encore il revenait au désir de vie.

«Je l'ai soigné toute la journée, éprouvant tantôt la crainte ou la joie, tantôt l'espoir ou le tourment, selon qu'il répondait ou non aux médecines et à ma voix. Et le soir est tombé. Et tous les infirmiers, ayant quitté l'hôpital, le Prophète des Bêtes Blessées est entré, avec sa blouse blanche dans l'écurie, de plus en plus sale, de plus en plus empestée. Il a examiné longtemps, très longtemps le petit âne. Pendant ce temps, j'ai regardé sa figure pour essayer de savoir. Mais elle ne disait rien, cette figure de plâtre. Et on ne pouvait rien deviner dans les trous profonds où étaient ses yeux. Enfin, M. Evans m'a commandé : «Veille encore mieux que tu n'as fait jusqu'à présent. Cette nuit sera la plus difficile. Car les remèdes commencent d'avoir leur effet et cet effet peut être violent, trop violent pour un bourricot épuisé à ce point. Veille bien, Bachir.»

«M. Evans m'a enseigné les nouvelles médecines que je devais ajouter aux anciennes et leur ordre, et leur quantité. Et puis il est parti. Et je suis resté avec la grande lanterne et les ombres que faisait mon corps deux fois bossu, sur les murs et sur le plafond, et ce petit âne accroché à la sangle, qui s'étouffait, s'étranglait, râlait, s'abandonnait, reprenait souffle, se défendait, recommençait à vivre, recommençait à mourir.

«Moi-même, ô mes amis, je n'avais pas mangé, ni dormi pendant des heures et des heures sans fin, et tous mes membres me faisaient un mal terrible et mon cœur souffrait encore davantage. Mais je n'y pouvais rien. N'avais-je point promis de tenir au Prophète des Bêtes Blessées et, surtout, au petit âne? Et n'était-ce pas ma faute si celui-ci continuait de souffrir, puisque j'avais empêché M. Evans quand il avait voulu, dans sa sagesse, lui donner la mort sans douleur ?

« Hélas ! l'homme est moins ferme que son orgueil. Je ne pourrais vous dire comment cela est arrivé. Tout ce que je sais, tout ce que je me rappelle, c'est que je me suis senti secoué gentiment, puis plus fort. La lumière du jour et la fraîcheur du matin étaient dans l'écurie, et M. Evans se penchait sur moi. Et moi je me trouvais, sur le sol tout gluant de saletés immondes, entre les pattes du petit âne.

« J'ai compris que je m'étais laissé prendre par le sommeil, que j'avais oublié toutes mes promesses. Je me suis levé d'un saut et mon cœur est devenu une pierre pesante. Le petit âne avait fermé les yeux, il ne bougeait plus, il ne résistait plus, il pendait sur la sangle. Alors j'ai crié à M. Evans :

« Bats-moi, ô Prophète des Bêtes Blessées, frappe-moi jusqu'à ce que le sang me sorte par les oreilles et par les bosses ! Car je me suis endormi et le petit âne est mort. »

« Mais au lieu de colère un sourire est venu à M. Evans — et sur sa figure de plâtre c'était extraordinaire — et il m'a répondu : « Il n'est pas mort du tout, mais, comme toi, il s'est endormi et, je pense, en même temps. »

« Alors seulement j'ai vu que les flancs creux du petit âne et la peau arrachée, coupée, brûlée, pourrie qui les recouvrait, se soulevaient régulièrement, paisiblement.

« — C'est sa meilleure médecine, a dit encore M. Evans, et il l'a eue par toi. » Puis il a ordonné à un infirmier arabe de bien laver l'écurie, et moi, il m'a emmené sous un jet d'eau chaude avec beaucoup de savon mousseux. Puis il m'a donné chemise et culotte propres et aussi cinq pesetas. « Va manger et respirer l'air des rues, a dit

M. Evans. Mais reviens vite, ce bourricot a encore très besoin de toi. »

« Ces dernières paroles m'ont rendu très heureux. J'avais craint que M. Evans, maintenant, voudrait soigner lui-même le petit âne. Et je lui ai juré que, aussitôt assouvie ma faim qui était grande, je serais de retour. Et je suis venu en courant, ici, au Grand Socco, acheter du pain et des brochettes d'agneau dont j'avais très envie, pour retourner avec ma nourriture à l'Hôpital des Animaux Malades et voir comment allait se réveiller le petit âne. »

À cet instant, Bachir s'arrêta et reprit haleine. D'abord, tout le monde en fut satisfait. On pouvait de la sorte mieux goûter ce qui avait été dit et, en même temps, se préparer au plaisir d'entendre la suite. Mais Bachir, la tête baissée, se recueillait trop longtemps.

— Tu as perdu la mémoire ? grinça le vieux Nahas en déplaçant d'un coup sec la balance de prêteur placée sur ses genoux.

— Je le voudrais, je le voudrais de toute mon âme, répondit Blanchir sans lever le front.

La bédouine Zelma, qui était aussi prompte à pleurer qu'à rire, gémit alors :

— Hélas ! hélas ! en revenant, tu as trouvé le petit âne mort !

— Allah n'a pas voulu nous accorder cette grâce, soupira Bachir.

Il soupira encore ; il frissonna et dit à voix basse :

— En sortant de l'Hôpital des Animaux Malades, j'ai aperçu Saoud le Riffain.

Mais, à ce nom, l'enfant bossu, comme malgré lui, redressa la tête. Ses traits prirent soudain une expression dure et hardie. Ses yeux également. Et tout son visage se trouva animé par une dévotion et une violence singulières. Il répéta très haut et presque en chantant :

— Saoud… Saoud… Saoud…

Puis il s'écria, avec une fièvre qui n'était plus seulement celle du conteur :

— Ô mes amis, comment vous le dépeindre ? Vous avez vu, de temps à autre, passer ici, parmi vos éventaires, quelques-uns de ces hommes étonnants qui descendent des montagnes ou arrivent du grand Sud. Ils sont plus pauvres que nous, mais ils portent la tête en seigneurs et en chefs. Ils sont aussi décharnés que les sloughis sans nourriture, mais ils sont forts et rapides, et infatigables. Ils n'ont ni champ, ni bétail, ni toit, et souvent pas même de sandales. Mais ils ne tiennent à rien, sauf au poignard qui ne quitte jamais leur ceinture ; car leurs yeux possèdent le monde.

— Tu veux parler de ces nomades sans loi qui vont comme des ombres aux alentours des douars ? demanda craintivement Fuad, l'honnête cultivateur.

— De ces bandits toujours prêts à couper la gorge d'un marchand respecté ? cria l'usurier Nahas.

— Ils se battent seulement au couteau et toujours pour tuer, gronda Ismet, le débardeur aux bras puissants.

Et Hussein, le bon vieillard qui vendait du khol, dit doucement à Bachir :

— En vérité, mon fils, il n'est pas sage pour toi de fréquenter cette espèce d'hommes.

Bachir secoua impatiemment la tête et ses boucles brunes s'agitèrent au vent qui soufflait du détroit.

— Sans doute, sans doute, s'écria-t-il, chacun de vous a raison en ce qui touche sa personne. Mais moi, qui ne possède même pas une motte de terre, ni une miette d'argent, qui n'ai pas une pierre pour m'abriter et pas de famille à chérir, pourquoi voulez-vous que je sois prudent ou sage ? Allah ne m'a pas donné d'autre bien à perdre ou à défendre, que le bien de liberté. Et pour cela, je suis l'ami des gens qui vous font peur. Rien ne les entrave et ils n'ont rien à ménager. Ils portent l'odeur de la route et de la piste, des rochers et du sable. Ils ne baissent leur regard devant personne. Dans leur sac à vivres, il n'y a point de place pour la crainte ou le souci. Ils sont vêtus de haillons qui ne sentent jamais la misère. Je vous le dis, ce ne sont pas des hommes pareils aux autres : sur eux, on respire la liberté.

L'enfant bossu éleva son regard au-dessus des visages par lesquels il était entouré.

— Et tous, ils sont droits comme des lances, dit Bachir.

— On croirait que tu connais une entière tribu de ces fainéants à poignard, gronda le débardeur Ismet qui, pour vigoureux qu'il fut, avait les jambes torses et le dos lourd.

Et Selim, le marchand d'amulettes, qui cachait son goitre sous un collier de barbe, remarqua aigrement :

— Ce faiseur de contes rêve à haute voix. Les vrais nomades qui, dans une année, viennent au Grand Socco, vous savez tous qu'on peut les compter sur les doigts d'une main.

— C'est juste, répliqua Bachir, mais ne vous souvient-il pas que pour accompagner le bon Abd-el-Meguid Chakraf, quand il a quitté Tanger en cachette et habillé de guenilles, j'ai été avec lui jusqu'au Maroc des Français, sur la frontière, dans une ville qui porte le nom d'Alcazar Kébir ? Et que cette ville est pleine de vagabonds qui s'y croisent, gens du Rif, du Sahara, de l'Atlas et du Souss, et que là-bas, à travers le marché immense, on rencontre plus de caravaniers portant poignard que de changeurs d'argent, ici, dans la rue des Siaghines ?

— Tu nous l'as dit, tu nous l'as dit ! crièrent des voix surexcitées.

— Hé bien, continua Bachir, de tous ces hommes libres, fiers et intrépides, aucun n'était aussi intrépide, fier et libre que Saoud le Riffain.

— Raconte, ô mon cœur, raconte bien son aspect, et fais-moi courir les fourmis dans la nuque, pria Zelma, la jeune bédouine, d'une voix mal assurée.

Et Bachir reprit :

« Il était plus grand que tous les autres, et encore plus élancé, dit Bachir. Il avait la poitrine dure, la ceinture mince, les jambes longues et la démarche la plus noble. Autour de son cou, fin et robuste, tombaient jusqu'aux épaules des cheveux noirs et luisants, et sauvages. Je ne vous ai pas encore parlé de sa bouche large, aux lèvres bien serrées, ni de ses yeux si perçants et immobiles. Mais à quoi bon ? Qui n'a point connu Saoud ne peut connaître la force et la beauté de l'orgueil chez un homme libre.

« Et, n'attendant pitié de personne au monde, il n'en portait non plus pour personne. Et pas davantage pour moi. Et voilà ce qui m'a tant attaché à Saoud. Les amis que je me suis faits, vrais croyants ou infidèles, ils ont tous commencé par me plaindre. C'est toujours dans leur charité qu'ils m'ont d'abord accueilli, parce que j'étais mendiant et deux fois difforme. Tous, mais non pas Saoud. Il n'a que dégoût pour les estropiés, et plutôt que de jeter l'aumône à une main tendue, il la trancherait de son poignard. Croyez-moi, la misère et l'infirmité n'ont en rien attendri Saoud le jour où il m'a porté quelque bienveillance.

« Ce jour-là, je me tenais derrière le comptoir où Abd-el-Meguid Chakraf avait étalé sa marchandise. Vous vous rappelez peut-être, mes amis, que, pour subsister, cet homme qui avait été si riche, essayait de vendre d'humbles bijoux berbères et maurétaniens dans un souk misérable d'Alcazar Kébir. Debout, près de lui, je hélais les passants et vantais à grands cris notre marchandise. Soudain ma gorge s'est resserrée sur ma voix : Saoud approchait...

« Je ne l'avais jamais vu, mais j'ai reconnu en lui du premier coup d'œil ce que j'admirais, ce que j'aimais le plus et le mieux. Lui, cependant, il s'était arrêté à deux pas du comptoir et nous considérait avec des yeux qui ne cillaient point. Vous connaissez les façons de ces hommes étranges dans un bazar ou un souk. Ils se plantent pour des heures devant les marchands, une main sur leur poignard, sans bouger le corps d'une ligne, et le regard tout aussi immobile. »

À ces mots, Fuad, le paysan craintif, accomplit plusieurs gestes pour conjurer le sort et s'écria :

— Qu'il n'en vienne plus avant douze et douze fois douze lunes ! Ils me glacent le sang.

— Quand je vois l'un d'eux, je plie mes balances, dit le prêteur Nahas.

— Et moi, je fais sonner toutes mes amulettes, dit Selim le marchand de magie.

Et Bachir continua :

« Si, au milieu de Tanger, et gardés par une police nombreuse et attentive, les hommes tels que Saoud vous effraient, ô mes amis, pensez à ce que ressentait le bon Abd-el-Meguid Chakraf au fond d'un souk, dans l'Alcazar Kébir, la ville sauvage, sous le regard du grand Riffain, au grand poignard. Le malheureux, qui n'osait pas lever la tête plus haut que le comptoir, feignait de regarder sa marchandise, mais ses épaules, ses mains et ses genoux tremblaient et de grosses gouttes de sueur lui descendaient le long du nez. Quant à moi, je n'éprouvais pas de crainte, et je n'y avais aucun mérite. J'étais comme affamé de contempler encore et encore Saoud qui, vêtu de guenilles aussi pauvres que les miennes, semblait un fils de roi. Et je ne songeais pas à éviter ses yeux. Il m'a considéré avec fixité quelques instants; je n'ai pas détourné mon regard... Alors il a promené sa main gauche — celle qui ne reposait pas sur son arme — le long de notre éventaire et l'a refermée sur les deux bracelets les plus gros. J'ai touché du coude Abd-el-Meguid Chakraf. Il n'a fait que trembler davantage.

« Alors j'ai dit courtoisement : « Chacun de ces bijoux vaut huit cents pesetas espagnoles, mais pour toi, guerrier du Rif, nous abaisserons ce prix d'un quart. »

« — Je ne marchande pas, je prends », a dit Saoud.

« Et je lui ai répondu : « Tu ne feras pas cela. » Et il a demandé : « Qui voudrait m'en empêcher ? »

« — Moi, s'il le faut », ai-je dit.

« Et de sous ma chemise j'ai sorti la fronde qui ne me quitte jamais et j'avais mis, dans son cuir, la plus ronde, la plus grosse des pierres. De si près, en pleine tempe, elle pouvait être mauvaise, même pour lui. Et qu'Allah m'enlève la vue si je mens, j'étais prêt au lancer.

« Je ne sais quel esprit m'inspirait en cet instant et m'armait contre la peur. Sans doute celui de Saoud lui-même.

« Le Riffain s'est mis à rire, c'est-à-dire que ses lèvres se sont écartées un petit peu, en silence, et les pointes de ses dents ont brillé, fortes, aiguës et blanches comme celles des hyènes. « Je ne sais pas tout ce qu'il y a dans tes deux besaces, a dit Saoud en montrant mes bosses, mais le courage n'y manque point. » Il a laissé les bijoux et s'est éloigné, marchant comme doivent marcher les fils de roi.

« — Qu'as-tu fait, qu'as-tu fait ! » gémissait Abd-el-Meguid Chakraf. « Deux bracelets valent-ils pour toi plus que la vie ? Il va revenir et nous couper la gorge ! »

« Saoud est revenu, en effet, et il m'a dit : « Montre-moi comment tu tires à la fronde. » Je l'ai suivi hors du souk et, priant Allah en moi-même pour que l'œil soit juste et ferme la main, j'ai ajusté un petit oiseau qui passait très haut, très vite. Et il est tombé à mes pieds. Saoud s'est mis à rire à sa façon. Et il a dit : « Élevé chez nous et avec un fusil, tu serais déjà redoutable. » Et moi j'ai senti mon cœur devenir tout brûlant et léger, et j'ai répondu : « Un fusil ! Mais je n'en ai jamais tenu de ma vie ! » — « Dans nos douars, chacun possède le sien, et même les garçons de ton âge, a dit Saoud, mais il n'y en a jamais assez pour ceux qui veulent être libres. »

« Il m'a promis ensuite de me rencontrer le lendemain pour me parler davantage. Mais je ne l'ai pas revu dans Alcazar Kébir, et les gens qui, là-bas comme ici, font métier de tout savoir, racontaient qu'il était parti, la nuit, avec un vieux Maltais qui s'occupait, en secret, du commerce des armes. »

Bachir essuya son front moite du revers de la main et Kemal, le charmeur de reptiles, en profita pour lui parler très lentement parce qu'il usait peu du langage des hommes. Il demanda :

— Quand tu as retrouvé Saoud ici, n'était-ce pas aux premiers jours de l'été, peu de temps après la fin du Ramadan ?

— Comment le sais-tu ? s'écria Bachir.

— En arrivant, il m'a vendu deux très belles bêtes

qu'il avait capturées en chemin, dit Kemal. Elles travaillent bien.

Il modula sur sa flûte mince une mélodie stridente et dansante ; deux serpents sortirent leur tête horrible du sac qui reposait sur les cuisses du charmeur. Elles se balancèrent quelques instants puis, obéissant à un mot magique de Kemal, disparurent. Et Bachir put poursuivre :

« Ainsi, dit-il, en sortant de l'Hôpital des Animaux Malades, j'ai retrouvé Saoud le Riffain, au grand poignard, et à la démarche de fils de roi. Il avançait d'un pas lent, le corps élancé comme l'aiguille des minarets, et, plus encore que dans Alcazar Kébir où l'on rencontre beaucoup de nomades semblables à lui, il semblait être ici le seul homme vraiment libre sous sa djellabah noire en haillons.

« Il s'est souvenu de moi sans effort. Ne suis-je pas en effet reconnaissable entre tous, comme le serait un poisson velu ou un cheval à cornes ? Et il a ri, en avançant un peu les pointes de ses dents, et il a demandé si j'avais toujours ma fronde. Et je l'ai montrée, car elle ne me quitte point. Et il a ri encore. Et mon cœur était si bien à lui, que j'ai oublié d'un seul coup le Prophète des Bêtes Blessées, son hôpital et le petit âne. Mes pensées et mon cœur ne pouvaient plus être les mêmes quand j'étais auprès de Saoud le Riffain.

« Comme il n'avait aucun ami dans notre ville, il m'a emmené dans un café maure, aux portes de la Kasbah. Je l'ai suivi avec reconnaissance, humilité, orgueil brûlant. C'était le bonheur.

« Nous avons mangé des beignets aux œufs tout trempés d'huile, des amandes frites, des brochettes d'agneau bien grasses et des piments farcis, et des gâteaux pleins de miel. Nous avons bu des verres et des verres de thé à la menthe, si bien sucré qu'une cuillère pouvait s'y tenir debout. Mon ventre était un paradis. Et Saoud me traitait en homme, en compagnon. Et il me disait des histoires plus belles que des contes.

« Il parlait des chasses à l'antilope sauvage ; et des djinns des sables, et des fleurs dans le désert du Sahara, et des caravanes, et des palmeraies, et de ces hommes qui portent toujours des voiles bleus et des guerriers invincibles qu'on chante dans les tribus.

« Nous étions assis contre le sol, à la terrasse du café maure, bien à l'aise sur nos jambes repliées. Tout autour beaucoup de bons musulmans pauvres faisaient de même, conversant, rêvant, dormant, sous leur djellabah ou leur burnous. Le soleil était chaud sur les portes de la Kasbah, sur les murailles, et, plus loin, sur la mer. La foule montait et descendait la rue aux marches larges. Saoud parlait toujours. Et mon âme également était un paradis.

« Soudain tout a changé. Des étrangers — il y en avait bien une dizaine —, des hommes et des femmes, se sont arrêtés devant notre terrasse. Celui qui les conduisait je le connaissais bien, c'était Ali, le guide des riches voyageurs. D'habitude, il les emmène sur le toit de l'ancien palais des Sultans, parce que là se trouve le café maure le plus cher, le plus propre, et avec la vue la plus belle. Mais ces étrangers étaient curieux de vivre pour une fois, et pour quelques instants, comme les pauvres de Tanger. Seulement, ils ne pouvaient pas s'asseoir par terre dans leurs beaux habits, et Ali le guide a demandé au patron du café de mettre sur la terrasse des tables et des chaises. Pour cela, il fallait de la place. Mais le patron savait qu'il tirerait plus d'argent à ces dix étrangers qu'à cent de ses clients ordinaires et il a ordonné à tout le monde de se serrer ou de partir. Tout le monde a obéi, mais Saoud est resté là où il était. Et moi avec lui. Et quand les étrangers ont été installés, Saoud s'est levé, a craché à leurs pieds et a quitté la terrasse. Le patron a couru derrière lui, criant : « Arrête, tu n'as rien payé. Mon argent ! Mon argent ! » Et Saoud a dit : « Esclave obèse, pour toi je n'ai qu'une monnaie. » Et il a tiré à demi son poignard hors du fourreau de cuir. Et nous avons descendu la rue qui mène à la basse ville.

« Au bout des marches, j'ai demandé à Saoud : « N'en va-t-il pas de même avec les riches étrangers dans le Maroc des Français d'où tu viens ? »

« À ce moment, j'ai eu peur, tant les dents de Saoud ont ressemblé à celles d'une hyène, et, cette fois, il ne riait point. Il m'a saisi par le cou et ses doigts étaient de fer et il serrait si fort que mes os pliaient, et il a dit : « Il n'y a pas un Maroc des Français, et il n'y a pas un Maroc des Espagnols et il n'y a pas un Maroc de Tanger ! Pour moi, tous ces pays n'en font qu'un, et c'est mon pays, le pays de mes pères, fidèles à la vraie foi, guerriers et hommes libres. » Le sang me frappait aux oreilles et je ne savais pas si c'était à cause de la main furieuse de Saoud ou de ses paroles magnifiques. J'ai crié : « Lâche mon cou, je t'en prie. Je ne suis qu'un enfant difforme et sans force, mais je pense comme toi. » Saoud a bien regardé mes yeux et il a vu la vérité de mes sentiments. Il a laissé sa main sur mon cou, mais au repos, en amitié. Et il a médité quelque temps. Puis il m'a demandé si je connaissais bien les environs de Tanger.

« — Même aveugle, je pourrais me promener tout seul du cap Malabata aux grottes d'Hercule », ai-je répondu. Et Saoud m'a dit : « Alors, tu vas me conduire sur-le-champ à l'endroit qui a pour nom Sidi Kacem. »

« — Mais Sidi Kacem est bien loin, ai-je dit, nous n'y serons pas avant le soir. »

« — Rien ne peut me convenir davantage », a dit Saoud.

« C'est alors que je me suis souvenu du petit âne qui m'attendait à l'Hôpital des Animaux Malades. Je l'avais déjà trop longtemps abandonné. Pris entre deux désirs, je ne savais que faire et Saoud a cru que j'avais peur de la fatigue. Il m'a dit : « Sois tranquille, quand tu ne pourras plus mettre un pied devant l'autre, je te porterai sans peine, et tes deux bosses. »

« J'ai senti la chaleur de la honte autour des pommettes et au creux de mes genoux, mais que pouvais-je répondre à Saoud ? Pouvais-je dire à un homme, à un chasseur, à un guerrier comme lui que j'hésitais à rester en sa compagnie, en son amitié, pour aller soigner un bourricot ? C'était acquérir pour toujours son mépris, son dégoût. Et je fus pris d'un sentiment mauvais contre le Prophète des Bêtes Blessées, et son hôpital, et ma pitié et mon imbécillité, et contre le petit âne lui-même. Et j'ai crié avec rage : « Suis-moi, ô Saoud, si tu peux me suivre. »

« Excusez-moi, mes amis, de paraître immodeste, mais telle est la vérité : je suis bon coureur et même, parmi tous les garçons qui vivent dans les rues, le meilleur de beaucoup. Ce don m'est venu malgré moi. Quand j'étais un enfant sans force et sans jugement, tous les autres me persécutaient à cause de mon corps infirme ; la fuite était ma seule défense. Ainsi, mes jambes sont devenues très rapides et mon souffle profond.

« Donc, je me suis élancé hors de la ville, dans la direction du soleil couchant, certain de distancer Saoud, car les hommes forts, s'ils ont plus de résistance, vont à l'ordinaire moins vite que les garçons de mon âge. Mais Saoud n'était point pareil aux hommes que j'avais pu connaître dans Tanger ou ses alentours. Il n'avait pas mené sa vie dans un souk ou derrière un comptoir, ou encore courbé sur un champ. Il m'a rattrapé en quelques bonds. J'ai espéré alors le dépasser par l'endurance. Là encore, j'ai vu bientôt la vanité de mon orgueil. Saoud se tenait à mes côtés sans effort. Sa foulée était longue, souple et facile, et son souffle léger. Et il continuait de porter, sous ses longs cheveux que le vent de la course chassait en arrière, la tête aussi droite que l'aiguille des minarets. S'il avait voulu, c'était moi qui n'aurais pas été capable de le suivre. Mais au lieu de m'humilier, il m'a dit sans moquerie, comme à un égal :

« — Pourquoi nous hâter ainsi, Bachir ? À cette allure — car tu cours presque aussi bien que les garçons de ma tribu — nous arriverons bien avant le soir. Et il sera trop tôt pour moi. »

« Alors, nous avons marché l'un près de l'autre, d'un bon pas tranquille, et tour à tour la poussière des chemins et l'herbe des sentiers étaient douces à nos pieds nus. Ô mes amis, combien il est merveilleux de faire route avec un tel compagnon, sans rien d'autre dans la tête que l'amitié et la liberté ! Nous traversions des ruisseaux, des douars, des bois, des champs cultivés. Tout était riant à la chaleur de midi. Mais Saoud ne partageait pas mon plaisir. « Cette terre, disait-il, est trop douce et trop molle. Elle affaiblit ses habitants. Regarde-les, Bachir... Crois-tu qu'ils sont capables de manier et d'aimer un fusil ? Et, sans fusil, il n'y a pas d'hommes libres. »

« Ainsi, nous avancions vers le grand Océan, du côté où le soleil se couche. Mais à mesure que se rapprochait l'endroit où je devais conduire Saoud, il aimait mieux le pays qui devenait désert et très sauvage. Et quand nous sommes arrivés, enfin, au sommet de la haute colline de sable qui cache aux voyageurs venant de l'intérieur des terres la plage de Sidi Kacem, alors Saoud a poussé un long cri aigu, comme une prière.

« Car, en vérité, ce que nos yeux ont découvert à cet instant, était bien fait pour montrer à l'homme toute la grandeur d'Allah. Nous nous trouvions sur une grande dune balayée par le vent et plantée de bosquets d'oliviers sauvages. Et devant nous, à perte de vue, couraient d'autres dunes, tout à fait désertes, tout à fait nues, de plus en plus basses et elles finissaient sur une plage immense, et là commençait le grand Océan, celui qui n'a pas d'autre borne que le ciel. Dans cet espace il n'y avait pas un être humain, pas une bête, pas une habitation, sauf sur notre main droite, caché par les oliviers, le marabout de Sidi Kacem et, à côté, la maison de son gardien. Et comme le soleil touchait déjà la mer, la blanche coupole du marabout devenait couleur de rose. Et je pensais, ô mes amis, que d'âge en âge, chaque soir, le mausolée du saint avait vu le grand soleil tomber dans le grand Océan.

« Mais Saoud nourrissait d'autres soucis. « Il y a encore trop de lumière, m'a-t-il dit. Je dois attendre que la nuit vienne. »

« Nous nous sommes étendus sur la crête de sable, la tête sur des racines d'oliviers sauvages. Et Saoud m'a parlé des dunes sans eau, sans vie, qui, après Agadir, s'étendent jusqu'au Rio de Oro et qu'il avait traversées le long du grand Océan. Et moi j'ai raconté à Saoud ce que vous savez tous, mes amis, sur la fête de Sidi Kacem, mais que lui, venu de si loin, ignorait. Je lui ai dit que, chaque année, à cette fête, les femmes stériles passaient trois jours et trois nuits dévoilées et libres près du tombeau du saint et qu'elles se baignaient nues, les cheveux dénoués, dans la mer, au clair de lune, et que des hommes campaient là pour les voir et les entendre crier comme un troupeau de folles, et que c'était grande liesse, et que, assurait-on, beaucoup de ces femmes, ensuite, portaient des enfants à leurs époux. »

Arrivé à ce point, le récit de Bachir fut interrompu de nouveau. Mais, cette fois, seulement par les femmes. Et elles ne s'adressèrent pas à lui. Elles se mirent soudain, et toutes à la fois, à parler, chuchoter, glousser, rire entre elles et à échanger des soupirs et des cris joyeux. Une complicité singulière et profonde paraissait les réunir. Les hommes, eux, tiraient leur barbe ou fronçaient les sourcils. Mais la tradition de Sidi Kacem était ancienne et le saint, vénérable. Ils n'avaient qu'à se taire.

Enfin, les voix aiguës firent silence, et Bachir fut en mesure de continuer.

« Quand la nuit a été bien sombre, dit-il, Saoud s'est dirigé vers le tombeau du Saint et j'ai cru qu'il allait y entrer pour lui adresser une prière. Mais il ne l'a pas fait et il est allé jusqu'à la petite maison voisine, celle du gardien. La porte s'est ouverte et un homme qui tenait une lampe à huile nous est apparu sur le seuil. Il portait une gandourah blanche, très propre, et sur la tête le turban vert des pèlerins pieux qui ont été à La Mecque, mais noué selon la façon qui se pratique dans la secte des Darkaouas. »

— Attends, s'écria Selim, le vendeur d'amulettes, en secouant, au bout de son bâton, sa marchandise cliquetante, attends ! N'était-ce pas le cheikh qui par la suite...

— Attends toi-même, répliqua vivement Bachir, chaque chose viendra en son temps, en sa place. Pour l'heure dont je parle je ne savais rien de cet homme sauf qu'il m'inspirait un respect profond, puisque Saoud, que je n'avais vu plier devant personne, s'est courbé très bas devant lui, et a baisé le pan de sa gandourah.

Et Bachir reprit :

« L'homme au turban vert a élevé sa lanterne vers moi et Saoud a dit : « Ce garçon m'a servi de guide. Il est prompt et sûr. »

« Alors le seigneur darkaoua m'a dit : « Paix et vertu sur toi. » Et il a dit encore : « Tu seras utile un jour à la liberté des fidèles. Mais, ce soir, tu vas attendre Saoud devant le tombeau de Sidi Kacem en méditant à la vie de ce grand saint. »

« Puis Saoud est entré dans la maison du gardien et la porte s'est refermée sur les deux hommes.

« Et j'ai bien essayé, d'abord, de suivre le conseil du chef darkaoua. Mais mon intelligence est faible et mal instruite. De Sidi Kacem, je savais seulement qu'il avait été fils de roi, et qu'il avait tout abandonné pour se retirer en ce lieu désert. Ce n'était pas assez pour y penser longtemps. Et la lune s'était levée et tout prenait vie. Alors je suis descendu sur la plage et je me suis amusé avec les vagues et le sable. Puis j'ai regagné le sommet de la grande dune et je me suis assis entre les oliviers sauvages. Et j'ai commencé de rêver, et, aujourd'hui encore, je ne saurais dire si mes songes étaient ceux du sommeil ou d'un esprit éveillé. Je me voyais compagnon de Saoud et le suivant partout, dans tous ses voyages. Et je me sentais si bien, et c'était si merveilleux, que je suis revenu à moi seulement avec le soleil déjà très haut.

«J'ai couru à la pauvre maison près du tombeau de Sidi Kacem. Elle était ouverte et vide. Le cheikh darkaoua n'était plus là. Ni mon ami Saoud au grand poignard. Il n'y avait que les traces de leurs pas sur le sable. Elles se séparaient très vite et se perdaient en terrain dur.

« Je me suis senti seul, abandonné, désespéré. Et je me suis souvenu de l'Hôpital des Animaux Malades et je me suis mis à courir de toutes mes forces vers Tanger.

« Vous avez oublié, j'en suis sûr, ô mes amis, combien m'était cher ce petit âne que j'avais amené chez le Prophète des Bêtes Blessées. Et quoi d'étonnant à cela puisque moi-même je l'avais si longtemps oublié ? Mais sur le chemin du retour, les sentiments que, par honte devant Saoud, j'avais méprisés et chassés de mon cœur, se sont mis à me poursuivre comme du feu. Je revoyais le bourricot épuisé, déchiré, s'appuyant contre le mur du *foundouk*, et la misère de ses yeux, et leur confiance, et les soins que je lui avais donnés, et le besoin qu'il avait de moi. Toute ma pitié, toute mon amitié reprenaient une force terrible. Et je pressais ma course jusqu'à en étouffer.

« — Il est en train de mourir... Il est mort... Il est déjà aux mains des débitants de charogne... Et c'est mon œuvre... Je l'ai voulu ainsi. Je l'ai rejeté... Je l'ai renié... »

« Voilà ce que je me suis dit à chaque instant, à chaque foulée qui me rapprochaient de la ville. Et, en vérité, je ne sais pas comment j'ai pu arriver si vite, et là, forcer mes jambes à me porter toujours plus vite jusqu'à l'Hôpital des Animaux Malades. Mais quand je me suis trouvé devant ses murs, mon souffle m'a quitté par crainte encore plus que par fatigue, et j'ai dû attendre longtemps avant de pouvoir avancer. Enfin j'ai passé le seuil, et, sans chercher à voir M. Evans, j'ai marché vers l'écurie où avait été mis le petit âne. La porte en était fermée et j'ai dû la pousser deux fois pour entrer, tellement mon bras était faible. Je savais, je sentais que par ma faute le petit âne était crevé et qu'une autre bête malade avait déjà pris sa place.

« Et une fois dans l'écurie j'en ai eu la certitude. Il y avait bien là un bourricot enveloppé d'une sangle, mais il se tenait si fermement sur ses pattes, et son œil avait tant de clarté, de brillant, que ce ne pouvait pas être le même petit âne. Je me suis approché de lui en hésitant. Et alors, ô mes amis, il a commencé à braire avec gentillesse, avec gaieté ; ses oreilles, toutes les deux, se sont agitées de haut en bas et de bas en haut, et il a tendu son museau vers mon cou. Il me reconnaissait, il m'accueillait, il me faisait fête.

« Mais alors même je n'ai pas cru ce que je voyais. Je m'étais senti trop coupable, j'avais trop porté l'assurance du malheur. Un seul homme pouvait m'en délivrer. Et j'ai osé interrompre dans son travail M. Evans, qui était en train de mettre du plâtre à la patte cassée d'un chien. Je pensais qu'il allait me faire des reproches très durs, mais le Prophète des Bêtes Blessées m'a parlé doucement : « Tu as remis le bourricot sur le chemin de la vie, a-t-il dit. À présent il est sauvé, mais ses plaies seront très longues à guérir, si on ne le soigne pas avec attention et une application très grandes. Ici, personne n'a le temps de le faire. Veux-tu encore t'occuper de lui ? »

« J'ai crié alors : « Que mes bras et mes jambes se dessèchent et qu'Allah tout-puissant me couvre de pustules plus nombreuses encore que le petit âne, si je l'abandonne de nouveau avant qu'il ne soit sain et fort comme il ne l'a jamais été. »

« Puis je me suis élancé vers l'écurie et le petit âne s'est mis de nouveau à braire de joie et à remuer les oreilles et je me suis serré contre lui, et la poitrine me faisait mal à force de bonheur.

« M. Evans est venu un peu plus tard, avec beaucoup

de médecines, et disant : « Il s'agit maintenant de faire disparaître le plus vite possible la peau brûlée, morte, et de fortifier la peau neuve et tendre qui va se former à la place. » Il m'a expliqué ensuite la façon de faire les pansements tout à fait propres et d'étendre les onguents et de mettre les poudres, et d'enlever les croûtes. Ces soins étaient assez compliqués sans doute, mais quand je pensais à ceux que j'avais eus à donner au petit âne pendant les deux nuits que nous avions passées à l'Hôpital des Animaux Malades, tout me semblait d'une facilité surprenante.

« Il faut dire qu'il se prêtait avec la plus grande gentillesse aux pinces qui le meurtrissaient, aux liquides qui le brûlaient. Il savait que j'étais son ami, et il savait que si j'étais forcé de lui faire mal c'était pour son bien. En vérité, ce petit âne était très intelligent.

« Et il était encore très jeune et très joueur. Tantôt il faisait semblant de me mordre et tantôt il attrapait dans ses dents un pan de ma chemise et tantôt il me chatouillait l'oreille avec son oreille. Les forces lui revenaient vite.

« Un jour, M. Evans a dit que le bourricot n'avait plus besoin d'être soutenu et c'est moi qui ai défait la sangle par laquelle il était enveloppé. Ô mes amis, si vous aviez vu avec quels ménagements le petit âne a fait ses premiers pas, puis comme il a pris de l'assurance, et de quelle mine fière il s'est mis à marcher autour de l'écurie ! C'était une joie de le regarder. Soudain, il s'est affaissé contre le sol et j'ai eu très peur. Mais le Prophète des Bêtes Blessées m'a retenu alors que je voulais porter secours au bourricot :

« — Ne crains rien, Bachir, a-t-il dit, ce petit âne sait très bien ce qu'il fait. Il n'est pas tombé, il n'a pas glissé, il s'est couché volontairement parce qu'il peut, enfin, s'y risquer sans péril. Vois donc ! »

« En effet, le petit âne agitait ses sabots, ruait en l'air, et poussait des braiements de grand plaisir. Il s'amusait beaucoup.

« À partir de là, nous avons vraiment commencé à devenir bons camarades, le petit âne et moi. Avant, je ne pensais qu'à le voir survivre et pour lui j'étais seulement un guérisseur. C'était assurément une profonde amitié. Mais on ne se connaissait pas. Maintenant, nous n'avions plus d'autre souci que de passer notre temps ensemble. Car je ne le quittais point pour ainsi dire. Je dormais dans l'écurie, sur la même botte de paille et contre lui, ce qui me tenait bien chaud. Le matin je lui donnais des soins, je le nettoyais, puis je lui portais à manger, puis je le faisais promener dans la cour, et on s'amusait à se dépasser l'un l'autre, et quand il m'obéissait bien je lui donnais des carottes jeunes et fraîches. Je les achetais avec l'argent que me rapportaient Omar et Aïcha, qui admiraient beaucoup les tours que j'enseignais à ce petit âne très intelligent. Puis j'avais à le soigner encore et nous faisions la sieste tous les deux. Ensuite, on s'amusait de nouveau dans la cour. Le soir venait. Je le nettoyais une dernière fois, je lui préparais une litière fraîche et on s'endormait côte à côte.

« Les jours passaient de cette manière. Chaque matin, le petit âne se réveillait plus robuste, plus gai, plus affectueux. Il apprenait le bonheur de vivre. Et chaque matin, j'examinais sa peau et je la voyais renaître, petit à petit, pouce par pouce. On eût dit une étoffe qui se recousait d'elle-même, par le dedans. L'arrière-train et les flancs ont été les premiers à guérir, puis les genoux, puis les paturons. J'ai eu un peu plus de mal avec la tête, mais elle est devenue bien claire, elle aussi. L'échine seule est restée longtemps à vif et mouillée de pus. Enfin, elle a commencé de sécher. Alors M. Evans m'a dit de conduire le petit âne par une laisse hors de la ville, jusque dans un pré qui appartenait à l'Hôpital des Animaux Malades : « Il est temps que ce bourricot reprenne le goût de l'herbe et du grand air », a dit M. Evans.

« Vous allez bien rire du pauvre Bachir, mes amis, quand vous saurez que ces paroles de M. Evans, au lieu de me faire ressentir une joie nouvelle, m'ont glacé de peur. J'ai vu dans un seul instant le petit âne écrasé par une lourde automobile, étouffé par la foule, lapidé par les enfants des rues. On aurait dit que je n'avais jamais croisé des centaines de bourricots trottinant sans dommage à travers Tanger et se frayant un chemin dans la presse la plus serrée. Mais, pour moi, le petit âne que j'avais connu si faible, mourant et ne revenant que peu à peu à la vie, n'était en rien pareil aux autres. Il me semblait encore si fragile, si délicat, qu'il devait rester à l'abri de tout dans l'Hôpital des Animaux Malades. Et j'ai dit à M. Evans que je me sentais incapable de faire ce qu'il m'ordonnait.

« — Très bien, a répondu le Prophète des Bêtes Blessées, ce sera donc un de mes infirmiers qui mènera le bourricot à sa première promenade. »

« Tout mon sang est alors monté à ma tête et j'ai osé, moi, indigne, crier avec colère à M. Evans : « Un infirmier ? Je ne veux pas ! Jamais ! »

« J'étais comme fou à la pensée de ce petit âne mené par un homme qui ne l'aimait pas, qui ne l'avait pas soigné, qui ne saurait point le protéger contre les dangers des rues, qui ne prendrait même pas la peine de chasser les mouches de son dos encore malade. Et aussi je ne pouvais pas supporter l'idée qu'un autre verrait le petit âne dans son premier plaisir de liberté. Je lui ai donc passé un licol aussi doucement que j'ai pu et nous sommes sortis.

« Lui, il marchait sans crainte, dignement, les naseaux larges ouverts, respirant toutes les odeurs et s'en réjouissant. Mais tant que nous avons été dans la ville, j'ai tremblé. Je tournais la tête sans arrêt, à droite, à gauche, en avant, en arrière. Et je couvrais de mon corps le petit âne dès que je voyais approcher de nous un bourricot estropié, galeux ou saignant. Et vous savez mes amis, si Tanger en est plein !

« Seule la paix de la campagne a mis fin à mon anxiété. Et j'ai laissé trotter le petit âne, en courant derrière lui, jusqu'au pré où je devais le conduire. Mais là quelle récompense ! Si vous aviez vu comment le petit âne s'est roulé dans l'herbe, si vous aviez entendu ses braiements bienheureux ! Et il se relevait et se frottait contre moi, et s'échappait et je le poursuivais, et il se jetait par terre ! Quels jeux nous avons eus ! Le matin tout entier a passé comme un instant.

« Quand l'heure est venue de rentrer, je l'ai brossé avec mes mains pour lui enlever brindilles et débris de terre et je me suis reculé pour voir s'il était bien propre. Alors, ô mes amis, je n'en ai pas cru mes yeux tant le petit âne était beau. Je pense qu'à l'Hôpital des Animaux Malades je m'étais trop penché et de trop près sur son corps qui guérissait peu à peu ; là-bas je n'apercevais plus que les plaies et les croûtes. Tout à coup, dans le pré, je l'ai vu enfin tel qu'il était vraiment : blanc comme lait ; avec la peau la plus fine, la plus neuve du monde ; et un poil léger et doux ainsi que des cheveux d'enfant.

« Or, tandis que je le contemplais dans l'admiration et le ravissement, ma vue a semblé se brouiller en même temps que mon esprit. Au lieu de la prairie sur laquelle, à cet instant, mes pieds étaient posés, j'en ai aperçu une autre bien plus grande, bien plus riche et très fleurie, qui se trouvait dans un magnifique domaine de la Montagne. Et là, harnaché de soie et d'or, avec son ruban bleu au cou, jouait un petit âne sans pareil à aucun autre, qui appartenait à une petite fille belle et méchante entre toutes. Et pourtant ce merveilleux petit âne ressemblait exactement à l'estropié, au galeux du *foundouk*, au bourricot mourant que j'avais soigné à l'Hôpital des Animaux Malades.

« Ai-je couru à lui ? Au contraire, me suis-je approché en hésitant ? Tout ce que je peux dire c'est que mes mains étaient très faibles, très froides, quand j'ai pris l'une de ses oreilles, puis l'autre pour les examiner... Et je suis devenu tout entier tremblant et glacé quand j'ai retrouvé les marques de reconnaissance que rien n'efface : deux étoiles à sept pointes. Car, chez la terrible vieille dame Lady Cynthia, ce petit âne portait les mêmes étoiles. »

Une vaste et heureuse rumeur éclata aux dernières paroles de Bachir. Rien ne pouvait donner à la foule un aussi vif plaisir que de voir cheminer ensemble les péripéties d'un conte et les volontés du destin.

— Alors, c'était bien lui, ô mes yeux ! s'écria Zelma la bédouine, en élevant les bras à la hauteur de son front tatoué.

Et Mohamed, l'écrivain public, expliquait avec passion à ses voisins :

— La terrible vieille dame l'a cédé à un marchand, qui l'a revendu et le bourricot est allé de maître en maître, s'abîmant de plus en plus, jusqu'à ne plus rien valoir.

Et Abderraman, le badaud, s'étonnait sans mesure :

— Mais toi, disait-il à Bachir, toi, tu l'as remis sur pied, sans savoir ce que recouvrait cette peau en guenilles !

— C'était écrit ! Assurément ! cria Selim, le marchand d'amulettes.

— Assurément ! Assurément ! c'était écrit ! approuva la foule.

Alors, le sage vieillard Hussein, qui vendait du khol, demanda doucement à l'enfant bossu :

— Mais ce petit âne, là-bas, dans la propriété de la Montagne, il ne pouvait souffrir ton approche ? N'est-ce pas ce que tu nous as raconté ?

Et Bachir répondit avec déférence au bon vieillard :

— Ta mémoire est aussi fidèle que ton âge est vénérable, ô mon père. Et tel, en effet, le petit âne s'était montré à mon égard, si bien que, l'ayant retrouvé, j'ai fait, sans réfléchir, plusieurs pas en arrière, par crainte d'un nouvel affront ou de quelque ruade.

— Hé bien, qu'a-t-il fait, lui ? s'écria Zelma la bédouine.

Et son impatience fut soutenue par des voix très nombreuses. Alors, Bachir poursuivit :

« — Hé bien, ce petit âne m'a regardé fixement, tristement. Et ses yeux étaient d'une intelligence incroyable. Et ils me disaient : « Je t'ai reconnu tout de suite et dès le seuil du *foundouk* où je mourais de mauvais traitements. Je n'étais plus, alors, arrogant et stupide et gâté par les riches, comme au temps où je t'ai repoussé parce que tu sentais la misère. J'avais souffert tant et tant, que j'en étais arrivé à mieux comprendre les choses de ce monde. À présent, je t'aime ainsi que mon sauveur et mon prince. »

« Ainsi ma parlé le petit âne avec ses yeux. Puis il s'est avancé vers moi et il a posé son museau sur ma bosse avant et ses longues oreilles qui remuaient ont éventé ma figure comme des ailes. Et dans mon bonheur je n'ai plus pensé à son ancienne inconduite. »

Hussein, le pieux vieillard qui vendait du khol, fit alors cette remarque :

— En l'oubliant, tu as montré de la sagesse, mon fils, car on voit beaucoup de têtes gonflées par les honneurs ou la fortune qui ne sont pas celles d'un simple bourricot.

— Bien dit ! bien dit ! cria la foule.

Et Bachir poursuivit :

« M. Evans se trouvait dans la cour de l'Hôpital des Animaux Malades, quand j'y ai ramené le petit âne tout blanc, tout brillant, tout luisant de santé.

« — Tu sais, m'a dit le Prophète des Bêtes Blessées, je ne pourrai plus le garder longtemps, il faudra que je le donne à un maître. »

« À ces paroles, mes genoux ont commencé à faiblir. Oh ! je savais bien que cela devait arriver un jour, mais ce jour me paraissait impossible. Et voilà que M. Evans l'annonçait.

« Le petit âne est venu poser son museau contre ma bosse de devant qui l'amusait beaucoup, je l'ai caressé tristement derrière les oreilles, et mes doigts ont senti sous son poil si doux la seule trace impossible à effacer, les étoiles à sept pointes, dont l'avait marqué son premier propriétaire. J'ai repoussé vivement le petit âne qui allait bientôt appartenir à un autre. Lui, il a secoué la tête et m'a regardé avec étonnement.

« M. Evans m'a dit alors : « Je crois qu'il n'est pas content de son nouveau maître. » Je n'ai pas compris, mais M. Evans m'a dit encore : « Tu vois bien : il est content de toi. »

« Cette fois mes genoux ont eu peine à me porter. Tout c'est mêlé dans ma tête et j'ai murmuré : « Est-ce que vraiment... par Allah miséricordieux, est-ce qu'il me faut croire... est-ce que tu ne ris pas de moi ? »

« M. Evans a baissé plusieurs fois sa figure de plâtre et il a dit : « Tu as fait revenir le bourricot de la mort, il est à toi. »

« Mais je ne pouvais pas croire encore et j'ai crié : « Ce petit âne, ce merveilleux petit âne blanc ? »

« Et le Prophète des Bêtes Blessées m'en a donné l'assurance la plus solennelle. Alors je me suis courbé pour embrasser le bas de sa blouse.

« En vérité, ô mes amis, les meilleurs parmi les infidèles ont des manières étranges. M. Evans a fait brusquement un pas en arrière et, m'ayant défendu avec sévérité de le remercier ainsi, m'a quitté sans ajouter un mot. En d'autres circonstances j'aurais sans doute souffert d'un pareil changement d'humeur, mais comment aurais-je pu y songer à cet instant ? Un museau doux et tiède est venu se poser sur ma bosse. Celui de mon petit âne blanc... »

Même si une émotion trop vive n'avait coupé alors le récit de Bachir, il eut été empêché d'en poursuivre le cours tout de suite, tellement fut violent le tumulte des questions, des cris, des exclamations, des suppositions qui éclata autour de lui.

— Tu as eu aussi un bourricot à toi ? s'écria Caleb, le marchand d'eau. Et plus beau que le mien ?

— Mais comment as-tu fait pour le nourrir ? demanda Fuad, le bon cultivateur.

— Pourquoi ne l'as-tu montré à personne ? cria Zelma la bédouine. J'aurais tant voulu caresser son poil aussi tendre que des cheveux d'enfant.

— C'est qu'il l'a vendu tout de suite. Et pour un bon prix, j'en suis sûr, glapit le prêteur Nahas.

— Je pense plutôt qu'il l'a caché pour ne pas faire de jaloux, dit le doux vieillard Hussein qui vendait du khol.

Et Selim, agitant ses amulettes, et Ismet, roulant ses muscles de débardeur et bien d'autres encore, montrèrent à leur façon et selon leur nature les sentiments qui leur étaient inspirés par la nouvelle qu'un enfant deux fois bossu, et mendiant, avait été le maître d'un merveilleux petit âne.

Enfin Bachir leva sa main droite, obtint le silence, et poursuivit en ces termes :

« Vous aurez la réponse à tous vos étonnements, je le jure. Mais apprenez d'abord que personne parmi vous n'a pu être aussi émerveillé que moi quand j'ai compris — et fini par croire — que le petit âne m'appartenait. Oh ! je le sais, bien peu de ceux qui m'écoutent ici ont connu la richesse ou même un lendemain assuré. Le plus pauvre cependant possède quelque chose à lui : quand ce ne serait qu'une touffe de blé, une masure, un tapis, un serpent, un poulet, une femme. Or, pensez, mes amis, que je n'ai rien eu jamais. Pensez que, dans ce domaine, et à moins d'être insensé, m'étaient interdites même les bénédictions de l'espérance. Et voilà que le petit âne blanc, digne d'un enfant de roi, devenait ma propriété, mon bien, était à moi, à moi. À moi !

« Certains de vous ont demandé comment j'entendais pourvoir à son existence. Oh, je n'ai pas été inquiet un instant. Si j'avais eu assez d'esprit et de chance jusque-là pour assurer ma nourriture et celle d'Aïcha et d'Omar, je saurais bien satisfaire à la faim d'un petit bourricot, me disais-je. Quelque travail en plus et quelque ingéniosité y suffiraient aisément. Et quand le petit âne serait devenu vraiment tout à fait guéri, c'est lui qui m'aiderait. J'irais l'offrir, avec moi pour guide, aux enfants des riches étrangers comme ceux que j'avais regardés souvent tandis qu'ils se promenaient sur des bourricots de louage. Et mon petit âne à moi, étant le plus beau, le plus gai, le plus sage, et le plus intelligent, on le demanderait sans cesse. Mais je ferais bien attention à ce qu'il ne se fatigue pas. Et que la selle soit toujours bien propre et bien ajustée. Et pour cela je demanderais conseil à mon ami Flaherty à la moustache rouge parce qu'il savait tout ce qui concerne le harnachement. Et pour la selle j'irais voir le propriétaire du *foundouk* parce qu'il en a toujours à bon prix, que les caravaniers lui laissent en gage. Et je pouvais lui en échanger une contre mes chansons qu'il aime beaucoup…

« Tels étaient les projets que j'ai faits et les rêves que j'ai rêvés dans la journée où j'ai reçu le petit âne blanc en cadeau de M. Evans, le Prophète des Bêtes Blessées. Et j'ai continué ces projets et ces rêves le lendemain matin et les matins qui ont suivi, tandis que je menais le petit âne dans son pré. Quelques-uns se sont étonnés ici de ne pas m'avoir vu l'y conduire. C'est que je partais à l'aube et ne revenais le chercher que le soir tombé. Et je prenais bien soin de suivre les ruelles les plus désertes. J'avais tant de bonheur que cela m'effrayait. Je redoutais pour le petit âne les esprits envieux qui se cachent dans le cœur des méchantes gens et aussi le mauvais œil. En outre, je voulais étonner tout le monde à l'instant où j'apparaîtrais montant le petit âne sur une selle magnifique, ici, au Grand Socco.

« Or, cela était encore impossible. D'abord, je n'avais pas de selle, et, même si je l'avais eue, je n'aurais pas eu la cruauté de la mettre sur le dos du petit âne, car son échine et son garrot étaient encore à vif. La peau commençait bien à repousser, mais plus fine, plus transparente que ces très minces feuilles de papier avec lesquelles les fumeurs roulent leurs cigarettes. Une fois, par impatience, j'avais essayé dans le pré de m'asseoir sur le petit âne. J'avais employé pour cela les précautions les plus grandes et fait tout au monde pour rendre encore plus léger mon corps qui, malgré mes bosses, n'est pas lourd. Hé bien, mon petit âne a rué si fort, lui si gentil à l'ordinaire, que j'ai sauté sur l'herbe pour ne pas tomber. Ensuite, tout le long du jour, il a refusé de s'amuser avec moi.

« Il me fallait donc attendre l'instant de ma gloire — une semaine environ, avait dit M. Evans.

« En attendant, je me rendais chaque soir au *foundouk* pour y gagner en chantant la selle que j'avais déjà choisie et qui était superbe, toute de cuir bleu avec beaucoup de clous qui semblaient tout à fait en or.

« Et là, une nuit, mon destin a croisé de nouveau le destin de Saoud. »

Bachir ferma les yeux et se tut, attendant le bruit familier des voix curieuses et la rumeur des commentaires. Mais aucune parole ne s'éleva du cercle des visages qui se fermaient sur lui. Et, forcé par le silence plus qu'il ne l'eût été par un flot d'objurgations, Bachir reprit :

« Saoud était en train de s'entretenir dans la cour du *foundouk* avec des caravaniers très maigres, tous armés de poignards et que je n'avais jamais vus à Tanger. Je l'ai reconnu parmi la foule des voyageurs et des marchands malgré la mauvaise lumière des lampes en plein air. Je l'ai reconnu tout de suite et de loin et sans même distinguer son visage qui n'était pas tourné de mon côté. Saoud seul avait le cou pareil à l'aiguille des minarets, sous des cheveux aussi luisants et sauvages. Et mon cœur s'est mis à frapper très rudement contre mes côtes, et, sans savoir pourquoi, j'ai eu un mouvement pour m'enfuir. Mais j'ai voulu attendre encore un instant pour bien admirer comment il avait l'air d'être, en ce lieu de passage, le seigneur de tous les hommes et de toutes les bêtes.

« Cet instant a suffi. Saoud avait sans doute le sang de la nuque très sensible aux regards car ses yeux sont allés de mon côté. J'avais beau être petit et chétif et noyé dans la foule du *foundouk*, il m'a découvert. Alors il m'a souri en avançant ses dents de hyène et je suis allé à lui. Et il m'a salué en égal d'âge et d'amitié. Et il a congédié les hommes de caravane. Et il m'a emmené manger comme un riche dans un restaurant près des remparts. Et là il m'a demandé si je voulais l'accompagner de nouveau à Sidi Kacem le jour suivant. Et il m'a dit que le chef darkaoua aurait plaisir à me parler.

« À ce moment encore, un esprit m'a conseillé de fuir Saoud. Mais pourquoi aurais-je refusé ? Le petit âne, cette fois, était guéri. Quant aux cicatrices de son dos, il lui serait profitable de passer un jour sans aller au pré où l'herbe, à cause des chaleurs de l'été, commençait à devenir rêche et mordante. Et je pensais au plaisir de faire la route avec Saoud le guerrier, aux histoires qu'il me conterait, aux oliviers sauvages sur la dune, à la coupole blanche du tombeau du Saint et à l'homme au turban vert, si grave et mystérieux.

« Nous sommes partis le lendemain, à l'heure de midi, et nous avons marché sans nous hâter, Saoud voulant arriver à Sidi Kacem encore plus tard que le jour où je l'y avais conduit. Cette fois, d'ailleurs, il n'avait pas besoin de guide. Il connaissait bien le chemin et même il a pris souvent des sentiers détournés que je ne lui avais pas indiqués. On voyait qu'il avait fait plusieurs voyages dans cette région, seul ou avec d'autres que moi. Cependant il ne me l'a pas dit. Et il ne m'a pas dit davantage où il était allé pendant son absence, ni pourquoi il tenait si fort à rejoindre Sidi Kacem seulement à la nuit noire. Et moi, je ne lui ai rien demandé. La courtoisie m'en empêchait. Et aussi, malgré ma curiosité qui était grande, le sentiment du secret me donnait un vif plaisir. Que pouvais-je craindre auprès du grand Saoud, qui avançait avec légèreté et nonchalance, ses cheveux sauvages flottant sur les épaules, sa main sur le long poignard et chantant à mi-voix les chants de guerre de sa tribu ?

« De temps en temps, je prenais ma fronde et je faisais tomber un oiseau. Et une fois que la chose avait été très difficile et que j'avais tout de même réussi, mon ami Saoud m'a dit : « Dans quelques lunes, tu viendras me retrouver et je te donnerai un fusil, parce que, alors, je serai riche en armes, et je t'apprendrai à tirer. »

« Et mon cœur s'est gonflé d'orgueil et j'ai pensé que j'arriverais chez Saoud sur mon âne blanc et ma selle bleue. Mais je ne lui en ai rien dit, pour lui ménager la surprise.

« Il faisait tout à fait obscur quand nous sommes parvenus au sommet de la dune où poussaient les oliviers sauvages. Là, presque à la lisière du bosquet, Saoud m'a dit : « Je te laisse pour quelques instants, mais, cette fois, ne bouge pas. Je t'appellerai sous peu. » Il a disparu sans aucun bruit, dans la direction du tombeau qu'on ne pouvait plus voir. Je me suis assis sur mes jambes repliées, rêvant à mon ami Saoud et à mon petit âne blanc... Et personne au monde ne pouvait se sentir plus riche que moi.

« L'air était sombre et doux. Il n'y avait pas de lune et on n'entendait rien que le bruit du grand Océan sur le sable et un très petit murmure que faisaient les feuilles des oliviers sauvages.

« Soudain, ô mes amis, je me suis trouvé debout et mon sang était tout froid et mon corps tout raide et dur d'épouvante. Des cris terribles s'élevaient dans la nuit si calme, du côté où se trouvait la coupole de Sidi Kacem et la maison du gardien. Et puis des coups de feu ont retenti qui semblaient des coups de tonnerre. Et d'autres cris terribles, et d'autres coups de feu.

« La tête me tournait, et tout raide que j'étais, je tremblais très fort. Alors j'ai entendu contre mon oreille la voix étouffée et sifflante de Saoud. « En bas, vite. » Nous avons roulé le long de la pente sablonneuse jusqu'au pied de la dune et nous avons rampé vers un fossé recouvert d'une haie. Quand nous nous sommes trouvés dans le creux, bien cachés, Saoud m'a dit : « Arrache deux morceaux à mon burnous. » J'ai fait comme il ordonnait, ce qui était facile, car son burnous n'était que haillons. Et Saoud m'a dit encore : « Attache très fort l'un de ces morceaux à ma cheville et l'autre à mon poignet, du côté de la droite. » Je lui ai obéi et j'ai senti qu'à ces deux endroits le sang coulait beaucoup et que les os étaient brisés.

« — C'est bien », a dit Saoud, cependant que, tout tremblant, j'essuyais mes mains poisseuses contre les bords du fossé. « Le sable aura bu les traces du sang et maintenant l'étoffe va les garder. »

« Sa voix était calme et son souffle égal. Pourtant il devait beaucoup souffrir. Il a dit encore : « Ces policiers étaient des fils de chiennes, des bâtards qui tiraient mal parce qu'ils avaient peur de mon poignard. Et ils auront peur de lui jusqu'à l'aube. Nous aurons le temps de revenir à Tanger, si tu m'aides comme il convient. »

« Je lui en ai fait serment et il m'a répondu :

« — Je le savais. Tu es un homme avant l'âge, Bachir, et malgré tes deux bosses. Et tu es un ami. »

« Saoud s'est tu pour quelques instants et, après ces paroles, j'ai compris que je n'avais plus peur et que j'avais reçu, dans ce fossé à l'odeur de terre et de sang, une force nouvelle pour toute la vie. Et Saoud a continué :

« — J'avais fait ta louange au cheikh Darkaoua, et il voulait t'employer pour ses grands desseins, car c'est un homme de foi et de courage qui ne se résigne pas à voir son pays aux mains d'étrangers infidèles. Et il avait fait venir un bateau de fusils, et je devais les mener dans l'Atlas. Mais après t'avoir quitté j'ai trouvé près du tombeau du Saint ces fils de chiennes. Ils avaient tout appris par des traîtres et arrêté le cheikh. »

— Voilà, voilà, c'est bien ce que j'avais dit, cria Selim en faisant sonner très fort ses amulettes. J'ai entendu parler de l'affaire au Petit Socco et dans la Kasbah.

— Et moi, à travers le port, gronda Ismet le débardeur.

— Et parmi les bourgeois qui sont mes clients, dit Caleb le porteur d'eau. Ils avaient tout lu dans les journaux. C'était une aventure terrible.

Et d'autres voulaient intervenir dans ces propos, mais Zelma la bédouine poussa un long you-you de pleureuse qui couvrit toutes les voix. Ensuite, elle demanda :

— Dis-nous, dis-nous vite, je t'en supplie, petit bossu, ce qui est arrivé au beau Saoud. Est-il mort dans le fossé maudit ?

— Oh non, Saoud n'était pas un homme à quitter la vie pour si peu, dit Bachir.

Et il poursuivit :

« C'est à grands et furieux coups de son long poignard que Saoud avait échappé aux policiers.

« — J'en ai touché plusieurs, disait-il, tantôt à la gorge, tantôt au ventre et tantôt aux yeux. Et ces fils de chiennes avec tous leurs fusils, ont seulement réussi à me blesser. Et ils n'oseront pas bouger durant la nuit. Donc si nous parvenons à Tanger avant le jour, et que j'y trouve une cachette jusqu'à demain soir...

« — Tu l'auras, tu l'auras, et la meilleure qui soit ! » ai-je dit en pensant à l'Hôpital des Animaux Malades et à l'écurie dont j'étais encore le maître.

« — Alors demain, tu iras au *foundouk*, a dit Saoud, et tu trouveras les caravaniers du Sud à qui tu m'as vu parler. C'est eux qui devaient transporter les armes. Peut-être voudront-ils m'emmener. Et maintenant aide-moi à sortir de ce fossé. Il faut commencer notre route. »

« Ô mes amis, j'avais déjà beaucoup appris de Saoud, mais ce n'était rien auprès de la leçon qu'il m'a enseignée sans dire une parole dans cette marche de retour. J'ai vu par lui qu'un homme, s'il le veut en vérité, peut traîner son corps impuissant derrière une âme indomptable. Et que, alors, Allah le soutient et le porte. Car moi, qui ai accompagné Saoud, je vous le demande : comment aurait-il pu accomplir sans cela un si long chemin avec une cheville traversée d'une balle et dont j'entendais sans cesse crier les os rompus ?

« De temps à autre, à vrai dire, il s'appuyait sur mon épaule et faisait quelque distance en sautant sur une jambe. Mais il reprenait très vite son pas habituel et, de nouveau, ses os criaient. Quant à lui, sa bouche ne s'est jamais ouverte pour une imprécation ou une plainte. Et si des gens nous avaient croisés, d'abord sur les sentiers, puis sur le grand chemin, personne n'aurait pu soupçonner son tourment. Et même pour moi il était invisible, à cause de la nuit qui me cachait le visage de Saoud. Seulement, parfois, j'entendais ses dents grincer comme la scie sur une pierre et, quand il devait s'appuyer sur moi, je sentais que toute sa peau était trempée et brûlante par la sueur de la souffrance. »

— Je reconnais bien là ces hommes du grand Sud, dit lentement Kemal, le charmeur de serpents. Mourants, ils sont capables de ramper pendant des lieues à travers le désert pour arriver au point d'eau.

— Tel, en effet, était Saoud, s'écria Bachir.

Et il poursuivit :

« Sa cheville rompue l'a si peu empêché d'avancer que la nuit était seulement à sa moitié lorsque j'ai ouvert la porte de l'Hôpital des Animaux Malades, puis celle de l'écurie réservée pour quelques jours encore à mon petit âne blanc…

« Là, enfin Saoud a reconnu qu'il avait un corps. Il s'est laissé tomber par terre et, tandis que j'allumais la lanterne, la respiration sortait en sifflant de sa gorge comme d'une outre percée. Mais dès que l'écurie s'est un peu éclairée, Saoud, sans rien me demander, a rampé jusqu'au seau d'eau fraîche que j'apportais chaque nuit et il a plongé sa tête dedans et il a bu comme une bête. Et alors j'ai vu qu'il avait passé dans sa ceinture, près du poignard, son bras cassé pour bien le maintenir pendant la marche.

« C'est seulement après avoir vidé le seau — car sa soif était immense — que Saoud s'est étendu sur la paille qui me servait de lit. J'ai voulu l'arranger pour le mieux, mais Saoud m'a repoussé de sa main gauche, disant : « La mollesse n'est pas bonne pour le guerrier blessé ». Et il a fermé les yeux et grincé des dents.

« Jusque-là, et à cause de ses premiers efforts et mouvements désordonnés, Saoud n'avait pas aperçu mon petit âne qui dormait dans un coin obscur et moi, pris par tant d'aventures et d'émotions terribles, je n'avais pas encore eu le temps de penser à sa présence.

« Or, mes amis, c'est mon petit âne lui-même qui a tout fait pour attirer notre attention. Soudain, j'ai entendu, venant de son côté, un grand bruit de sabots et de halètements. Je suis allé à lui et je l'ai trouvé debout sur sa litière et frémissant, frissonnant, tremblant, grelottant comme s'il avait été aux pires instants de sa maladie. Et il ruait follement contre le mur auquel il s'appuyait comme s'il avait voulu l'effondrer pour s'enfuir à travers. Je n'ai pas eu le temps de le caresser pour lui rendre le calme : Saoud avait déjà ouvert les yeux. D'abord il a parlé comme en délire : « Allah m'envoie un cheval ! » a-t-il crié. Puis son regard a cessé d'être celui du rêve et un dégoût immense est venu sur toute sa figure, encore plus sauvage qu'à l'ordinaire par l'effet de la douleur. Il a parlé comme en crachant : « Ce n'est qu'un sale bourricot ». Puis il s'est relevé sur le coude gauche et il a dit encore : « Mais pour sortir avant le jour des terres qui appartiennent à la police de Tanger, cela me suffira. »

« Et d'abord ces paroles n'ont pas eu de sens pour moi ; puis, au moment où elles commençaient d'entrer dans mon esprit, je me suis trouvé incapable d'y réfléchir davantage, car, à la voix de Saoud, mon petit âne est devenu vraiment fou. Il s'est mis à tournoyer sur lui-même et l'écume lui sortait des naseaux. Alors j'ai voulu voir d'où venait son mal et je l'ai éclairé de mon mieux avec la lanterne. Et ce faisant j'ai enfin compris ce que voulait Saoud et tout mon sang s'est tourné contre lui. Et j'ai pensé : « Jamais il n'aura mon merveilleux petit âne blanc. »

« J'ai rabaissé la lanterne jusqu'au sol et j'ai crié : « Oublie la pensée qui t'est venue Saoud... Mon petit âne est encore trop mal guéri pour porter même un enfant. » Saoud s'est mis à rire et cela m'a semblé plus terrible que de l'entendre grincer des dents. Et il a dit : « La peur t'a dérangé la tête. Ce bourricot est gras et luisant à souhait. J'en ai fait marcher sous moi, qui saignaient de la gueule et boitaient des quatre sabots. Lève donc encore ta lanterne sur lui. » Et j'étais si fort sous l'influence de Saoud que j'ai fait comme il le voulait.

« Alors, mes amis, j'ai vu dans les yeux de mon petit âne une épouvante plus grande qu'il n'en avait eue quand il était à la porte de la mort. Et Saoud s'est écrié : « Par tous les djinns des sables, Bachir, tu es encore plus sorcier que bossu. Tu as ressuscité mon bourricot ! »

« Je me suis tourné vers Saoud, assuré qu'il était en proie aux fièvres du délire, et c'est sur lui que j'ai dirigé la clarté. Ses yeux brûlaient sans doute, mais ils n'en étaient pas moins pleins de raison. « Ton bourricot ? Que veux-tu dire ? » ai-je demandé sans entendre ma propre voix. Et il a répondu : « Oui, oui ! le bourricot qui m'a porté jusqu'à Tanger, et deux fois mien puisque je l'ai volé en route, dans un pré, aux environs d'Alcazar Kébir. »

« Et tandis que je restais sans parole, Saoud s'est mis à rire de nouveau et il a dit : « Ce bourricot était bien portant avant que je ne le monte et il n'avait pour marque sur tout le corps qu'une étoile à sept pointes derrière chaque oreille. » Et Saoud a ri encore, disant : « Tu vois, lui, il m'a reconnu dès le premier instant. »

« Alors, seulement alors, j'ai su que j'entendais la vérité. C'était Saoud qui avait estropié, meurtri, épuisé, déchiré, brûlé le petit âne sur toute la longue route qui va d'Alcazar Kébir au *foundouk* de Tanger et c'était lui qui avait abandonné ce petit âne à la porte du *foundouk* pour l'y laisser crever. Et c'était par terreur de Saoud que mon petit âne blanc se couvrait d'écume et avait la mort dans les yeux.

« Mon corps est devenu de pierre à la pensée que Saoud voulait le reprendre et j'ai dit :

« — Ton bourricot est mort, Saoud, tu l'as tué. Celui-ci, je l'ai soigné, guéri, sauvé. Il n'aura jamais qu'un maître, et c'est moi. »

« — Bâtard à deux bosses ! » a grondé Saoud. Et il a saisi son poignard de la main gauche. Seulement, sans mon aide il ne pouvait pas se relever. Il a bien commencé de ramper vers moi en se tordant comme une couleuvre mais je lui ai crié : « Si tu avances, je m'enfuis avec mon âne. »

« J'ai commencé d'ouvrir la porte de l'écurie et le petit âne blanc s'est rué vers elle. Saoud s'est laissé glisser sur la paille et je n'ai jamais vu tant de mépris sur le visage d'un homme, et ses paroles ont ressemblé à des crachats.

« — Que le Prophète me pardonne, a-t-il dit, de t'avoir pris pour un homme et libre et ami des hommes libres et d'avoir voulu te donner un fusil. »

« Alors, ô mes amis, alors, et jusqu'à cet instant je n'ai pas compris ce qui s'est passé en moi, mon esprit a vu des choses que mes yeux n'avaient jamais contemplées : des montagnes barbares et de grands déserts merveilleux et des caravanes et des files de guerriers à cheval… Et j'ai pensé à Saoud tel qu'il était dans Alcazar Kébir, et sur la route de Sidi Kacem et à notre retour. Le plus beau, le plus fier, le plus endurant, le plus libre... Et j'ai senti que Saoud devait rejoindre les pierres et les sables de la liberté. Il le devait à n'importe quel prix.

« Et j'ai empêché mon petit âne blanc de gagner la cour, et j'ai refermé la porte. Et tout a été dit entre Saoud et moi.

« Il m'a tendu son poignard; il m'a ordonné de découper la sangle qui avait soutenu le petit âne de manière à faire un étrier pour sa cheville rompue. J'ai obéi, et je lui ai rendu son poignard. Puis j'ai mis la bride au petit âne et je l'ai tiré jusqu'auprès de Saoud. Et comme le petit âne se débattait dans l'épouvante, Saoud l'a frappé du manche de son poignard à l'endroit le plus sensible, sous les yeux, au-dessus des naseaux. Et le petit âne s'est tenu tranquille. Puis, de mes mains, j'ai assisté Saoud pour monter sur mon petit âne blanc. Et Saoud est retombé de tout son poids, lourdement, durement sur la peau si tendre, si fragile. Le petit âne a frissonné, mais sans essayer de se défendre.

« Je les ai conduits tous les deux à la porte de l'Hôpital des Animaux Malades. Et comme je ne me décidais pas à lâcher la bride de mon petit âne blanc, Saoud a tiré avec sa main gauche le poignard de sa gaine et lui a piqué le garrot. Et le petit âne a fait un bond en avant.

« J'ai supplié alors : « Ne le presse pas trop, ne l'écorche pas trop, Saoud, il est encore bien faible. »

« Et tandis qu'ils disparaissaient dans la nuit, j'ai entendu Saoud me crier :

« — Sois tranquille : Je trouverai bien en route, pour le soigner, assez de fers rouges. »

Bachir avait achevé, mais Aïcha et Omar attendaient en vain qu'il leur fît signe de commencer la quête. Et Nahas, l'usurier, en profita pour se glisser doucement hors de la foule. Et Bachir qui, à l'ordinaire, avait les yeux si agiles, ne s'en aperçut point.

Et voyant cette amertume et cette affliction déchirantes, Hussein, le bon vieillard qui vendait du khol, dit à Bachir :

— Tu as dû choisir entre ton amour de la liberté et l'objet de ta tendresse. Et, tout enfant que tu es, mon fils, tu as fait un choix d'homme.

Mais ces paroles ne consolaient pas Bachir. Et le pêcheur aveugle Abdallah cria à cet instant :

— Ne désespère pas, toi qui as des yeux, de revoir un jour ce que tu as aimé ! Je te l'ai dit une fois et j'ai eu raison. Je te le dis encore.

Mais Bachir demeurait sourd à sa voix.

Alors, un homme, très maigre et très basané, se leva dans la foule ; ses yeux étaient pleins de flamme sous le chèche noué selon la manière des *darkaouas* fanatiques. Et cet homme dit à Bachir :

— Apprends donc, bossu au cœur libre, que, bien avant de quitter la zone de Tanger, Saoud a été secouru par un groupe des nôtres à cheval. Ils fuyaient très vite et à coup sûr, ils n'ont pas été s'encombrer d'un bourricot. Un paysan a dû le recueillir.

— Allah le Grand ! Allah le Miséricordieux ! cria Bachir de toutes ses forces.

Il resta la face levée vers le ciel, tandis que ceux qui l'avaient écouté retournaient, avec mille commentaires, à leurs occupations.

C'était écrit

Au Grand Socco, les contes de Bachir le Bossu avaient acquis une renommée éclatante. Pour son nouveau récit, l'auditoire fut si nombreux et si étendu que, dans les dernières rangées, ceux qui voulaient voir le conteur durent se tenir debout.

Et Bachir commença ainsi :

« Mon ami Flaherty à la moustache rouge m'avait emmené au port pour y attendre Madame Elaine, la jeune et belle et un peu folle Américaine qui (vous en souvenez-vous, mes amis ?) avait voulu me prendre chez elle parce que je lui avais offert une brassée de fleurs au *Marchico,* et qui, ensuite, pour son costume éclatant, s'était fiancée au pauvre Abd-el-Meguid Chakraf. Je n'avais pas revu Madame Elaine depuis que, d'Alcazar Kébir, elle m'avait ramené à Tanger. Car, ayant pris un matin le bateau d'Algésiras pour une simple promenade, elle avait disparu sans donner aucune nouvelle depuis des semaines et des semaines. Enfin, la veille, mon ami Flaherty avait reçu un télégramme. Madame Elaine annonçait son retour.

« Le bateau devait accoster seulement dans une demi-heure. Nous sommes allés au Café de la Douane et là, mon ami Flaherty a commencé, selon son habitude, une partie de dominos avec M. Ribaudel, l'avocat français très âgé et très sage qui vit à Tanger depuis plus d'un demi-siècle. Et, comme à l'ordinaire, M. Ribaudel s'est mis a parler sans arrêt, tout en jouant très bien.

« — Je me demande ce que va faire ici votre Américaine, disait M. Ribaudel à mon ami Flaherty. Elle me paraît être de ces personnes pour qui Tanger est un mal dangereux. Le soleil, les deux mers, la couleur des costumes arabes, les jolies ruelles de la ville ancienne, les beautés de la Kasbah, les mœurs faciles et aimables, tout cela fait croire à certains étrangers que la vie chez nous est détachée de tout souci, comme sur une île déserte. Et les gens restent, restent ici, sans travail, sans but, sans moyens véritables. Ils doivent toujours partir le lendemain. Au bout d'une année, on les voit encore. Mais Tanger n'est pas une île perdue. Tanger, en vérité, n'est qu'une petite ville de province, avec ses petites nécessités, ses petites coutumes. Et fort chère. Il y faut, pour s'amuser, et même pour manger, pas mal d'argent. Quand les personnes prises au piège s'en aperçoivent, il est trop tard. Les ressources et la volonté et le courage ont été usés par le bon petit climat, par les bonnes petites habitudes. Et on reste, on reste. Et cela peut finir très tristement. »

« C'est ainsi qu'a parlé, toussotant et crachotant, le très sage et très vieux M. Ribaudel. Et mon ami M. Flaherty a laissé brusquement ses dominos et a dit qu'il n'avait plus envie de jouer. Et ses yeux si gais étaient devenus moroses et sa bouche avait pris les plis de la peur. »

Alors Zelma, la bédouine hardie, qui montrait toujours l'intérêt le plus vif pour les beaux hommes, demanda :

— Et de quoi avait-il peur ton ami au corps robuste, au poil rouge et aux yeux moqueurs ?

— Oh, pauvre esprit de femme ! s'écria Mohamed, l'écrivain public. Ne vois-tu pas qu'il craignait, lui aussi, d'être pris au piège ?

Et d'autres, qui, pourtant, n'avaient pas mieux compris que Zelma, crièrent à celle-ci :

— C'est très clair, bédouine ignorante.

Et Bachir reprit :

« Le courrier d'Algésiras est apparu à l'horizon, s'est rapproché rapidement sur la mer bleue. M. Flaherty et moi, nous sommes allés vers le quai. Mais Madame Elaine n'était pas à bord du courrier d'Algésiras.

« J'en ai profité pour regarder à loisir les passagers qui débarquaient. Rien, ô mes amis, n'est aussi amusant, attirant que les arrivées de bateaux. Les gens portent encore sur leur figure l'esprit des pays lointains d'où ils viennent. Ils n'ont pas eu encore le temps de s'en défaire. Et il y en a de toutes sortes, de toutes fortunes, de tout cœur. Et c'est au moment où ils mettent le pied sur une terre nouvelle qu'ils montrent le mieux leur situation, leur fortune et leur cœur sur leurs traits.

« Certains ont traversé l'Espagne dans leurs voitures et les ont mises en payant grand prix sur le bateau. Et ceux-là ont des visages de voyageurs en fête. D'autres sont marqués par le souci des affaires, d'autres par les tourments des séparations, d'autres par la crainte d'une vie inconnue. On voit les porteurs affairés et hurlant débarquer des valises merveilleuses, et puis viennent les pauvres traînant eux-mêmes tous leurs biens.

« Et c'est toujours envers les misérables que les douaniers se montrent très sévères ; ils fouillent à fond leurs colis les plus humbles, ils bousculent et froissent les habits et le linge rapiécés. Mais sur l'assurance d'un homme bien vêtu ou le sourire d'une dame parfumée, ils laissent passer, sans les ouvrir, les plus luxueux bagages. Mesurent-ils donc l'honnêteté au brillant de l'apparence ?

« Cette fois encore, m'étant glissé dans la salle de la douane, je regardais venir les voyageurs. Soudain, parmi les plus pitoyables, j'ai vu cette femme.

« Et avant même de savoir quelle était très très belle avec ses profonds cheveux noirs et ses yeux brûlants et sa maigre figure immobile, oui, avant même d'avoir reconnu cela, j'ai senti un grand effroi dans ma poitrine. Cette jeune femme avait sur elle tout le poids du destin.

« Le douanier a ravagé le pauvre petit colis qu'elle portait — son seul bagage —, n'a rien trouvé, a recommencé pour la misère suivante. La jeune femme a refait son ballot avec soin, avec patience, comme quelqu'un qui n'avait rien pour quoi se hâter. Puis elle est sortie du bâtiment de la douane. Je l'ai suivie.

« Au moment où elle a passé le seuil, un cri s'est élevé de la file qui attendait les arrivants et un petit vieil homme juif a couru vers la jeune femme. Et c'était mon ami Samuel Horwitz, celui qui essaie de gagner son pain en dessinant des portraits dans les restaurants ou sur la plage.

« — Léa, Léa », criait-il.

« Puis il s'est mis à l'embrasser en pleurant. Elle se laissait faire avec un sourire triste et sa belle figure restait immobile. Puis ils ont commencé à parler une langue que je ne connais pas mais que j'ai déjà entendu ici : le hongrois.

« Le vieux petit Samuel a encore embrassé la jeune femme, puis il a promené autour de lui des yeux égarés, m'a vu et s'est écrié dans son mauvais anglais :

«— L'Éternel soit loué ! Voici enfin ma nièce... tout ce qui reste de notre famille. Elle a pu sortir des camps... Enfin, l'Éternel soit loué. Elle va se reposer, vivre un peu. Pour commencer elle va habiter avec moi, chez l'Oncle Tom... »

« Ils sont partis à pied, le vieux Samuel tenant le bras de la jeune femme et elle tenant son paquet. »

À cet instant, Selim, le vendeur d'amulettes, brandit, pour attirer l'attention de Bachir, la longue perche au bout de laquelle pendait sa marchandise cliquetante. Puis il demanda :

— Quels étaient donc ces camps dont parlait le vieux petit Juif?

Et Abderraman, le badaud, renchérit :

— Oui, raconte-nous d'où venait cette jeune fille si triste.

À quoi Bachir répondit :

— Permettez-moi, ô mes amis, de vous l'apprendre un peu plus tard. Les gens qui se rencontrent dans cette histoire sont très nombreux, très différents et singuliers. Et je dois, à leur propos, faire un récit très ordonné. Sinon, je crains qu'ils se confondent et se brouillent dans vos esprits.

On cria alors à Bachir :

— Nous avons confiance en ton art.

— Parle à ta guise, conteur béni.

— Écoute seulement les génies qui guident ta langue d'or.

Et Bachir reprit :

« Le vieux petit Samuel et sa nièce étaient encore en vue quand mon ami Flaherty s'est mis à héler quelqu'un à grands cris.

«Je me suis retourné vers lui et l'ai vu agiter les bras dans la direction d'un petit yacht qui approchait rapidement du quai. Sur le pont à côté d'un jeune, mince et plaisant homme blond, riait Madame Elaine, tout de blanc habillée.

« Quelques instants plus tard, elle embrassait M. Flaherty et lui faisait connaître son compagnon, un Anglais qui s'appelait Noël.

« Puis Madame Elaine a reconnu mes deux bosses et s'est souvenu avec grand plaisir du *Marchico* et de notre voyage d'Alcazar Kébir et a décidé que j'allais vivre dans sa maison.

«J'ai quitté le port avec elle et nous sommes allés au sommet de la vieille ville, aux environs de la Kasbah, dans une de ces belles, nobles et anciennes demeures arabes qui appartiennent toutes maintenant à des étrangers.

« Celle que Madame Elaine avait louée était assez petite, mais fort riche. Et, dans la courette intérieure, un énorme figuier remplissait le ciel de ses branches et il était peuplé par tant d'oiseaux que l'arbre semblait chanter tout entier. »

Ici, un cri mêlé de bonheur et de souffrance, interrompit Bachir :

— Arrête, arrête, je t'en prie, lui disait Abdallah, le pêcheur aveugle. Laisse-moi écouter un instant de plus l'arbre qui chante.

Il se fit un grand silence. Et, chose étrange, tandis que l'aveugle tenait grands ouverts ses yeux insensibles, beaucoup d'autres fermèrent les leurs qui, pourtant, voyaient.

Et Bachir reprit très doucement :

« Rien n'est plus dangereux pour la liberté que les charmes d'une maison. Malgré ce que j'avais appris chez Lady Cynthia et chez Abd-el-Meguid Chakraf, j'ai failli être de nouveau un chien en laisse, un jouet de riche. Mais, cette fois, Allah le Miséricordieux m'a prévenu à temps.

« M'ayant promis riches habits et nourriture magnifique, Madame Elaine, fatiguée par le voyage, est allée se reposer. Aussitôt, je suis monté sur le figuier et du figuier sur le toit. Le soleil se couchait et c'était l'heure où l'on voyait le mieux toute la ville ancienne et toutes ses terrasses et toutes ses ruelles et ses murs bleus, blancs ou roses et les minarets. Et le Détroit entier et la côte espagnole. Et mon bonheur était immense à la pensée que j'allais vivre là.

« Alors, sur un toit beaucoup plus bas, une femme arabe s'est montrée, dévoilée. Et m'apercevant, elle a porté sa main devant son visage nu.

« — Ne redoute rien, lui ai-je crié. J'ai le droit de te regarder. Je ne suis qu'un enfant.

« Je ne sais pourquoi elle s'est mise en colère et m'a injurié. Je lui ai répondu de la même manière. Alors, elle a hurlé : « Tu finiras dans la maison à côté de la tienne ! C'est là ta place ! »

« J'ai regarde cette maison et mon cœur a cessé de battre : je reconnaissais la prison pour enfants. Comment n'y avais-je pas pris garde, ô bossu insensé ? Il n'était pas au monde présage plus terrible. Sautant de toit en toit j'ai gagné la première ruelle et, faisant tous les signes que je connais contre le mauvais sort, j'ai couru, couru à toute vitesse. C'est ainsi que je me suis retrouvé sur la plage.

« Alors je me suis dirigé vers la case de l'Oncle Tom »

Ici, Bachir prévint toute question sur ce nouveau personnage en s'écriant le premier :

— Qui donc était cet Oncle Tom ? Vous allez, mes amis, le savoir sur-le-champ.

Puis il continua :

« Je pense que, dans Tanger, personne n'a rencontré autant de gens étonnants que moi. Je n'en tire pas vanité et ne m'en fais aucun mérite. C'est la vie dans les rues, les métiers de hasard, et, sans doute, mes bosses qui m'ont aidé à cela. Eh bien ! de tous ces hommes singuliers, le plus singulier peut-être est ce vieux nègre que les étrangers, à cause d'un livre que nous ignorons ici, appellent l'Oncle Tom.

« Les hommes noirs ne sont pas faits pour nous surprendre. Ils vivent avec nous depuis toujours. Ils ont épousé des femmes arabes et, de tout temps, les femmes noires ont vécu dans les harems des croyants. Et qu'ils soient de sang mêlé ou purs de race, qu'ils viennent de l'Égypte, de Mauritanie ou du cœur de l'Afrique, s'ils vénèrent Allah et Mahomet son prophète, la couleur de leur peau n'est d'aucune importance. Ils sont pour nous des frères. N'est-il pas vrai, ô mes amis noirs, que je vois ici parmi ceux qui m'écoutent ? »

Alors Ali, le vieux nègre grêlé qui avait connu les temps de l'esclavage et maintenant tressait des paniers, et Moustapha, le borgne, qui servait de palefrenier au *foundouk*, et Kemal, le charmeur de serpents (mais lui n'était que mulâtre), crièrent ensemble :

— C'est la vérité de Dieu.

Et Bachir reprit :

« Non, ce n'est pas d'être noir qui fait de l'Oncle Tom une personne si étonnante. Mais il vient de la Jamaïque qui est, au fond des océans, une île parfumée, et il parle anglais sans défaut, et l'espagnol aussi. Et il a navigué sur les sept mers. Et ses habits sont simples mais toujours soignés et seyants. Et il a des manières de la courtoisie la plus admirable.

« Vieux, et sa barbiche toute blanche au bout d'une figure toute ridée, il se tient droit comme un jeune homme et il peut me rattraper à la course, moi qui, cependant, ai les pieds les plus légers parmi les mendiants de la ville.

« Et il aime surtout à chantonner des musiques solennelles et à lire de gros livres.

« Pourquoi il est venu à Tanger ? Pourquoi il est resté chez nous ? Il ne l'a dit à personne. Parfois, il raconte des histoires de guerre sur des bateaux de feu et loue la paix du Seigneur. Il s'est construit sur la plage une cabane en planches et en bambous merveilleusement propre et il dort dans un hamac. Et, derrière sa cabane, il y a un enclos couvert de feuillage où d'autres hamacs sont suspendus pour ses amis. Il vit de la pêche, de la chasse et, dans la journée, prépare des mets de la Jamaïque et les vend aux baigneurs étrangers quand ils sortent de la mer. Et les étrangers, à cause de ce même livre que nous ignorons, appellent cette cabane la case de l'Oncle Tom.

« Il ne boit que rarement une liqueur qui enivre, spécialement barbare, appelée rhum. Mais alors c'est par bouteilles entières. Et il devient terrible. Et il vaut mieux ne pas l'approcher. Comme le sait bien ma bosse de derrière. Cependant, il a de l'amitié pour moi, et moi pour lui, car, à l'ordinaire, il est généreux et doux, et quand un misérable gagne son cœur, il l'abrite et le nourrit pour rien.

« Ainsi faisait-il pour le pauvre petit vieux Juif Samuel Horwitz. »

Ayant entendu ces paroles, tous ceux, dans l'assistance, qui avaient du sang noir crièrent :

— C'est un homme de bien.

Alors d'autres répondirent :

— Non, c'est un infidèle !

Mais la dispute dura peu, car tous étaient impatients de connaître la suite du récit que faisait Bachir.

Et il reprit :

« Quand je suis arrivé à la case de l'Oncle Tom, il finissait de donner à dîner au vieux Samuel et à Léa, sa nièce qui venait d'arriver à Tanger.

« Leur conversation était étrange parce qu'ils ne pouvaient jamais parler la même langue ensemble tous les trois. La jeune fille savait le hongrois, l'allemand et le français. De ces trois langages, l'Oncle Tom n'en connaissait aucun. Et le vieux Samuel était forcé de s'expliquer avec l'Oncle Tom en anglais que Léa n'entendait pas du tout. Et ils étaient forcés sans cesse de se traduire les uns aux autres leurs propos.

« Léa racontait sa vie sans jamais changer de voix, ni de figure, mais tout ce que disaient cette voix et cette figure me glaçait d'effroi et la peau et le sang. Vous avez tous entendu parler, ô mes amis, des massacres ordonnés dans les temps d'autrefois par des sultans féroces et aussi des ravages faits par le choléra, la fièvre jaune, la peste ou d'autres maux sans pitié. Eh bien, ce que des hommes ont fait à d'autres hommes en Europe pendant la guerre a été mille fois plus inhumain que toutes les barbaries des plus cruels sultans, et que la rage des maladies immenses. Des villes entières, des tribus sans nombre ont été enfermées dans des camps et torturées par la faim, le froid, les coups, les supplices. Et quand ces gens étaient réduits à l'état de squelettes, on leur faisait respirer un air empoisonné et on brûlait leurs corps chaque jour par milliers dans des maisons savantes et maudites, construites uniquement pour cela.

« Et les prisonniers des camps n'avaient plus de nom. On les marquait d'un chiffre sur le bras, comme des bêtes.

« Et cela s'est passé en cent endroits dans le pays d'Allemagne, parce que le chef Hitler le voulait ainsi.

« Or Léa, qui a été l'une de ces bêtes sans nom, affamées, battues et torturées, a eu en son corps la force de survivre jusqu'au temps où les ennemis des Allemands ont gagné la guerre et ont délivré ce qui restait des malheureux dans les camps. Mais beaucoup ne voulaient pas ou ne pouvaient pas retourner dans leur pays, parce que toute leur famille y avait été massacrée ou bien parce que de nouveaux maîtres, qu'ils redoutaient, s'y étaient établis. Et ceux-là on les a mis dans de nouveaux camps. Et sans doute n'avaient-ils rien de l'horreur des autres, mais c'était tout de même très dur, très injuste de se voir de nouveau enfermé, de nouveau loin de la vie libre après avoir traversé l'enfer.

« C'est ainsi que Léa passait les meilleures années de jeunesse, et elle cherchait par lettres le vieux Samuel, son seul parent et, après mille essais inutiles, elle l'a trouvé. Et alors il a fallu encore du temps et du temps pour s'adresser aux notables et obtenir des papiers et des signatures et des cachets sur ces papiers, parce que le monde, aujourd'hui, est fait de telle sorte qu'on ne peut faire un pas sans tous ces fétiches. Enfin, elle était à Tanger.

« Tel, mes amis, a été le récit de Léa. Et, ensuite, le vieux Samuel, riant et pleurant, lui a promis qu'elle allait être consolée et gâtée dans notre ville, et quelle y serait très heureuse. Alors, bien calme, elle a demandé :

« — Avec quel argent ? »

« Et l'Oncle Tom a voulu savoir ce qu'elle avait dit en hongrois et le vieux petit Samuel le lui a dit en anglais. Et l'Oncle Tom a demandé à son tour : « Oui, avec quel argent ? »

« Et, ne recevant pas de réponse, il a dit qu'il pouvait offrir à Léa un hamac et un peu de nourriture, mais que de l'argent, il n'en possédait pas plus que le vieux Samuel et qu'il ne connaissait pas, à cause de la vie qu'il menait, les gens capables de donner un travail à Léa.

« Alors, j'ai dit que je m'en occuperais le lendemain. »

La voix fielleuse de Nahas se fit alors entendre :

— Voyez-vous ce mendiant bossu qui se croit tout-puissant ! s'écria le vieil usurier.

Mais le bon vieillard Hussein, qui vendait du khol, lui donna aussitôt une leçon.

— Ce n'est pas le lion qui rend le plus de services, dit-il.

Puis à Bachir :

— Va, mon fils, nous t'écoutons.

— Nous t'écoutons ! cria la foule.

Et Bachir reprit :

« Je m'en allais lentement par la plage obscure, tout étonné par la férocité et le malheur des hommes. Et je me réjouissais de retrouver bientôt Omar et Aïcha et de m'endormir, serré contre eux, dans le sable, sous les étoiles, au bruit de la mer. Je voulais oublier cette jeune femme à la figure immobile qui avait souffert mille maux et mille fois terribles.

« Je m'étais à peine éloigné de la cabane de l'Oncle Tom quand j'ai entendu un bruit très étouffé d'avirons. Dans l'ombre, une barque s'approchait du rivage avec précaution. J'ai pensé d'abord que le canot venait chercher des colis de contrebande pour les embarquer ensuite sur un yacht ou un bateau de pêche qui, dans la matinée, lèverait l'ancre pour l'Espagne ou la France, ou l'Italie, ou quelque pays plus lointain encore. Cela n'avait rien pour surprendre quelqu'un qui dort comme moi la moitié de ses nuits sur la plage.

« Mais cette fois rien n'a été débarqué ou embarqué à bord du canot. Deux hommes ont sauté légèrement sur le sable et se sont dirigés vers la cabane de l'Oncle Tom. L'un d'eux en est ressorti presque aussitôt pour monter dans le canot et celui-ci s'est éloigné vers le port.

« Ces mouvements rapides et secrets m'avaient rendu curieux. Je me suis glissé jusqu'à la cabane de l'Oncle Tom et j'ai posé tantôt une oreille, tantôt un œil contre une fente de la porte que je connaissais bien. À travers elle, on pouvait voir et entendre facilement.

« L'homme qui venait d'arriver était un Espagnol, jeune, pauvrement vêtu, qui avait des yeux très doux et très gais. Et le bonheur habitait sa voix. Il avait réussi à quitter l'Espagne, où il était pourchassé, sur un bateau de pêcheurs, s'était caché en vue de Tanger sous une pile de vieilles voiles, parce qu'il n'avait pas de passeport, et les douaniers ne l'avaient pas vu. Il remerciait l'Oncle Tom de lui donner asile dans les premiers jours. Et le vieux Samuel expliquait à sa nièce l'histoire de ce fugitif.

« Les deux jeunes gens ne pouvaient rien se dire. Lui,

Francisco, il ne savait que l'espagnol. Léa n'en comprenait pas un mot. Seulement, ils se regardaient de temps en temps. Elle gardait sa figure immobile. Mais, entre eux, tout était déjà écrit »

Une femme poussa, à cet instant, un *you you* d'allégresse. C'était Zelma, la bédouine impudente. Puis elle cria :

— Voilà enfin une histoire d'amour !

— En vérité ? En vérité ? demandèrent d'autres femmes, les yeux brillants dans la fente des voiles.

— En vérité, dit Bachir.

Et il poursuivit :

« Le lendemain, j'ai demandé à mon ami Flaherty de trouver du travail à Léa. Et lui, il a parlé de la jeune fille à M. Ribaudel, qu'il continuait de voir tous les jours au Café de la Douane, à l'heure où arrivent les courriers d'Algésiras et de Gibraltar.

« M. Ribaudel qui, dans sa très vieille tête, possède l'esprit le plus agile et qui sert de conseil pour les lois à beaucoup d'hommes influents de Tanger, s'est rappelé que M. Boullers, le marchand d'or, cherchait une secrétaire honnête, sérieuse et parlant bien le français. Sur sa recommandation, Léa est entrée au service de M. Boullers. »

En entendant ce nom, Mohamed, l'écrivain public, demanda à Bachir :

— N'as-tu point, en d'autres récits, déjà nommé cet étranger ? Et comme l'un des plus importants parmi les infidèles.

— Et des plus riches ? glapit le vieil usurier Nahas.

Et Bachir répondit :

— En vérité, personne ne peut dénombrer la fortune

de M. Boullers : pas même lui, dont la tête, pourtant, est une machine à compter, assure-t-on, à nulle autre pareille. Il a des châteaux en France, en Espagne, en Belgique, et des propriétés dans les îles heureuses, et des biens d'une valeur immense dans toutes les grandes banques du monde. Et sa marchandise est l'or.

— L'or ! gémit Nahas l'usurier, et, pour une fois, sa voix était douce et tendre... L'or...

Et, à travers toute l'assistance, de rangée en rangée, de guenille en guenille, se répandit un murmure émerveillé.

— L'or... l'or... l'or...

Et Bachir dit à la foule :

— Oui, l'or, mes amis.

Puis il continua :

« Mais n'allez pas imaginer que M. Boullers pratique son commerce à la manière des changeurs de la rue des Siaghines — quelques pièces par-ci, quelques pièces par-là. Oh non ! M. Boullers achète et vend des caisses d'or, des barils d'or, des morceaux d'or gros comme des troncs d'arbre, plus communément, plus facilement que vous ne le faites, ici, au Grand Socco, pour des poignées de fèves ou des grains de mil.

« Et ce commerce, il s'étend à des distances qu'il est malaisé de penser. M. Boullers a des comptoirs partout, qui vont de Chine jusque dans les Amériques. Et tous ces comptoirs sont réunis à lui par des fils de télégraphe, et il ressemble ainsi à l'araignée au milieu de sa toile. Mais cette toile, qui couvre le vaste monde, est tissée d'or. »

La foule répéta de nouveau :

— L'or... l'or... l'or...

Et Bachir reprit :

« Mais pourquoi donc, ô mes frères, cet homme, si puissant dans les plus vastes cités des plus grands pays, pourquoi a-t-il choisi de vivre à Tanger qui est une petite ville détachée de tous les pays. Quelle raison a désigné nos murs à l'araignée pour y faire son nid ? Ce n'est pas le soleil, croyez-moi, ni la beauté de ces lieux. Notre ciel pourrait être toujours noir et glacé, et notre terre d'une horreur sinistre, que M. Boullers y serait venu tout de même. Parce que seulement ici, à travers le monde entier, seulement ici, l'or est libre. Dans les autres pays — et c'est ce que m'ont enseigné mon ami Flaherty à la moustache rouge et M. Ribaudel, le très vieil homme si savant en lois, et enfin Léa, après avoir travaillé chez M. Boullers — dans les autres pays, l'or est tenu captif. Sous peine d'impôts énormes ou de punitions terribles, on ne peut pas le faire sortir ou entrer quand on veut, comme on veut. C'est la loi de tous les pays, sauf à Tanger.

« Et l'or, prisonnier ailleurs, est attiré ici par la liberté. Et les hommes qui le possèdent, le suivent. Mais eux, ils ne sont plus libres. Parce qu'ils s'enferment dans leur fortune. Comme dans un cachot.

« Et tel était M. Boullers.

« Cet homme qui peut contempler sur les murs de sa chambre les images de dix châteaux et palais qui lui appartiennent, habite une petite maison sans beauté, sans grandeur et sans joie. Cet homme, dont la cave est bourrée de caisses d'or, qui possède une fonderie pour l'or, qui dispose — comme un sultan — du droit de marquer à son signe l'or qu'il envoie à travers le vaste monde, cet homme travaille dès l'aube et jusqu'au soir. Et toute la journée, soucieux, anxieux, il lui faut recevoir et envoyer des télégrammes, et acheter des pièces dans une île chinoise qui s'appelle Formose et les revendre à un peuple qu'on nomme les Philippins et en faire l'échange entre les deux Amériques, au pays de Panama. Et tantôt le prix de l'or monte, et tantôt il baisse comme, pour nous, le prix des fèves ou du mil. Et, attendant de le savoir, M. Boullers ne mange pas, ne dort pas. Et encore, il s'occupe de faire sortir l'or des pays où cela est défendu, pour l'amener ici. Et, dans ce dessein, il a des gens partout à son service. Et même une femme qui conduit de petits avions. Et ainsi, Léa, mon amie, a vu M. Boullers trembler, tromper, calculer, ruser, s'user pour une fortune dont il ne tirait aucune jouissance. Pauvre M. Boullers ! »

Ici, Bachir s'arrêta un instant pour soupirer profondément et Nahas, le vieux prêteur sur gages, lui demanda avec aigreur :

— Plaindrais-tu vraiment une telle richesse ? Tu serais, en ce cas, plus infirme encore d'esprit que de torse.

— Mais non ! Tu vois bien qu'il se moque du marchand d'or répliqua Selim, le marchand de charmes.

— Et moi, je crois qu'il le tient en mépris, dit l'écrivain public Mohamed.

À quoi Bachir répondit doucement :

— Je ne fais que répéter les propos de Léa, mon amie.

Puis il continua :

« Et combien de malheureux n'a-t-elle pas vu passer chez M. Boullers !

« Ils avaient des monceaux et des monceaux d'or, des valises et des valises pleines de billets de banque ou de papiers de valeur. Et, par des efforts d'une patience, d'une énergie, d'une peine, d'une ingéniosité infinies, ils avaient enfin réussi, en achetant des fonctionnaires, bravant les lois, et courant de grands dangers, à sortir leur fortune de prison pour la mettre, chez nous, à l'abri des impôts et de la guerre dont ils ont tous si peur.

« Mais, aussitôt leur argent ici, ils recommençaient à trembler pour lui. Est-ce que les lois ne changeraient pas à Tanger et ne ressembleraient pas à celles de l'Europe ? Car c'étaient tout de même sept pays d'Europe qui gouvernaient Tanger. Et que se passerait-il en cas de guerre ? Les bombes… disaient-ils. Depuis que les Américains ont construit ici leur grande station de radio, Tanger n'est plus en sécurité… Et qui sait… Le détroit de Gibraltar est si mince. L'ennemi pouvait venir jusqu'ici… Et enfin, les Arabes… Les Arabes pouvaient se révolter…

« M. Boullers avait beau les rassurer, ces malheureux ne pouvaient pas trouver la paix. Et ils lui laissaient seulement une partie de leur fortune et ils emportaient le reste plus loin, plus loin toujours, pour en mettre un morceau dans d'autres pays, au-delà des océans. Et ainsi, ils semaient sur les routes du monde leur or stérile.

« Et ne croyez pas, mes amis, que M. Boullers est le seul à recevoir des sommes et des hommes de cette sorte. Il y a, dans Tanger, assure-t-on, des banques et des bureaux par dizaines, par centaines, qui ne servent qu'à cela. Et les entrailles de cette petite ville sont nourries d'or ; mais je ne puis vous parler que de ce que m'a raconté Léa, ma grande amie qui, après des années de camps de malédiction, et portant toujours sur le bras un chiffre, comme une bête, couchait dans un hamac de l'Oncle Tom, voyait chaque soir son oncle, le vieux Samuel, partir épuisé vers les restaurants de nuit avec son crayon et ses rouleaux de papier blanc, et qui, chaque jour, aidait M. Boullers et les autres à cacher, protéger, enterrer leurs montagnes d'or.

« Et j'étais, moi, le mendiant, moi, le bossu, son seul confident. Elle n'avait personne d'autre avec qui partager ses pensées. Car le vieux petit Samuel devenait de plus en plus faible et de corps et d'esprit. Il semblait, maintenant que sa nièce était en liberté, avoir perdu les raisons et les forces pour lutter encore, et pour vivre. »

Un cri rauque et méchant se fit entendre tout à coup.

— Attends ! Attends ! Imposteur bossu !

Et Sayed, le lecteur public, que les récits de Bachir avaient réduit au silence, demanda :

— Qu'as-tu donc fait du jeune Espagnol ? Celui qui était arrivé chez le vieux nègre le même soir que la fille juive ?

Alors, Zelma la bédouine, aux yeux trop vifs et tendres, s'écria :

— C'est vrai ! C'est vrai ! Tu avais promis une histoire d'amour.

Toutes les femmes et Ibrahim, le beau marchand de fleurs et d'autres jeunes hommes approuvèrent la bédouine.

Et Nahas, le vieil usurier, ricana dans sa barbe flétrie et jaunie par une salive mauvaise :

— Marchand d'illusion ! Tripoteur de faux poids !

Mais Bachir, sur un ton de surprise merveilleusement jouée, lui répondit :

— Oh ! mon oncle, ton métier t'aveuglerait-il à ce point ? Et crois-tu vraiment qu'on peut tricher avec les destinées aussi facilement qu'un prêteur sur gages le fait avec ses balances ?

Et, laissant le vieux Nahas interdit, Bachir s'adressa à toute l'assistance :

— Le temps est venu en effet, mes amis, de vous dire ce qui était écrit pour Francisco et pour Léa.

— Parle ! Oh ! parle vite ! gémit Zelma la bédouine.

Et Bachir poursuivit :

« Leur amour a commencé dès leur première rencontre. Et si, eux, d'abord, ils ne l'ont pas su, moi j'en ai été averti tout de suite et de la façon la plus singulière : je souffrais de voir Léa et Francisco ensemble, le soir, chez l'Oncle Tom.

« Oui, je souffrais, et cette souffrante était terrible, comme si une meule m'écrasait le cœur et comme si une lance me déchirait les entrailles, ici, juste sous ma bosse de devant. Et ma bouche avait un goût de fiel sec. Pourtant, je n'étais pas malade. Quand je m'en allais courir la ville pour mendier, m'amuser, manger ou dormir, je me sentais aussi dispos et vif que jamais. En parlant à mon ami Flaherty ou à Mme Elaine, j'avais le cœur joyeux ; mon esprit suivait avec plaisir les savants propos du vieux M. Ribaudel. Bien plus, j'aimais beaucoup Francisco quand Léa ne se trouvait pas avec nous. Il était gai et brave et il racontait, sur sa vie en Espagne, des aventures qui faisaient courir mon sang plus vite. Et si j'étais seul avec Léa, le visage, la parole, la tendresse pour moi de cette jeune fille me donnaient du bonheur.

« Mais les regards qu'elle échangeait avec Francisco, le faible sourire qu'elle avait uniquement pour lui, ô Allah tout-puissant ! pourquoi, même aujourd'hui, alors que tout est consommé, pourquoi suis-je encore prêt à en gémir ? Et quand ils allaient se promener, sous les étoiles, le long de la plage, ô Allah miséricordieux ! fais que je ne connaisse plus jamais la brûlure de ce feu…

« En vérité, jusqu'à ce jour, je ne comprends pas mes sentiments : je savais ce qui arrive à l'ordinaire entre une jeune femme et un homme jeune qui ont de l'attrait l'un pour l'autre, s'ils restent sans témoin, et je trouvais cela tout naturel (surtout chez les infidèles), mais, pour Léa, non, je ne pouvais pas admettre une pareille pensée. Et je les surveillais en cachette, confondu avec le sable de la plage ou tapi derrière une dune, ou les suivant telle une ombre silencieuse, mes pieds nus dans leurs pas.

« Eh bien, mes amis, jamais je n'ai pu surprendre entre eux le moindre attouchement. Ils ne s'embrassaient même pas. Ils marchaient lentement côte à côte ou s'asseyaient face à la mer. Cela leur suffisait pour être heureux. Et le plus étrange c'est qu'ils ne pouvaient pas s'entendre par le langage. Francisco ne savait que l'espagnol et Léa n'en comprenait pas un mot. Pourtant, ils se parlaient sans cesse avec enchantement. Et je pense que tous leurs propos leur semblaient merveilleux justement parce qu'ils ne pouvaient discuter de rien et alors chacune de leurs paroles, même la moindre, leur servait à dire qu'ils s'aimaient.

« Parfois, quand ils voulaient encore mieux faire passer d'un cœur à l'autre leurs sentiments, ils chantaient à voix basse. Francisco en espagnol. Léa en hongrois. Et toutes leurs chansons étaient des chansons d'amour. »

Alors Zelma la bédouine, si hardie à l'ordinaire, tendit gauchement ses mains gercées et tatouées vers Bachir et dit avec humilité :

— Oh ! petit bossu à l'oreille et à la voix sans défaut,

ne voudrais-tu pas faire entendre pour moi une de ces chansons d'amour ?

— Non, dit Bachir sans gentillesse aucune.

— Et pour moi ? demanda Abdallah, le pêcheur aveugle.

Mais à lui Bachir répondit doucement :

— À toi, grand-père, je promets par mes yeux de les chanter toutes, sur la plage, le soir venu.

Et l'aveugle bénit Bachir et beaucoup de voix répétèrent ces bénédictions et, Bachir ayant croisé avec modestie ses bras sur sa bosse avant, s'écria :

— Maintenant, ô mes amis, il faut que je vous explique la situation ici, de Francisco, le jeune Espagnol.

À ces mots, les deux ennemis de Bachir, irrités par les louanges que celui-ci venait de recevoir, éclatèrent ensemble :

— Belle nouveauté ! cria Sayed, le lecteur public. Vraiment ! Belle nouveauté !

Et Nahas l'usurier glapit :

— Voyez-vous la prétention de ce petit bâtard difforme ! Il veut nous enseigner des choses que nous connaissons mieux que lui et bien avant qu'il n'ait même été conçu.

Et, se tournant de tous côtés vers ses voisins, Sayed demanda avec violence :

— Avons-nous besoin, dites-moi, d'apprendre comment vit, à Tanger, un Espagnol sans fortune ?

Et la foule, prompte à changer d'humeur, approuva Sayed en criant :

— Ils sont des milliers et des milliers dans la vieille ville.

— Ils habitent près de nous depuis des générations.

— Les mêmes quartiers... Les mêmes demeures...

— Nous parlons leur langue.

— Ils entendent la nôtre.

— Nos enfants jouent dans les rues avec leurs enfants.

— Leurs femmes engraissent et vieillissent aussi vite que nos femmes.

— Leur grande église est à deux pas de la Grande Mosquée.

— Ce ne sont même plus des étrangers.

Bachir tenait toujours ses bras croisés sur sa bosse de devant. Et Sayed, exaspéré par ce calme, se leva à demi sur ses talons pour crier :

— Hé bien, que répondras-tu ?

Et Nahas, l'usurier, répéta :

— Oui, que vas-tu répondre ?

Alors Bachir laissa retomber ses mains le long de son corps et dit :

— Retourne à tes livres éculés, ô Sayed, et toi mon oncle Nahas, retourne à tes balances trompeuses. Et ne vous mêlez plus de juger un récit de vérité. Et à tous les autres qui, vous écoutant, pensent connaître la vie de Francisco, je leur conseille d'acheter bien vite les charmes les plus puissants parmi ceux que Selim offre sur sa perche aux amulettes, car, pour avoir parlé dans l'ignorance et la jactance, ils ont tenté, je le crains, le mauvais sort.

Aussitôt, les voisins de Nahas et ceux de Sayed s'écartèrent de ces deux hommes et tous ils multiplièrent les signes de conjuration et supplièrent Bachir de retirer sa menace. Mais Bachir n'y consentit qu'après en avoir été prié fort longtemps.

Puis il continua :

« Il est certain que les Espagnols de Tanger, sauf pour l'impureté de leur foi, peuvent sembler nos frères : très pauvres et très bruns de teint, habiles aux petits métiers et faisant beaucoup d'enfants, ils discutent sans cesse, mais, à la vérité, ils sont paisibles, sans exigence et bien soumis à leur humble destinée. Seulement, ô mes amis, un peuple n'est jamais fait d'hommes qui ont tous même cœur et même étoile. Et, à cause de leur cœur ou de leur étoile, quelques Espagnols, ici, ne sont ni résignés, ni tranquilles, ni même assurés de vivre le lendemain. Pareils à des bêtes traquées, ils marchent sans cesse sous des signes de mort. »

Ces paroles, suivant de si près les propos effrayants qu'avait déjà tenus Bachir, firent frissonner la foule. Et les femmes qui portaient des enfants en bas âge, les pressèrent fortement contre leur poitrine.

— Mais pourquoi ? Mais comment ? demandèrent des voix apeurées.

À quoi Bachir répondit :

— C'est la suite d'un grand combat, déjà fort ancien, mais toujours terrible. Et de cela, vous devez être mieux avertis que moi, puisqu'il a commencé avant ma naissance.

Alors l'écrivain public Mohamed, qui, de tous les auditeurs de Bachir, avait l'esprit le plus vif et le mieux informé, demanda :

— Tu veux parler sans doute de cette guerre sans pitié que les Espagnols se sont faite les uns aux autres dans leur propre pays avant la grande guerre de toutes les nations.

— Je me souviens, je me souviens ! s'écria Ismet, le débardeur. Je travaillais dans le Maroc espagnol, au port de Melilla, et j'ai vu partir vers Cadix les régiments arabes.

Et l'homme qui portait son chèche noué à la façon des Darkaouas fanatiques se leva soudain pour clamer :

— Gloire à eux ! Gloire à eux ! Ils ont conquis l'Espagne une deuxième fois !

À quoi le sage et bon vieillard Hussein, qui vendait du khol, répliqua doucement :

— Mais ils l'ont fait pour le compte d'un gros chef espagnol qui est maintenant le maître.

— Gloire à eux, tout de même ! dit l'homme avec une obstination farouche. Ces guerriers ont fait couler par torrents le sang des infidèles.

Et le Darkaoua reprit sa place, sur ses jambes croisées, au milieu d'un silence pesant.

Et Bachir poursuivit :

« Quand il a eu la victoire, le gros chef espagnol a fait tuer une infinité de ses ennemis et il a mis en prison une infinité d'autres. Et sa police est partout maintenant pour surveiller le peuple. Et le peuple s'est soumis à la règle de fer. Mais il y a toujours, ô mes amis, des hommes qu'aucune terreur ne peut soumettre. Et ceux-là, qui aiment la liberté avant toute chose, ils sont, en Espagne, affamés, pourchassés, hors-la-loi. Alors les plus audacieux ou les plus chanceux, pour échapper à leur mort certaine, s'enfuient en cachette et gagnent Tanger. »

Ici intervint le gros badaud Abderraman, caressant sa barbe teinte avec importance.

— Mais, une fois ici, ces gens sont en sécurité.

Et, comme d'autres, dans l'assistance, partageaient cette opinion, Bachir leur dit :

— Avez-vous déjà oublié l'aventure du pauvre Abd-el-Meguid Chakraf ? Et cela ne vous enseigne-t-il point, une fois pour toutes, comme le disait si bien le sage M. Ribaudel, que, dans Tanger, l'argent seul est vraiment libre ? Car chaque étranger, ici, dépend de son Consul comme nous dépendons du Mendoub.

« Et il suffit au Consul de désigner à la police un homme qui appartient à son pays et la police doit chasser cet homme de Tanger sans même lui dire pourquoi. Or le Consul des Espagnols est assurément au service du gros chef qui commande à sa nation. Et il paye beaucoup de gens pour espionner et surveiller ici les ennemis de son maître. Et, en secret, beaucoup de policiers se trouvent à sa disposition. Et, s'ils découvrent un réfugié, ils le disent au Consul. Alors lui, il ordonne de le chasser. Et, quand cela arrive à un Anglais ou bien à un Français ou à tout autre, il peut s'en aller dans le pays de son désir, parce qu'il a un passeport. Mais les réfugiés espagnols n'ont pas de passeport puisqu'ils se sont enfuis. Alors, ils ne peuvent aller nulle part. Et alors, la police les prend, les enferme, les renvoie de force en Espagne. Et, là-bas, vous devinez le sort qui les attend, ô mes amis. »

Personne n'osa donner une réponse à Bachir, mais quelques femmes âgées firent entendre, d'une voix stridente et funeste, la longue lamentation des pleureuses.

Et Bachir reprit :

« Pleurez, pleurez sur eux, bonnes vieilles, et pleurez même pour ceux des réfugiés espagnols qui ne sont pas découverts encore. Car ils peuvent l'être à chaque instant. Leur liberté et leur existence sont à la merci d'une rencontre mauvaise, d'un hasard contraire, d'un faux compagnon. L'atelier, le café, la rue, leur lit : rien n'est sûr pour eux. Dans cette ville si gaie et sous ce ciel magnifique, ils voient partout un espion, un piège.

« Et telle était la vie qui, dans Tanger la Bienheureuse,

attendait Francisco, proscrit espagnol, dès le soir où il avait débarqué dans la case de l'Oncle Tom, trouvant chez lui, Léa, la belle jeune fille juive. »

Ici, Bachir s'arrêta pour bien considérer Sayed le lecteur public et l'usurier Nahas qui l'avaient tant contredit. Mais ils évitèrent son regard.

Et Bachir continua :

« Mais ne croyez pas, mes amis, que les menaces qui l'entouraient sans cesse ont enlevé à Francisco le courage et le rire. Il avait l'habitude du danger, le caractère gai. Et surtout, il aimait Léa.

« Et ils ont découvert ensemble les plus beaux endroits de Tanger. C'était ou bien le dimanche ou bien le soir, quand Léa avait achevé son travail chez le marchand d'or. Je les accompagnais. Avec moi, Léa était plus tranquille. Je connais tous les policiers de Tanger, aussi bien ceux en civil qu'en uniforme, et je pouvais prévenir Francisco.

« Ils sont allés d'abord au cimetière juif. Là, derrière les vieux grands arbres et les vieilles tombes, ils étaient en sécurité. Une seule chose peinait Léa : la misère des mendiants de sa religion qui se tenaient à la porte. Elle leur donnait toujours quelque aumône. Puis elle allait regarder avec Francisco le port et la mer entre les cyprès ou encore elle s'asseyait près de lui sur le mur d'enceinte en ruine. Et cela suffisait à son bonheur.

« Mais Francisco a voulu aller plus loin, dans un endroit plus joyeux. Et, un jour qu'il avait eu un travail profitable, il a emmené Léa, malgré les craintes de la jeune fille, au Café Maure, qui se trouve sur le toit de l'ancien palais du Sultan, à la Kasbah.

« Ô mes amis, vous savez quelle vue admirable se

découvre de cette terrasse : d'abord le jardin enchanté de l'ancien palais, puis toute la vieille ville, et enfin tout le détroit de Gibraltar. Et le vent parfumé glisse le long du toit. Et le thé à la menthe et le lourd café maure embaument. Et de vieux hommes s'y retrouvent, des Arabes très sages, qui caressent leur barbe blanche et fument le narghilé.

« C'est là que Francisco et Léa, j'en suis sûr, ont su à quel point ils s'aimaient. Et ils l'ont lu dans leurs yeux. Et le soir était grand, serein et magnifique et si pur que je n'ai pas souffert.

« Une autre fois, ils sont allés dans le jardin de la Mendoubia, où les arbres ont plusieurs siècles et où s'alignent les canons de bronze que nos Califes, jadis, faisaient construire pour l'anéantissement des infidèles. Et je leur ai montré le célèbre canon fabriqué par Mansour le Renégat, ce Français pris en esclavage, qui a embrassé la foi musulmane et brillé au service du Sultan. Mais ils m'écoutaient à peine et c'est là que, pour la première fois, ils se sont pris par la main.

« Puis, un dimanche, nous sommes allés aux grottes d'Hercule, ces caves fabuleuses où, entre les piliers de rochers, on voit bouger le grand Océan, et où, collés aux murailles, des ouvriers arabes découpent dans la pierre douce les meules pour moudre le grain, ainsi qu'ils le faisaient il y a mille et mille ans.

« Et voyez, mes amis, comme Allah le tout-puissant, quand il le veut, entrecroise les destins. Le jour où j'ai accompagné Francisco et Léa aux grottes d'Hercule, il y avait là-bas également Madame Elaine et Noël, ce jeune Anglais qui l'avait ramenée sur son yacht. Et, avec eux, le bel officier, chef de la police, et M. Boullers, le marchand d'or, et aussi mon ami Flaherty aux sourcils rouges.

« Celui-ci a été le seul à nous apercevoir, car, quoi qu'il fasse, il a l'œil vif. Mais je lui ai donné signe de ne pas attirer l'attention sur nous, parce que j'avais peur de M. Boullers pour Léa et encore plus du chef de la police pour Francisco. Et M. Flaherty m'a compris. Et les autres ne nous ont pas vus. Ce qui était tout naturel : ils avaient apporté avec eux beaucoup de vin et parlaient et riaient et criaient grossièrement. Et Madame Elaine se tenait avec Noël d'une manière éhontée. Et, malgré cela, ils s'ennuyaient beaucoup ensemble... Tandis que, pauvres et traqués, Francisco et Léa étaient heureux de chaque beauté. Et, sans comprendre une parole de ce que l'un disait à l'autre, ils étaient l'un pour l'autre, source de toute joie, tout amusement, toute félicité.

« Et, parce qu'il fait froid et sombre au fond des grottes d'Hercule, Francisco, pour la première fois, a serré très doucement, très gentiment, Léa contre lui. »

Bachir avait raconté ces promenades plus rapidement que de coutume, presque d'un trait. Il s'arrêta afin de reprendre haleine. Mais personne n'en profita pour quelque question, remarque ou commentaire. La plupart des visages qui le contemplaient en silence portaient une expression de vague, étrange et doux étonnement.

Et Bachir continua :

« Un soir, leurs pas les ont portés devant les jardins d'En-Sallah.

« Beaucoup d'entre vous, mes amis, la nuit venue, ont passé le long des piliers qui ouvrent sur ce lieu de réjouissances splendides et se sont arrêtés et ont écouté la musique, puis ont repris leur marche, fatigués par un jour très long de labeur, vers leurs cahutes et leurs cabanes des faubourgs. Personne de vous n'a pensé, même un instant, j'en suis sûr, à pénétrer dans ce lieu tout dallé de marbre, auquel le ciel sert de toit, où les murs sont formés par des sycomores géants, où l'eau jaillit entre les colonnes, et où l'orchestre le plus illustre de Tanger fait danser les infidèles dans la pénombre. Un verre de boisson, en effet, y coûte autant qu'une semaine de nos repas et si, par miracle, vous aviez eu, une fois, l'argent nécessaire, vos habits vous auraient fait chasser de ces jardins trop magnifiques par des valets vêtus comme des seigneurs.

« Et pas plus qu'à vous, ô mes frères, l'idée ne venait point, ni à Léa, ni à Francisco, d'entrer dans En-Sallah. Mais ils regardaient de la rue et, vu de loin, cet endroit, sous le clair de lune, avec ses arbres immenses et les fontaines, et les ombres qui bougeaient sur les dalles de marbre et la musique étouffée par la distance, avait encore plus d'enchantements. Il semblait, en vérité, que l'on apercevait le paradis d'Allah. Et sur le seuil de ce paradis, Francisco a embrassé pour la première fois Léa dans ses profonds cheveux noirs.

« J'ai détourné la tête, et, de la sorte, j'ai vu Madame Elaine. Elle quittait avec Noël les jardins d'En-Sallah, où elle venait chaque soir.

« — J'en ai assez, disait Madame Elaine. On s'ennuie à mort. Allons au *Marchico.* Là-bas, au moins, on peut mal se tenir. »

« Tels sont les riches, ô mes frères : rassasiés de tout, même des paradis.

« Dans la rue, Mme Elaine a remarqué Francisco et Léa qui se tenaient, heureux, tout près l'un de l'autre, contre un pilier. Et Mme Elaine s'est arrêtée et j'ai vu, mes amis, j'ai vu dans les yeux de cette femme comblée de tous les biens, une envie pleine de souffrance

« Elle m'a demandé à voix basse :

« — Qui est cette jeune fille ? »

« J'ai répondu :

« — Une amie très pauvre. »

« — Mais très heureuse », a dit Madame Elaine en me quittant.

Ces mots arrachèrent à Zelma, la bédouine, un gémissement d'effroi :

— Pourquoi a-t-elle dit cela, l'Américaine ? N'avait-elle point le mauvais œil ?

Sans lui répondre, Bachir reprit :

« Or, dans le temps où se passent les événements que je vous conte, une grande lutte se livrait parmi les personnes haut placées qui décident des réjouissances publiques dans Tanger. Il s'agissait d'ouvrir un tir aux pigeons. C'est, assure-t-on, un des plaisirs les plus vifs et les plus raffinés dans la belle société en Europe. Et la plupart des consuls et des fonctionnaires importants voulaient établir ce jeu dans notre ville pour y attirer davantage les voyageurs et leur argent.

« Mais d'autres s'y opposaient avec une violence très farouche. C'était un amusement cruel, disaient-ils, et une joie barbare que de fusiller, sans utilité aucune, et en nombre immense, d'aussi charmants oiseaux. Et parmi les plus acharnés contre le projet, la plus acharnée justement était la terrible vieille Lady Cynthia, revenue alors d'Angleterre. Je vous ai raconté quel amour elle avait pour toutes les bêtes et tous les oiseaux. Vous ne serez donc pas étonnés d'apprendre qu'elle a employé toute sa grande influence, avec fureur, pour protéger les pigeons. Elle y a réussi longtemps. À la fin, toutefois, elle a été vaincue. Le Gouvernement de Tanger a décidé qu'il y aurait un tir aux pigeons.

« Cela peut, mes amis, vous paraître incroyable, mais l'événement a intéressé toutes les nations. Je l'ai su par mon ami Flaherty aux sourcils rouges, car son grand journal d'Angleterre lui avait envoyé un télégramme très coûteux pour lui dire de bien regarder le tir aux pigeons et d'en écrire longuement dans un télégramme cent fois plus coûteux encore.

« Et un beau dimanche, la foule s'est assemblée pour voir les exploits des tireurs.

« Le jeu avait lieu sur la plage et dans l'établissement de bains le plus riche, celui, vous savez, où des barrières surveillées par des agents de police interdisent au peuple ordinaire une étendue de sable bien ratissée.

« La case de l'Oncle Tom est située tout près de cet endroit, et il y a emmené Francisco et Léa en payant leurs places. Moi, j'y suis allé aussi, mais en m'arrangeant pour que cela ne me coûte rien. Je devais ramasser les pigeons abattus.

« Ô mes amis, quel monde ! Quelles automobiles ! Quels habits ! Et combien de photographes !

« L'honneur de tirer le premier, on l'a donné naturellement à M. Boullers. Le grand marchand d'or était vêtu d'une façon extraordinaire : des bottes, des culottes, une veste de daim, un chapeau avec une petite plume. Il paraît que c'est le costume des vrais chasseurs. Et M. Boullers a sorti d'un étui précieux son fusil qui brillait au soleil comme un miroir.

« On lâche un pigeon. M. Boullers tire et abaisse son fusil d'un air triomphant. Le pigeon s'envole à tire-d'aile. Un deuxième est lâché. M. Boullers tire et le pigeon s'échappe tout joyeux vers le ciel. Voici, vite, un troisième ; le marchand d'or le manque de nouveau. Et les photographes travaillent et la foule s'amuse.

« À ce moment, l'Oncle Tom a disparu, mais je l'ai

remarqué à peine, car c'était au tour du bel officier, chef de la police. Il était dans un uniforme magnifique et son fusil était aussi admirable que celui de M. Boullers. Mais, lui aussi, il a manqué ses pigeons.

« C'est alors que l'Oncle Tom est revenu, tenant le vieux fusil avec lequel il allait tuer les perdrix dans la plaine. On a eu beau lui dire qu'il ne s'était pas inscrit, qu'il ne devait pas prendre le tour des autres, l'Oncle Tom ne voulait rien entendre. Or, il était, sur la plage, une personne très populaire. La foule l'a réclamé en riant. On a dû le laisser tirer.

« Et, sous les yeux de M. Boullers et du chef de la police, le vieux nègre a fait tomber coup sur coup, et sans presque viser, tous les pigeons qu'on a lâchés pour lui.

« Il a connu une gloire immense. Et M. Boullers a vu Léa, son employée, embrasser plusieurs fois l'Oncle Tom. Et les photographes prenaient cette image. Elle a paru le lendemain dans tous les journaux.

« Et le lendemain, M. Boullers a renvoyé Léa. Et le vieux petit Samuel qui, déjà, traînait lamentablement, s'est couché dans son hamac pour ne plus jamais guérir. »

Alors l'aïeule édentée, Fatima, chez qui, pourtant, la misère semblait avoir desséché le cœur aussi bien que les seins, poussa une longue plainte :

— Pauvre, pauvre petit vieil homme ! Il ne pouvait plus rien pour le dernier sang de sa famille.

Et Hussein, le sage vendeur de khol, dit aussi :

— Pauvres gens ! La vanité des puissants est impitoyable.

Et le débardeur Ismet cria, agitant ses bras musclés, et toujours sans travail :

— Elle ne trouvera pas facilement une embauche, cette jeune fille qui s'est fait haïr par un marchand d'or.

Et Bachir répondit :

— Tu vois juste, ô Ismet : par crainte de M. Boullers, tous les hommes d'affaires qui pouvaient donner quelque emploi à Léa, s'y sont refusés. Or, plus que jamais, il fallait de l'argent à cette jeune fille, car les petites sommes que rapportaient le vieux Samuel manquaient maintenant et lui-même, si malade dans son hamac, il avait besoin de bonne nourriture et de médicaments très chers.

Ici, Mohamed, l'écrivain public, demanda :

— Et Francisco, n'avait-il pas de métier ?

— Oh ! que si, dit Bachir. Il en avait un. Et très bon. Celui de mécanicien — et il y était d'une extrême adresse. Mais, sans papiers, et risquant toujours de se voir dénoncé, toute entreprise de quelque importance lui était interdite. Et il ne faisait que de petits travaux d'occasion par où il arrivait difficilement à se nourrir lui-même.

— Voilà bien ce que je pensais, déclara Mohamed, le sage écrivain public. Mais il vaut mieux s'assurer de toutes choses. Poursuis maintenant, bon conteur.

Et Bachir reprit :

« Un jour que Léa courait la ville une fois de plus pour trouver une place, le vieux petit Samuel m'a demandé d'appeler l'Oncle Tom qui sciait du bois dans la cour. Et il lui a parlé faiblement, timidement, dans son mauvais anglais.

« — Je veux ton conseil : la dernière fois que j'ai été dessiner dans un cabaret de nuit j'ai entendu qu'on y cherchait une jeune femme. »

«— Espères-tu faire de ta nièce une créature de vie honteuse ? » a demandé sévèrement l'Oncle Tom.

«— L'Éternel m'en garde ! s'est écrié le pauvre petit Samuel avec les dernières forces qui lui restaient. Non, oh non, il ne s'agit pas de danser contre les hommes pour les attirer, ou même boire à leur table, mais simplement de vendre des cigarettes et de tenir la caisse. »

«— Je n'aime pas ces endroits de Satan pour une jeune fille, a grommelé l'Oncle Tom dans sa barbiche blanche. Mais en temps de famine, il faut bien accepter le pain le plus amer. »

« Le vieux petit Samuel gardait tout de même un visage tourmenté. Et il a dit :

«— C'est que l'établissement est celui de Varnolle. »

«— Et alors ? » a demandé l'Oncle Tom.

«— On assure, oui, on est sûr, a repris péniblement Samuel, que ce Français, pendant la guerre, a travaillé pour les Allemands et même pour la police allemande, et qu'il s'est réfugié ici afin d'échapper au châtiment de mort qui l'attendait dans son pays. »

« L'Oncle Tom a caressé sa barbiche et a demandé :

«— Son consulat connaît cette histoire ? »

«— Sans doute, puisque je l'ai appris par des employés du consulat », a dit Samuel.

«— Alors, pourquoi te montrer plus difficile que ses compatriotes qui pourraient le faire chasser d'ici et ne le font pas ? » a demandé l'Oncle Tom.

« Et j'ai pensé qu'il parlait comme un sage.

« Mais le vieux petit Samuel avait l'air toujours très malheureux. Et il a dit :

«— Cette police allemande a été terrible pour les Juifs. Elle pourchassait ceux de ma religion, les envoyait dans les camps de malédiction pareils à celui où Léa a tant souffert. Et Varnolle aidait cette police... »

« Ayant dit cela, le vieux petit Samuel a fermé les yeux. Sa figure était plus calme. Il avait enfin avoué ce qui pesait à son cœur.

« L'Oncle Tom a mis longtemps pour allumer sa vieille et courte pipe et il a fumé en silence. Il a dit enfin :

« — Il y a des Juifs, ici, qui sont devenus riches, immensément, à travailler avec des Allemands... et on les honore aujourd'hui pour leur fortune. Faut-il que les malheureux paient toujours pour tout le monde ? »

« Le vieux petit Samuel a ouvert les yeux. Il semblait content. C'était un homme résigné d'avance. Il m'a dit alors :

« — Bachir, nous raconterons à Léa que cette idée est la tienne. Tu connais Varnolle et tu connais sa femme Edna. C'est à elle qu'il faut parler surtout... Cette femme, Edna, du moins, elle, n'a rien eu à voir avec la police allemande. »

« Et j'ai fait ce que me demandait le vieux petit Samuel, et j'ai été voir ces gens.

« Varnolle était un homme grand, un peu chauve, très maigre, avec des épaules étroites, des yeux étroits et tout à fait éteints. Sa femme Edna, grasse et blonde, avait un regard clair, très froid. Elle disait venir d'un pays très au nord, plein de neige et appelé Finlande. Quand les affaires allaient mal dans leur établissement, son mari la vendait, disait-on, contre mille pesetas pour une nuit à qui voulait d'elle. Moi, cela m'importait peu. Elle se montrait assez gentille avec moi, car je la faisais rire.

« Elle m'a dit d'amener Léa dans la soirée, avant que l'orchestre n'arrive. Elle voulait juger si la jeune fille convenait pour le travail.

« À l'heure fixée, nous étions devant l'établissement de danse. Il se trouvait situé non loin du Petit Socco, dans le quartier le plus mal famé. On y arrivait par une ruelle au pavé gras et glissant, qui répandait ses odeurs sordides jusque dans la grande salle.

« Le long des murs peints en rouge foncé, pleins de taches, les femmes de vie éhontée qui ont pour métier de faire danser les hommes ivres et de contenter leurs désirs, occupaient déjà leurs places sur les banquettes vides. Elles étaient, comme dans tous ces cabarets, des Espagnoles ou Portugaises, très pauvres, très mal vêtues, et tout leur rêve dans la vie était de pouvoir payer leur chambre et s'acheter chaque jour du café au lait avec des croissants. Aussi regardaient-elles Léa d'une façon très méchante, croyant que celle-ci venait faire leur métier et réduire encore leurs gains misérables. Elles parlaient de la jeune fille, sans merci, à haute voix. Et Léa, sans doute, ne comprenait pas du tout leurs paroles, mais très bien l'expression de leurs traits, et cela était suffisant pour elle. Sa figure se faisait complètement immobile, comme morte. Enfin nous sommes arrivés dans une toute petite chambre qui, au fond de la salle, servait de bureau, et où se tenait Edna, la patronne.

« Alors, il m'a semblé que Léa n'avait plus du tout de respiration et j'ai eu vraiment peur qu'elle soit morte debout. Mais sa main gauche s'est mise soudain à tirer sur la manche de sa robe et ce mouvement m'a rassuré. Je me suis dit qu'elle tremblait de se voir refuser son emploi.

« Or, Edna s'était un peu rejetée en arrière pour mieux examiner la jeune fille et ses paupières se plissaient, et dans ses yeux clairs et froids il y avait un sentiment que je ne pouvais pas comprendre. Puis elle a dit en allemand — je lui avais appris que c'était la langue que Léa parlait le mieux — elle a dit d'une voix coupante :

« — Trop pâle pour notre genre. Tu mettras beaucoup de maquillage. »

« Et Léa a incliné la tête pour accepter.

« Puis Edna a dit le chiffre du salaire, trop bas même pour un cabaret de cette espèce. Elle ne proposait pas. Elle ordonnait.

« Léa, de nouveau, a incliné la tête. Et nous sommes sortis tandis que l'orchestre s'installait et jouait très fort pour attirer vers la salle vide les gens qui passaient dans la ruelle. »

Ayant parlé ainsi, Bachir, soudain, cacha son visage dans ses mains.

Et à ce geste, Abderraman le badaud s'écria, stupéfait :

— Pourquoi tant de tristesse alors que ton amie a enfin trouvé un gagne-pain ?

Et d'autres demandèrent :

— Pourquoi ? Pourquoi donc ?

Mais Bachir poursuivit :

« Nous n'avons pas dit un mot jusqu'à la case de l'Oncle Tom. Mais au moment d'y entrer, Léa s'est mise à trembler, à trembler tellement que j'ai dû la soutenir. Alors elle m'a parlé très bas, très vite, et tantôt en allemand, et tantôt en français.

« Et Léa m'a fait promettre et jurer sur mes yeux de ne répéter à personne ce qu'elle allait m'apprendre. Puis elle a dit :

« — Cette femme... La patronne... Edna... Elle n'est pas de Finlande. Je l'ai reconnue tout de suite. C'est une Allemande. Elle était gardienne dans le camp de la mort »

« — Dans ton camp ? » ai-je demandé.

« — Oui, a dit Léa. Pendant les trois années que j'ai passées là-bas. »

« Et j'ai demandé encore, ne pouvant pas croire à une rencontre aussi terrible :

« — Tu es bien certaine de sa figure ? »

« — C'est elle qui a marqué mon chiffre », a dit Léa, en tirant de nouveau sans le savoir sur la manche de sa robe, comme elle l'avait fait devant Edna.

« Et puis elle s'est mise à raconter une fois de plus combien elle avait vu souffrir des milliers et des milliers de pauvres créatures, qui sous la faim, le froid, les coups, les supplices, devenaient pareilles à des squelettes vivants et comment on les brûlait dans une sorte d'immense usine. Et c'étaient d'autres femmes qui leur infligeaient toutes ces tortures, et parmi ces femmes bourreaux il n'y en avait pas de plus féroce qu'Edna. Et celle-ci avait pu échapper à ceux qui avaient vaincu les Allemands et s'était réfugiée chez nous, et avait épousé Varnolle, le Français indigne, et maintenant, ils vivaient tranquilles et prospères, et Léa devait leur mendier son pain.

« Ma langue était comme desséchée dans la gorge par la crainte et l'horreur. Pourtant, j'ai demandé :

« — Elle t'a reconnue aussi ? »

« — Je ne crois pas... Nous étions si nombreuses », a dit Léa.

« Et j'ai demandé encore :

« — Iras-tu travailler chez elle ? »

« À ce moment, l'Oncle Tom, qui avait l'oreille fine, a dû nous entendre chuchotant dehors et il a ouvert la porte de sa cabane. Et nous avons vu le vieux petit Samuel, brûlant de fièvre, qui soulevait avec effort sa tête hors du hamac pour demander :

« — Est-ce que... c'est arrangé avec Edna ? »

« Et Léa a incliné la tête.

« Or, je crois, mes amis, que, même sans le vieux Samuel, elle aurait obéi à l'ordre de celle qui l'avait tenue si longtemps dans la soumission et la terreur. »

À ces mots, un homme qui se tenait debout dans les dernières rangées, cria d'une voix profonde :

— Tu as raison, enfant de la liberté. Tu as raison.

Et c'était le vieux nègre Ali, à la noire figure grêlée, qui avait connu les temps de l'esclavage.

Mais ceux qui l'entouraient ne firent pas attention à lui. Car ils s'étonnaient, ou s'effrayaient, ou s'émerveillaient de la rencontre de ces deux femmes. Et leurs commentaires et leurs exclamations auraient pu se prolonger sans terme, si le sage et pieux Hussein qui vendait du khol, n'avait élevé ses mains vers le ciel, et dit avec l'intonation de la prière :

— C'était écrit ! Allah seul connaît les carrefours des destinées ! C'était écrit !

— C'était écrit, répéta la foule.

Et Bachir reprit :

« Quand Francisco a su dans quel endroit Léa devait travailler, il est devenu comme un homme enragé. Vous le savez, mes amis, ce sont les Espagnols qui, de tous les infidèles, sont le plus jaloux de l'honneur de leurs femmes. Et Francisco regardait Léa comme la femme qui lui était promise. Imaginez sa douleur, sa fureur, sa honte, quand il pensait que Léa, sa figure peinte, offrait toute la nuit des cigarettes à des hommes ivres et pleins de désir, parmi les filles éhontées. Mais que pouvait donc faire Francisco ? Il n'avait de travail qu'un jour sur trois, il risquait d'être arrêté à chaque instant. Et il fallait que Léa mange, et il fallait soigner le vieux Samuel.

« Si, au moins, Francisco avait eu la possibilité de rester avec Léa pendant ses nuits au cabaret, ou même lui rendre visite de temps en temps, il aurait pu se calmer un peu ; mais les amis sûrs, chez qui habitait Francisco, dans le quartier de la Fuenta Nueva, étaient bien renseignés sur Varnolle. Et ils disaient que ce Français indigne allait souvent au Consulat d'Espagne et qu'on le voyait avec des indicateurs, appartenant à toutes les races, de ce Consulat. Et ils avaient averti Francisco : « Si tu attires l'attention de Varnolle, tu te mets en danger de mort »

« Le malheureux rôdait toute la nuit à travers la vieille ville. Tant que Léa travaillait au cabaret, une sorte de feu lui dévorait les entrailles. Il ne pouvait songer à dormir. Il lui fallait attendre Léa. Et celle-ci sortait la dernière du cabaret, puisqu'elle avait tous les comptes de la nuit à établir. Il la menait alors jusqu'à la case de l'Oncle Tom qui était à l'autre bout de la ville.

« Dans ces nuits si terribles pour lui, je tenais compagnie à Francisco. Moi, je pouvais me glisser de temps à autre dans le cabaret, échanger quelques mots avec Léa et retourner auprès de Francisco pour apaiser son cœur.

« Très souvent, en attendant le jour, nous allions au *Marchico*, cette taverne misérable, près du port, dont je vous ai déjà parlé plusieurs fois. Là, le pauvre Manolo nous chantait des flamencos merveilleux.

« Et un matin, Madame Elaine avec le jeune Anglais Noël et mon ami Flaherty à la moustache rouge, sont entrés au *Marchico*. Ils étaient tellement excités et joyeux qu'ils ne m'ont pas remarqué. D'ailleurs, j'étais caché à leur vue par le comptoir où j'aidais le patron à laver les verres. Ils parlaient fort et vite, assurés que personne ne les pouvait comprendre parmi les Arabes et les Espagnols qui se trouvaient là.

« Et Noël disait :

« — Enfin, nous avons l'argent ! Enfin mon bateau va servir ! »

« — Et nous allons être riches ! », s'est écriée Madame Elaine.

« — Si tout se passe bien », a dit alors mon ami Flaherty en tirant sur sa moustache rouge.

« — Tu peux dormir tranquille, lui a répondu Noël. Mon bateau est tout ce qu'il me reste au monde. Je ne vais pas faire le fou, et tout est arrangé dans Algésiras à l'avance, tu le sais bien, avec le chef des douanes. »

« Si j'étais né ailleurs, je n'aurais pu, sans doute, pénétrer tout de suite le sens de ces propos rapides, mais, fils de cette ville, comment aurais-je pu en douter un instant ? Il s'agissait du commerce le plus commun à Tanger : la contrebande en cigarettes américaines. Vous l'avez également deviné, mes amis, n'est-il pas vrai ? »

À cette question de Bachir, l'assentiment fut général. Les plus curieux demandèrent néanmoins à être bien éclairés sur la démarche de cette affaire. Et Bachir leur répondit :

— Rien n'est plus simple — à Tanger — parce que c'est un port libre. On a le droit d'acheter, de faire entrer et sortir les cigarettes américaines comme on veut, et tant qu'on veut. Et leur prix est beaucoup moins élevé chez nous qu'en France, Italie ou Espagne. Car dans ces pays, c'est le gouvernement qui entend les vendre seul et avec un bénéfice immense. Alors, les gens ingénieux et hardis essayent de faire ce bénéfice eux-mêmes en apportant là-bas les cigarettes d'ici. Et trois choses seulement sont nécessaires à leur réussite : l'argent pour acheter les cigarettes à Tanger, un bateau pour les transporter, et l'amitié avec la police ou la douane pour les débarquer.

« Or, comme il vous en souvient, le jeune Anglais Noël possédait un yacht. Quant à l'argent, je comprenais que mon ami Flaherty, qui connaît tout le monde, en avait trouvé et que Mme Elaine y avait ajouté tout ce qu'elle possédait. Et ils s'étaient assurés d'Algésiras en payant le chef de la douane. »

On entendit à ce moment une sorte de sanglot glapissant et l'on vit le vieil usurier Nahas arracher à deux mains les poils de sa barbe couleur de fiel.

— Aïe ! Aïe ! gémissait-il, une opération comme celle-ci doit rapporter cinq fois l'argent placé, tandis qu'un honnête prêteur sur gages...

Mais le débardeur Ismet, qui, faute de travail, avait laissé entre les mains de Nahas tout ce qu'il possédait, et jusqu'à sa ceinture, lui coupa la parole en ces termes :

— Un prêteur sur gages déshabille les pauvres gens sans aucun danger. Et il n'en va pas de même pour les contrebandiers. Car si j'ai chargé beaucoup de leurs bateaux, j'en ai vu revenir souvent qui, leur cargaison prise par les douaniers, ne ramenaient au port que leur propre ruine.

Alors, bien des gens demandèrent à Bachir si ses amis, eux, avaient mené avec succès leur entreprise.

Mais Bachir leur répondit :

— Quand viendra l'heure vous saurez tout.

Et il poursuivit :

« Manolo, le chanteur goitreux et magnifique est entré au *Marchico*. Il a vu que Francisco était désespéré comme à l'ordinaire et il est venu s'asseoir à sa table, et sans dire un mot a commencé pour lui, à voix basse, un flamenco, sachant que c'était sa seule consolation. Et moi, une fois de plus, j'ai tout oublié au monde et j'ai quitté le comptoir pour m'approcher de la chanson.

« Quand Manolo a terminé et s'en est allé manger des saucisses chaudes, je me suis aperçu que Madame Elaine se tenait devant nous et considérait Francisco en faisant un grand effort de mémoire. Elle m'a demandé :

« — C'est bien l'homme qui était avec une jeune fille devant les jardins d'En-Sallah ? »

« J'ai dit que oui. Alors, le regard de Madame Elaine s'est enflammé de ce feu qui lui venait toujours quand un homme lui plaisait, et elle a commencé de montrer à Francisco les sentiments les plus doux. Mais Francisco lui a dit :

« — Belle et noble dame, je vois que tu me veux du bien et j'en suis touché. Mais j'aime entièrement une jeune fille. Et je ne peux avoir de tendresse pour aucune autre femme. »

« Madame Elaine avait bien saisi son propos, mais elle ne pouvait y croire. Elle était accoutumée à recevoir, pour ses avances, d'autres réponses. Elle m'a ordonné de traduire en anglais les paroles de Francisco. Quand je l'ai fait, son premier mouvement a été la colère. Mais elle a rencontré les yeux si simples, si fiers, si tristes de Francisco, et alors quelque chose a changé brusquement sur la figure de Madame Elaine. Elle est devenue très timide. Elle m'a pris à l'écart et m'a demandé si l'air triste de Francisco venait de ce que la jeune fille l'avait abandonné. Et j'ai dit à Madame Elaine qu'il n'en était pas du tout ainsi, et je lui ai raconté ce qui était arrivé à Léa pour son travail :

« Madame Elaine s'est écriée alors :

« — Il faut aider ces jeunes gens. Et nous avons besoin

pour un voyage prochain de nouveaux matelots sur le bateau, et je vais faire engager ton ami comme mécanicien. Et ce voyage lui rapportera beaucoup d'argent, car chaque matelot aura une part sur les bénéfices. Et après, il pourra se marier. L'heureuse fille ! »

« Ayant parlé de la sorte, Madame Elaine a quitté le *Marchico* avec M. Flaherty et Noël.

« Et moi, j'ai rapporté sa promesse à Francisco. Et lui, d'abord, il m'a pris à la gorge, croyant que je me moquais, puis il m'a supplié de le pardonner, puis il m'a embrassé, puis, comme un fou, il m'a entraîné en courant jusqu'aux abords du cabaret de Varnolle. Il voulait à tout prix voir Léa sur-le-champ, pour qu'elle sache, pour qu'elle partage son espérance et sa joie. Il ne pouvait pas attendre jusqu'à ce que la jeune fille achève son travail. J'ai compris que si je ne lui obéissais pas, il irait lui-même dans le cabaret et ferait quelque folie.

« Je suis donc allé prévenir Léa. Elle s'est glissée dehors, en cachette. Elle n'avait qu'un instant, si bien que Francisco a dû lui parler sur le seuil du cabaret. Je faisais aussi vite que je pouvais pour traduire. Léa, enfin, a demandé avec angoisse :

« — N'est-ce pas dangereux d'aller dans un port espagnol ? »

« — Je ne quitterai pas le bateau, ils ne sauront même pas que je suis à bord, a dit Francisco. Et puis le bateau est anglais. »

« À ce moment, nous avons entendu une voix très mauvaise :

« — Alors, Léa, est-ce que je te paie pour te frotter dans la rue ? »

« C'était Varnolle qui parlait du seuil. Depuis combien de temps nous surveillait-il ?

« Francisco a eu un mouvement de violence, mais Léa

l'a repoussé contre le mur et a disparu dans le cabaret. Varnolle a regardé Francisco fixement, puis il est rentré à son tour. Comme je voulais le suivre, il a levé la main sur moi et j'ai été bien forcé de rester dans la rue. »

La bédouine Zelma s'écria :

— Alors, alors, tu ignores ce qui est arrivé ?

En effet, lui répondit Bachir, à cet instant même, je ne l'ai pas su, mais Léa me l'a raconté par la suite et vous allez l'apprendre maintenant.

Et Bachir reprit :

« Quelques instants après son retour au cabaret, Léa a été appelée dans le bureau. Elle y a trouvé Edna toute seule, et celle-ci lui a demandé pourquoi Francisco l'avait appelée dehors. Léa n'a rien répondu. Elle était décidée à perdre sa place plutôt que de répondre.

« Alors Edna s'est avancée vers elle et a dit à mi-voix :

« — Parle... »

« Et dans ses yeux était revenue l'expression terrible de férocité, de mépris qu'ils avaient au temps des camps maudits. Et Léa a ressenti dans son cœur l'épouvante d'autrefois. Mais elle a voulu résister. Elle s'est dit : « Je suis à Tanger. Cette femme ne peut plus rien contre moi ! Et même elle ne sait pas que j'ai été son esclave. » Et Léa n'a rien répondu.

« Mais Edna lui a pris le bras gauche, a relevé la manche qui le recouvrait et mit à nu le chiffre de bête marquée. Ainsi, elle savait. Elle avait reconnu Léa dès le premier jour. Alors la jeune fille a été perdue. Elle n'avait plus de volonté, plus d'existence. Son corps, et même son âme, avaient cessé d'être à elle.

« Et quand Edna lui a de nouveau commandé de

parler, la malheureuse a répété mot pour mot tout le récit que lui avait fait Francisco.

« — Voilà bien des histoires pour une affaire comme il s'en passe tous les jours à Tanger », a dit Edna, de sa voix impitoyable des camps de mort.

« Oublie tout cela. Pas un mot à personne. »

« Et Léa nous a tout caché, à Francisco et à moi. »

Ici, des cris de stupeur et d'incrédulité arrêtèrent Bachir :

— Cette jeune fille était insensée !

— Pourquoi obéissait-elle ?

— Comment est-ce possible ?

Bachir allait répondre, mais il n'en eut pas le temps. Une mélodie grêle et mystérieuse s'éleva soudain à ses pieds. Et tout le monde reconnut la flûte de Kemal, le charmeur de serpents. Et du sac gonflé qu'il tenait sur ses genoux, deux têtes horribles se montrèrent, qui se mirent à danser sur la cadence de la flûte. Et tout le monde comprit ce que voulait dire Kemal le taciturne.

Et Bachir continua :

« Avec de l'argent, les choses s'arrangent aisément à Tanger. Ainsi, Noël a obtenu des papiers faux pour Francisco et l'a fait inscrire selon la règle dans l'équipage de *L'Arc-en-Ciel* (c'était le nom du yacht).

« Et tout de suite Francisco s'est occupé des deux moteurs du bateau. Et il leur a donné tout son temps et toute son âme, car, après Léa et la liberté, ce qu'il chérissait le plus au monde c'étaient les belles mécaniques bien compliquées. Alors il démontait, remontait et démontait sans cesse engrenages, fils, vis et boulons, et les nettoyait et les faisait briller de plus en plus avec autant de précautions et de soins que les orfèvres les meilleurs dans la rue des Siaghines en montrent pour leurs bijoux les plus délicats. Et il n'arrêtait pas de chanter. Et les autres matelots se sont mis à beaucoup aimer Francisco pour son travail et sa gaieté.

« Et moi, tantôt j'étais avec lui, et tantôt je m'amusais sur le pont du yacht.

« C'est ainsi qu'un matin j'ai aperçu Varnolle aux alentours de *L'Arc-en-Ciel*. Il causait avec un Arabe dont beaucoup de gens, au port, se méfiaient à cause des rapports qu'il avait avec la douane et la police. J'ai ressenti alors une certaine inquiétude, mais à ce moment je ne savais point que Léa avait tout dit à Edna. Et Varnolle ne s'est plus montré. L'Arabe, lui, est revenu au moment où le yacht a quitté le port. Et je l'ai bien remarqué, mais il était trop tard : je ne pouvais parler à personne, j'étais caché sous une bâche dans le canot de sauvetage accroché au-dehors du bateau. »

Ici, Abderraman le badaud, dont l'esprit était aussi lent que la prétention était grande, s'écria :

— Que veux-tu dire par là, démon bossu ?

Et Mohamed, l'écrivain public, lui répondit avec impatience :

— Tu vois bien qu'il s'était embarqué en cachette et qu'il était sur la mer.

Alors dix voix ravies reprirent le mot :

— Sur la mer !

Et Bachir poursuivit :

« En effet, mes amis, je n'avais pu résister au désir de faire ce voyage, car je n'avais jamais été sur un navire aussi joli et aussi loin qu'il devait aller.

« Tout s'est très bien passé pour moi. Il n'y a pas eu de fouille. Et quand le bateau est sorti du port, moi je suis sorti de ma cachette. Noël et Madame Elaine ont poussé des cris de surprise sans colère, et mon ami Flaherty m'a cligné de l'œil. Puis Noël a touché mes deux bosses et dit que j'avais bien fait de venir. J'allais porter bonheur...

« Ô mes amis, ô mes frères ! Quelles merveilles, quels enchantements n'ai-je pas découverts dans cette journée ! Le soleil de la mer n'est pas le même que celui de la terre. Et la mer, sous le soleil, est toute nouvelle quand on vogue sur ses flots. Et le vent prend un autre goût. Et la vieille ville et la Kasbah changent de formes et de couleurs. Et cette paix admirable ! Et toute cette liberté ! »

À ce moment, une voix en même temps exaltée et plaintive se fit entendre :

— Tu oublies beaucoup de choses, toi qui as navigué pour la première fois.

Et le pêcheur aveugle Abdallah poursuivit comme un chant :

— Tu oublies le claquement des voiles, tu oublies l'odeur du goudron et le sel de l'embrun. Oh ! comme on peut être heureux, même sans y voir, sur la mer !

— Nous l'étions tous, en effet, dit Bachir.

Et il reprit :

« Noël, sur son bateau, semblait un autre homme : vif, adroit, l'œil à tout, un vrai chef. « L'Anglais n'est lui-même qu'en mer », disait-il en riant. Madame Elaine rêvait au voyage que nous ferions après avoir vendu les caisses de cigarettes près d'Algésiras. Car, pour déguiser notre contrebande en plaisir, nous devions aller ensuite à Valence, Alicante, en Algérie. Et mon ami Flaherty me racontait comment, revenu à Tanger, riche, il allait préparer avec Noël de nouvelles expéditions encore plus fructueuses — « Et ensuite, je pourrai de nouveau parcourir le monde », disait mon ami Flaherty, et sa figure avait vingt années de moins.

« Mais leur bonheur à tous n'approchait pas du bonheur de Francisco. Penché sur ses moteurs, il avait le paradis dans les yeux.

« Et bientôt Algésiras s'est montrée à nous, avec son port, ses quais, ses palmiers et sa foule. Et nous avons jeté l'ancre en rade. Et Madame Elaine, avec mon ami Flaherty, se sont fait mener à quai dans le canot par deux marins. Et ils m'ont pris avec eux. Et pour visiter la ville, nous avons eu tout le temps, car la vente des cigarettes, que transportait notre bateau, ne devait avoir lieu qu'à la nuit.

« Ô mes amis, que le voyage est chose admirable. Quelques heures à peine s'étaient écoulées depuis que nous avions quitté Tanger et tout, déjà, était différent. Pourtant il y a énormément d'Espagnols à Tanger. On peut même dire qu'ils y font une cité à eux. Et il y en a peut-être moins dans Algésiras, mais c'est l'Espagne. Et les cafés, et les promeneurs et les maisons et les policiers et les douaniers et les gardes civils et les autres gardes, tout était nouveau. Et la nouveauté, ô mes amis, étourdit comme un vin.

« Et si vous aviez vu tout ce qui se vendait ouvertement, montres, stylos, médicaments, bas de soie, étoffes — et tout en contrebande, sur le quai, à la terrasse des cafés, dans les rues ou sur le marché, vous n'auriez pu le croire.

« Et aussi il y avait des marchands de coquillages, de crevettes, de langoustes qu'ils portaient dans des paniers tressés selon des formes et des courbes d'une beauté singulière.

« Nous avons mangé dans un restaurant sur le port où les douaniers, les gardes civils, les matelot de guerre, les marins étrangers des bateaux de plaisance, les contrebandiers se mélangeaient les uns aux autres, assis aux mêmes tables dans une chaleur, dans un bruit énormes et magnifiques.

« Ensuite, nous sommes allés dans une voiture attelée à deux chevaux jusqu'à un hôtel entouré des plus riches jardins, et qui porte le nom d'une reine. Et là, nous avons rencontré un fonctionnaire espagnol très merveilleusement habillé et d'une courtoisie sans pareille. Il a embrassé la main de Madame Elaine et ensuite mon ami Flaherty lui a glissé un gros paquet de billets pour assurer le débarquement des cigarettes dans la nuit. Et ils se sont bien entendus sur le lieu et l'heure de la rencontre.

« Et tout se réjouissait dans nos cœurs quand nous sommes revenus à la jetée reprendre le canot. Mais là, nous avons remarqué tout de suite que les figures de nos deux matelots portaient un mauvais présage. Nous avons suivi la direction de leurs regards, et qui était celle de beaucoup d'autres regards, et nous avons vu, ancré tout près de notre yacht, un petit bateau de guerre espagnol.

« — Vite, vite ! » criait sans cesse Madame Elaine aux deux rameurs.

« Noël marchait à grands pas sur le pont de son yacht. Dès que nous l'avons rejoint, il a dit :

« — C'est fou ! Ils sont venus réclamer Francisco. Ils connaissent son vrai nom, sa vraie situation, tout... »

« — Mais comment ont-ils pu savoir ? », a demandé mon ami Flaherty, avec stupeur.

« Noël a fait un grand geste d'ignorance, mais alors je me suis rappelé comment Varnolle et l'Arabe suspect s'étaient rencontrés près du yacht, dans le port de Tanger, et j'ai dit à mes amis ce que j'avais vu.

« — Ils ont signalé Francisco par un télégramme spécial », a grommelé M. Flaherty.

« Mais Noël s'est écrié vivement :

« — Ce n'est pas Francisco qui m'inquiète, vous pensez bien ! Sur mon bateau, sous le drapeau anglais, il se trouve en sécurité entière. Non, l'ennui est que ce maudit garde-côte a pour mission de nous surveiller. »

« — Et j'ai pris rendez-vous cette nuit pour les cigarettes », a dit M. Flaherty.

« — Ne pouvons-nous rien faire ? » a demandé Madame Elaine.

« — J'ai crié tant que j'ai eu de voix, a répondu Noël, j'ai protesté que je ne voulais pas être traité en criminel. J'ai menacé de me plaindre... Ils ont envoyé chercher des ordres en ville. Attendons. »

« Francisco se tenait en bas, auprès de ses moteurs. Je suis descendu le voir. Il ne se faisait pas de soucis pour lui-même. Il était sûr de la protection anglaise. Mais il se sentait fautif parce que sa présence gênait tant de gens dans leurs opérations.

« Au soleil couchant, un officier de marine espagnol est monté à bord de *L'Arc-en-Ciel*. Il était d'une politesse extrême. Il a embrassé la main de Madame Elaine. Puis il a dit à Noël :

« — Je regrette infiniment, capitaine, mais j'ai des ordres absolus. Vous êtes dans les eaux espagnoles, vous avez à bord un homme espagnol, qui, pour mon gouvernement, est un criminel, qui s'est évadé de son pays contre la loi et qui se trouve ici avec de faux papiers. Tant que vous ne l'aurez pas livré, mon bateau retiendra le vôtre prisonnier. »

« L'officier a regardé Noël droit dans les yeux et il a dit encore :

« — Il n'y a pas de déshonneur, cet homme a surpris votre bonne foi. »

« Mais nous savions tous que ce n'était pas vrai.

« L'officier a salué, embrassé de nouveau la main de Madame Elaine et a quitté notre bateau pour le sien.

« — J'irai voir mon Consul demain, a dit Noël avec fureur, et on verra bien ! »

« Mais l'opération de la nuit était manquée. Quelque part, sur la côte, une embarcation qui devait prendre nos caisses de cigarettes a longtemps attendu en vain.

« Le dîner a été silencieux. Peu à peu, tout le monde s'est couché. Je suis resté sur le pont, Francisco m'y a rejoint. Il regardait tantôt Algésiras, tantôt le petit bateau de guerre. La lune s'est levée et Francisco a tressailli. Sur le pont du bateau de guerre, on voyait briller une mitrailleuse, pointée vers *L'Arc-en-Ciel*. Deux marins veillaient près de la mitrailleuse. Ils chantaient très bas une chanson très triste.

« — C'est pour moi », a murmuré Francisco.

« Je lui ai serré la main de toutes mes forces et je lui ai dit, aussi de toutes mes forces :

« — Le Grand Consul des Anglais ne te laissera pas prendre ainsi. »

Des voix enfiévrées arrêtèrent, en cet instant, le récit de Bachir. Elles criaient :

— Tu as eu raison de parler de la sorte.

— Un Consul d'Angleterre fait ce qu'il veut.

— Et c'était trop terrible d'abandonner un pauvre jeune homme à ceux qui voulaient sa mort.

— Laisse-nous vite savoir comment il a été sauvé.

Alors Bachir reprit :

« Quand Noël est revenu du consulat, il a dit :

« — L'histoire de Francisco va s'arranger à coup sûr, le Consul me l'a promis, mais lui, dans Algésiras, n'a pas les pouvoirs nécessaires pour commander aux Espagnols. Il faut s'adresser à notre Ambassade à Madrid. Et Madrid est loin, et les fonctionnaires sont lents. »

« Nous avons tous compris ce que cela signifiait. Le bateau de guerre allait continuer sa garde. Et il serait impossible d'arranger une autre rencontre de nuit, pour notre contrebande, tant que l'Ambassade anglaise n'aurait pas répondu de Madrid. Le soir, Noël a dû avouer tout haut ce que les autres savaient bien mais de quoi ils n'osaient point parler. L'argent manquait pour les vivres et même pour l'eau. Noël avait employé toutes les sommes qu'il avait pu réunir pour acheter le plus possible de cigarettes, assuré qu'il était de les vendre aussitôt. On s'est couché sans avoir mangé.

« Le lendemain, les matelots ont commencé à murmurer.

« Aucun d'eux n'avait été payé pour le voyage, car ils avaient tous préféré une part sur les bénéfices. Et voilà que, non seulement ils risquaient de tout perdre, mais encore de mourir de faim.

« Ils n'en voulaient pas à Francisco, mais lui-même s'écartait d'eux comme s'il se sentait atteint d'un mal qui se prend facilement.

« Deux matelots, — l'un Américain et l'autre Suédois — qui avaient navigué avec Noël depuis l'Angleterre, lui ont alors fait une proposition. Les membres de l'équipage, sauf Francisco, avaient liberté de descendre dans Algésiras ; chacun pouvait donc prendre quelques paquets de cigarettes et les vendre en attendant de céder la cargaison. Il n'y avait pour l'instant pas d'autre moyen de subsister. Et Noël a dit oui.

« Une caisse est partie ainsi. Puis une autre. La nécessité empêchait de beaucoup discuter le prix avec les petits revendeurs qui savaient nos difficultés. Et la réponse n'arrivait toujours pas de Madrid. Une troisième caisse a été éventrée.

« Enfin, le Consul d'Angleterre a fait appeler Noël.

« Quand celui-ci est revenu à bord, j'ai eu comme du mal à le reconnaître. Ce jeune homme, si gai, si droit, si clair, si fier, marchait ainsi qu'un vieillard lent et voûté. Et l'on eût dit que ses joues étaient couvertes de poussière tant elles étaient d'une couleur grise.

« Dans sa cabine où il nous a réunis, sa voix était aussi celle d'un vieillard. Il rapportait la réponse de l'Ambassade et cette réponse disait que les Espagnols étaient entièrement dans leur droit ; que dans les eaux près de leurs côtes ils étaient aussi maîtres que sur leur propre terre ; que le capitaine de *L'Arc-en-Ciel* avait été d'une négligence coupable dans le recrutement de son équipage. Et que l'Ambassade, quoi qu'il arrive au sujet de Francisco, ne pouvait intervenir. »

Ici, Bachir garda un instant le silence et personne ne songea à le rompre. Et Bachir poursuivit :

« À peine avions-nous entendu ces nouvelles terribles que l'officier qui commandait le bateau de guerre est venu sur le nôtre. Et il a dit à Noël que si Francisco ne lui était pas remis dans deux heures, il le ferait prendre de force par ses hommes. Et, ayant embrassé la main de Madame Elaine, il est parti.

« Ô mes amis, ô mes frères, je me rappellerai jusqu'au dernier de mes jours la grande honte qui, alors, a rempli cette cabine. Il y avait là une femme du pays le plus puissant du monde, un homme de qui le Grand Roi gouvernait l'Empire le plus orgueilleux, et un autre homme d'une nation plus petite sans doute, mais d'une fierté et d'un courage indomptables. Et il leur fallait abandonner, livrer à la prison éternelle et peut-être à la mort, un malheureux qui plaisait à leurs cœurs et qu'ils avaient eux-mêmes enlevé à sa sécurité, en lui faisant mille promesses de bonheur.

« Ni cette femme, ni ces hommes n'ont osé apprendre à Francisco son destin. Et ils m'en ont chargé. Et j'ai accepté, parce que les fidèles d'Allah le tout-puissant sont habitués à ne pas murmurer contre ce qui est écrit.

« Et je suis allé apprendre son destin à Francisco.

« Lui, d'abord, il s'est raidi d'épouvante et il a chuchoté :

« — Je ne veux pas... Ça ne se peut pas... Tu ne sais pas ce qu'ils me feront. »

« Puis il a regardé le bateau de guerre, les mitrailleuses, les marins en armes et il a dit :

« — Pauvre Léa... »

« Et encore :

« — Qu'on me prenne tout de suite. Pourquoi attendre ? »

« Je suis retourné à la cabine. Un de nos matelots a fait signe à ceux du bateau de guerre. L'officier est arrivé à bord d'un canot garni de marins armés. Sur notre pont, il n'y avait que Francisco et moi. Francisco est descendu dans le canot du bâtiment de guerre. »

Alors, à travers l'assistance — et comme cela était déjà arrivé au cours du même récit, mais cette fois, gémie par toutes les femmes — retentit la lamentation stridente des pleureuses des morts.

Et Bachir continua :

« Ce soir-là, nos matelots ont encore vendu au détail une caisse de cigarettes et se sont enivrés dans les cafés du port. Et il y a eu un conseil dans la cabine de Noël. Un conseil très court, car tout le monde était d'accord. Il ne pouvait plus être question de céder la cargaison dans Algésiras. On avait perdu toutes relations avec la douane, et notre bateau avait subi une surveillance trop étroite, et surtout chacun était pressé de quitter cet endroit maudit.

« On recommencerait l'expédition dans un autre port ou bien on ramènerait les cigarettes à Tanger. De toute façon, la perte ne serait pas terrible.

« Le départ a été fixé au lendemain.

« Mais, dès qu'il a fait jour, un détachement de douaniers est venu visiter la cale. Et ils ont vu qu'il manquait des caisses par rapport au chiffre qui avait été inscrit sur les papiers du bateau. Alors ils ont confisqué la cargaison et infligé une amende énorme à Noël. Il n'y a pas eu moyen de s'entendre avec personne d'influent dans l'Algésiras ; nous y avions acquis trop mauvaise réputation. Et comme Noël n'avait pas une peseta, il a dû laisser *L'Arc-en-Ciel* en gage pour l'amende. C'était la ruine pour lui et pour Mme Elaine et pour mon ami Flaherty.

« Alors les matelots de notre yacht qui m'avaient traité avec amitié jusque-là, ont dit tous ensemble, en me montrant du doigt :

« — Le malheur vient de ces maudites bosses. Il y en a une de trop. »

« Et c'est la leçon qu'ils ont tirée de toute l'aventure. »

Ici, le gras badaud Abderraman dit avec importance :

— Les infidèles sont vraiment stupides. Comment pourraient-ils savoir ce qui porte malheur, puisqu'ils sont des infidèles.

— Ainsi va la sagesse humaine, dit sans s'adresser à personne le bon vieillard Hussein qui vendait du khol.

Et Bachir reprit :

« Nous sommes revenus par le courrier ordinaire qui fait chaque jour la traversée d'Algésiras à Tanger. Et à peine ai-je touché le quai de notre ville que j'ai couru à la case de l'Oncle Tom pour prévenir Léa, aussi doucement que possible. Or, elle était déjà avertie. Par les bateaux des pêcheurs, les nouvelles vont vite entre les Espagnols d'un côté à l'autre du détroit. Et un ami de Francisco était venu tout raconter à la jeune fille.

« Mais Léa ne semblait pas étonnée par le malheur subit. On eût dit qu'elle l'avait attendu, qu'elle en avait été sûre. Et c'est alors qu'elle m'a raconté comment Edna l'avait forcée à trahir Francisco.

« Le soir même, elle est retournée au cabaret. Elle a dit que le vieux petit Samuel se mourait et qu'elle devait achever sa semaine pour pouvoir l'enterrer décemment. Mais, j'en suis sûr, même sans cela elle serait allée travailler chez Edna. Elle avait l'air d'un animal fasciné. »

À ce moment, tous les visages se tournèrent vers le sac horriblement gonflé et dont la toile bougeait sans cesse que tenait sur ses genoux Kemal, le charmeur de serpents. Mais celui-ci demeura immobile et Bachir continua :

« Cette nuit-là, pourtant, ne s'est pas déroulée au cabaret de Varnolle comme les autres nuits. Ainsi l'a voulu Madame Elaine.

« Quand je l'avais quittée sur le quai, après notre retour, elle m'avait fait promettre de venir lui dire tout de suite comment était Léa. Je l'ai fait et j'ai raconté aussi par quelle suite de pièges Francisco avait été pris : Edna avait forcé Léa, la malheureuse, à parler ; Varnolle avait dénoncé le départ de Francisco à l'indicateur arabe ; l'Arabe avait informé le Consulat espagnol, ici, et le Consulat avait télégraphié à la police d'Algésiras.

« — Alors tout le crime est sur ces deux misérables du cabaret », a dit Madame Elaine.

« Et j'ai vu dans ses yeux apparaître la générosité, l'audace, la bonne colère qui faisaient tant aimer cette étrange femme, malgré tous ses défauts.

« Elle a un peu réfléchi, puis elle m'a ordonné d'une voix basse, mais violente :

« — Écoute, Bachir, nous allons faire à Francisco des adieux qui le réjouiront. Écoute : tu vas aller trouver tous ses amis, et tu leur demanderas de réunir tous leurs amis, et les amis de leurs amis, et de se rendre tous cette nuit au cabaret où travaille Léa. Je les invite tous, et plus ils seront, plus ils boiront, plus ils feront jouer de musique et plus je serai contente. Ce sera une fête comme ils n'en auront jamais vu de pareille. Va Bachir. »

« Et, en vérité, mes amis, elle a été incomparable cette fête pour les adieux à Francisco.

« Artisans, ouvriers, pêcheurs, ils sont venus par dizaines, dans leurs habits du dimanche. Et ils avaient amené les guitaristes qu'ils aimaient. Et aussi Manolo, le merveilleux chanteur goitreux du *Marchico.* Et, je vous le jure, mes amis, si les Espagnols réussissent à quelque chose dans la vie, c'est à s'amuser quand ils en ont l'occasion. Et parmi ceux qui étaient venus, la plupart ignoraient pourquoi avait lieu cette réjouissance. Ils croyaient à une célébration comme en donnent les patrons de barques et les armateurs après une pêche heureuse : alors rien n'est trop beau, ni trop cher.

« Et cette fois ils étaient invités par une femme, et belle, et jeune, et généreuse. Leur désir de joie en est devenu plus grand encore et ils ressemblaient à des enfants rendus fous par un jeu magnifique ; et les caisses de vin s'éventraient, et les bouteilles s'ouvraient par dizaines. Et les femmes de plaisir criaient dans l'ivresse. Et tantôt les musiciens du cabaret, tantôt les guitaristes amenés du dehors jouaient sans cesse comme des démons. Et Manolo chantait comme un ange. Et on inventait sur place des flamencos, paso-doble, tangos, en l'honneur de Madame Elaine, de M. Flaherty et de Noël.

« De temps à autre, seul à garder ma tête claire, je regardais Varnolle ou Edna. Ils avaient quelque inquiétude sur leurs traits. Ils ne comprenaient pas. Ils savaient, eux, que le voyage avait été un désastre. Alors, pourquoi cette fête ? Mais comment refuser de servir les invités d'une Américaine qui avait l'air si riche ? Peut-être voulait-elle boire pour oublier sa mauvaise chance. Cependant, je l'ai bien vu, ils n'ont été rassurés qu'à l'instant de l'aube où Madame Elaine a demandé qu'on lui apporte le compte de la dépense faite dans la nuit.

« Varnolle alors a couru vers la caisse, a presque arraché le compte des mains de Léa et il est venu, avec un sourire très servile, l'apporter à Madame Elaine, sur un plateau d'argent.

« Madame Elaine n'a pas même regardé le papier. Elle a tiré de son sac un paquet de longs billets verts, un paquet de billets de dollars, qui, vous le savez, mes amis, est la plus riche monnaie du monde. Elle a mis le paquet sur le plateau et Varnolle a tendu la main pour le prendre.

« — Un instant, a dit Madame Elaine, je veux voir la patronne. »

« Edna est venue avec un sourire encore plus servile que celui de son mari. Et de nouveau, lui, il a tendu la main.

« — Un instant ! a dit encore Madame Elaine. Je veux voir la vendeuse de cigarettes. »

« Edna, alors, a crié avec méchanceté :

« — Léa, tu es sourde ? »

« Et Léa s'est approchée avec son plateau de cigarettes.

« Or, ce n'est pas des cigarettes qu'a pris sur ce plateau Madame Elaine, mais une boîte d'allumettes. Elle en a enflammé une et l'a mise contre le paquet de dollars. Puis elle a dit à Varnolle, et surtout à Edna, en montrant Léa :

« — Vous allez demander pardon à cette jeune fille — et vous savez pourquoi — sinon je brûle tout de suite cet argent qui est mon dernier argent. Et vous n'aurez pas un sou de moi, quoi qu'il arrive. »

« Edna et Varnolle ont regardé Madame Elaine comme si elle était folle. Mais ils ont vu très vite qu'elle parlait avec sérieux et volonté et même que tout cela, elle l'avait médité à l'avance.

« — Eh bien, je suis pressée ! » a dit Madame Elaine.

« Edna et Varnolle ont jeté un coup d'œil sur Léa et leurs lèvres étaient tordues comme des babines de chiens ignobles.

« Et ils ont dit ensemble :

« — Jamais de la vie ! »

« Madame Elaine, alors, n'a rien répondu, mais elle a frotté une autre allumette et a mis le feu aux dollars. Ils ont commencé de brûler très lentement avec une épaisse fumée.

« Et les yeux d'Edna et de Varnolle, en regardant cette fumée, devenaient insensés de cupidité et de désespoir. Madame Elaine a soufflé un peu sur la flamme qui mangeait les billets. Elle est devenue plus vive.

« Alors, à travers leurs dents serrées, Varnolle d'abord, puis Edna, ont dit, sans regarder Léa :

« — Pardon. »

« — Non ! » a dit Madame Elaine. « Mieux que ça. »

« Elle les a obligés de recommencer trois fois de suite, les faisant toujours s'incliner plus bas et supplier plus humblement.

« Léa tremblait, mais son regard ne quittait pas le visage d'Edna et ses yeux n'étaient plus sous le charme maudit ; ses yeux étaient libres.

« Enfin, Madame Elaine a jeté le paquet de billets fumant sur le plateau. Varnolle et sa femme se sont brûlés les mains à éteindre le feu. »

Un soupir profond et rauque passa dans l'auditoire de Bachir. On eût dit que tous ces gens venaient d'échapper à quelque redoutable danger personnel.

— Tant d'argent ! tant d'argent ! gémit la moitié de la foule.

— Et près d'être réduit en cendres ! répondit l'autre.

— Moi, cria Ismet, le débardeur sans travail, j'aurais arraché les billets à cette femme américaine.

— Moi, glapit l'usurier Nahas, j'aurais appelé la police.

Long fut ce tumulte et Bachir l'observait avec tristesse,

car il voyait bien que toute cette émotion avait seulement pour source l'avarice ou une extrême pauvreté.

Enfin, il poursuivit :

« Léa est revenue à la cabane de l'Oncle Tom. Et le vieux petit Samuel est mort peu après.

« Et il a été enterré dans l'antique cimetière juif, dans la fosse commune. Pour son enterrement, il y avait Léa, l'Oncle Tom, l'ami Flaherty à la moustache rouge, et moi. Et les mendiantes qui vivaient aux portes des cimetières ont, pour quelques pesetas, poussé comme il convient, les cris des pleureuses.

« Quand nous avons regagné la porte du cimetière, Léa est restée avec elles, pour mendier.

« Et chacun a continué de suivre sa destinée.

« Mon ami Flaherty jouait de plus en plus longtemps aux dominos avec le très vieux, très sage M. Ribaudel sur la terrasse du Café de la Douane. Noël essayait d'arracher son bateau aux autorités espagnoles et prenait pour cela conseil chez M. Ribaudel, et devenait enragé d'avoir à écouter ses conseils entre deux coups de dominos. Madame Elaine essayait d'obtenir quelque argent de sa famille en Amérique, et vivait d'emprunts. L'Oncle Tom buvait trop de rhum et chantait trop de chants chrétiens.

« Et Léa mendiait à la porte de l'antique cimetière juif où, pour la première fois, elle avait été conduite par Francisco.

« Les autres femmes, vieilles et déformées, bavardaient, se disputaient, surveillaient leurs poules couvant ou picorant. De temps à autre, un homme, un seul, s'ajoutait à elles. Il avait les cheveux blancs sous sa calotte noire, une figure pleine de patience et de pensées et une jambe de bois.

« Des Juifs pieux entraient parfois dans le cimetière pour donner une petite obole aux pauvres. Le plus souvent, c'étaient des Juifs à nous, arrivés d'Espagne aux temps lointains, et qui se dénomment Saphardites. Mais il en venait aussi qui étaient issus de l'Orient et qui appartenaient à la tribu des Askénazis. Vous reconnaîtrez ceux-là, mes amis, à leurs lévites noires, à leurs papillotes, à leurs grands chapeaux noirs ou bien à leurs toques bordées de fourrure. Ce sont les plus acharnés dans leur religion, leurs traditions, et aussi, dit-on, les plus habiles au gain. Ce qui, comme en toutes choses, n'est pas vrai pour tous, et je pense, en disant cela, au vieux petit Samuel, l'oncle de Léa.

« Or, la veille d'une grande fête juive, Moché Filsenberg, un Askénazi des plus religieux qui était arrivé en guenilles à Tanger, il y a dix ans a peine et qui aujourd'hui possède une banque à millions et millions de pesetas, est venu faire l'aumône au cimetière. Il était accompagné de son grand fils Isaac, un tout maigre et chétif garçon roux avec des yeux très tendres, habillé comme son père et, comme son père, les oreilles coiffées de papillotes. Il a vu Léa et n'a plus regardé qu'elle.

« Il est retourné au cimetière seul plus d'une fois. Sans jamais dire un mot à la jeune fille. Et puis son père est venu à son tour. Et c'est lui qui a parlé à Léa.

« — Où es-tu née ? » a demandé Moché Filsenberg.

« Et Léa a dit que c'était en Hongrie. Et Moché Filsenberg a dit :

« — J'aurais préféré la Pologne, mais cela peut aller. Il y a eu de grands rabbins en Hongrie. »

« Et il a demandé :

« — Où as-tu passé ta jeunesse ? »

« Et Léa a dit que c'était dans les camps d'Allemagne.

«— C'est bien, ma fille, tes souffrances ont apitoyé le Dieu d'Israël pour son peuple», a dit Moché Filsenberg.

«Et il a soupiré très fort. Il avait gagné pendant la guerre beaucoup d'argent avec les Allemands, comme chacun, à Tanger.

«— Tu n'as, j'espère, connu aucun homme?» a-t-il repris.

«— Non», a dit Léa.

«— Je t'accepte comme épouse pour mon fils aîné Isaac, a dit alors Moché Filsenberg. Tu lui plais, sans doute, mais c'est ma seule volonté de père qui compte sous notre toit.»

«Et Léa, cette fois encore, a incliné sa tête aux beaux cheveux noirs.

«Et les noces ont eu lieu.

«On a demandé à Léa quels amis elle voulait inviter. Elle a nommé l'Oncle Tom, Madame Elaine et M. Flaherty. Le banquier Moché Filsenberg a bien accepté Madame Elaine, parce qu'elle était de la bonne société étrangère et M. Flaherty qui était journaliste. Mais il a refusé avec horreur l'Oncle Tom, ce vagabond nègre. Moi, je m'étais invité moi-même.

«En se rendant à la maison Filsenberg où devait avoir lieu la cérémonie, et où Léa devait habiter une fois mariée, Madame Elaine disait gaiement à notre ami Flaherty:

«— Une belle fille s'en tire toujours! Léa va mener une vie magnifique!»

«Et la cérémonie s'est déroulée comme dans les temps et les temps. Et devant les invités de choix, parmi lesquels il y avait M. Boullers, le marchand d'or, et Maksoud Abd-el-Rahman, le gros et méchant notable arabe, et le bel officier, chef de la police, devant tous ces gens, on a rasé la profonde chevelure noire de Léa, signe de volupté. Et on a mis à sa place une perruque plate et laide. Et l'on a tourné sept fois autour de Léa, et le maigre et chétif Isaac, avec ses yeux tendres et ses papillotes rousses, est venu se placer auprès d'elle sous le dais. Et ils ont été mariés. Et Léa avait l'air d'une morte. »

Aïcha promena son tambourin à travers l'assistance et Omar son énorme fez rouge. Et ils recueillirent plus d'argent qu'à l'ordinaire, car ceux qui le donnaient avaient des figures distraites et des yeux absents comme si, après un rêve très long et très intense, ils avaient quelque peine à reprendre leur vie.

L'arbre qui chante

Et Bachir revint au Grand Socco et alors la place entière fut désertée au profit du coin où il avait pris coutume de conter.

Beaucoup de gens, toutefois, lui demandèrent s'il pouvait leur indiquer, à l'avance, le temps que prendrait l'histoire qu'ils allaient entendre.

— En effet, s'écria Zelma la bédouine, mon mari stupide m'a battu la fois dernière parce que je suis rentrée un peu tard dans notre douar lointain. Mais comment pouvais-je m'en aller quand tu parlais encore ?

— À cause de toi mes clients ont souffert de la soif, dit Caleb, le porteur d'eau, en secouant son outre en peau de bouc.

Et le pieux et doux vieillard Hussein, qui vendait du khol, soupira :

— Et moi, mon fils, en t'écoutant, j'ai laissé passer l'heure de la prière.

Alors Bachir répondit :

— Je vais donc choisir, aujourd'hui, le plus court de mes récits pour vous satisfaire.

Et il commença :

« Je vous ai déjà parlé de ce figuier. Il poussait, énorme et magnifique, dans une petite cour très charmante et située au cœur de la maison que Mme Elaine, mon amie, avait louée sur la place de la Kasbah. »

— Je me souviens, je me souviens, cria le pêcheur aveugle Abdallah. C'est l'arbre qui chante.

— En effet, mon père, c'était bien ce figuier, dit Bachir.

Et il poursuivit :

« Maintenant je le voyais et l'entendais chaque jour, chaque nuit, car je vivais chez Mme Elaine. Depuis longtemps, elle m'avait demandé de venir sous son toit. Et je n'avais pas voulu à cause de la prison des enfants qui voisinait avec sa demeure. Mais après nos malheurs d'Algésiras et le mariage de Léa — toutes choses que je vous ai contées longuement — Madame Elaine, que j'avais toujours connue si gaie, si insouciante et hardie et même un peu insensée, était devenue comme malade, par moments, de tristesse et de crainte. Elle dormait très mal. Elle ne pouvait pas supporter de se sentir seule la nuit dans sa maison. Or, j'avais pour Mme Elaine une amitié très grande — car, ô mes amis, je vous l'assure, malgré toutes ses folies, elle avait autant de bonté dans l'âme que de beauté sur ses traits. Et l'amitié a eu plus de force pour moi que le présage de mauvais augure. J'ai accepté d'habiter près de la prison pour enfants. Vous le voyez : même protégé par deux bosses, l'homme est faible dans son cœur.

« Donc, mes amis, je passais beaucoup de temps auprès de Madame Elaine. Je l'accompagnais au-dehors, j'étais là quand elle recevait des visites et, la nuit, pour la distraire de ses pensées anxieuses, je lui faisais des contes. Elle, de son côté, me disait tout de sa vie.

« Ainsi, je me suis vite aperçu que son vrai tourment était *le mal de Tanger* d'après le nom que lui donnait le très sage et très vieux Français M. Ribaudel. Il voulait dire par là que Mme Elaine était de ces personnes qui ne pouvaient pas se détacher de notre ville parce qu'elle leur plaisait trop et alors qu'elles n'avaient plus les moyens d'y séjourner.

« Mme Elaine, en effet, avait engagé toutes ses ressources dans cette affaire de contrebande qui avait si mal tourné. Puis elle avait emprunté chez ses amis tout ce qu'ils pouvaient lui prêter pour humilier Edna et Varnolle. Et sa famille d'Amérique refusait de lui envoyer la moindre peseta si elle ne retournait pas dans son pays.

« Et chaque jour, Madame Elaine répétait cent fois : « Je dois partir. Je vais partir. » Mais elle restait.

« Il est vrai de dire qu'elle plaisait énormément à toute la haute société étrangère. Elle était belle, et gaie, et donnait joie et vie aux gens les plus moroses. Aussi la priait-on de venir à toutes les fêtes, à toutes les parties de chasse, à toutes les danses, à toutes les promenades. Et, sans cesse, quelque invitation nouvelle l'empêchait de décider son départ.

« Mais pour mener cette existence avec éclat et honneur il fallait des domestiques bien dressés, des boissons et des nourritures exquises à offrir chez soi, et de beaux habits. Tout cela, comme il est juste, exigeait beaucoup d'argent. Et Mme Elaine n'en avait plus du tout.

« Alors, elle a fait des emprunts chez des gens qui n'étaient pas ses vrais amis. Et j'ai vu arriver de plus en plus souvent dans sa maison de la Kasbah tantôt M. Boullers, le marchand d'or, tantôt le bel officier, chef de la police, et ils y parlaient en maîtres et se montraient de plus en plus familiers avec Mme Elaine. Et c'est dans ces moments surtout qu'elle me demandait de ne pas la quitter un instant. Et ils avaient de la haine pour moi, mais pas autant que moi pour eux.

« Notre ami Flaherty aux sourcils rouges remarquait tout cela. Et il en était très soucieux, car il avait, lui aussi, beaucoup d'affection pour Madame Elaine. Et il me disait d'un air toujours plus inquiet : « Il faut, il faut qu'elle retourne en Amérique. »

« Je le savais bien et je le voulais de tout mon cœur, mais quoi faire ? Ni moi, ni M. Flaherty, ni même le si vieux et si rusé M. Ribaudel, nous ne savions comment décider Mme Elaine à quitter Tanger.

« Et devinez, mes amis, devinez qui entre tous a fait naître en mon esprit la bonne idée, le vrai moyen ? »

Ici, Bachir montra d'un grand geste Aïcha, la merveilleuse fillette au tambourin et celle-ci en fit résonner tous les grelots. Et Bachir s'écria :

— C'est la petite ignorante que voilà.

Puis il reprit :

« Un matin, Aïcha et Omar étaient allés s'amuser sur la route qui mène à la Montagne. Dans un fossé, Omar a trouvé un oiseau malade et il voulait naturellement lui casser les ailes, mais Aïcha d'abord a eu envie de le caresser un peu. Et, à ce moment, une grande magnifique voiture s'est arrêtée près d'elle et une vieille dame anglaise terrifiante en est descendue. Et la vieille dame a donné cinq pesetas pour Aïcha, oui, mes amis, cinq pesetas parce qu'elle la voyait gentille avec cet oiseau, puis elle a dit que si Aïcha avait été méchante pour lui, elle aurait fait mettre Aïcha en prison. Puis elle a pris l'oiseau et l'a emmené.

« Aïcha est venue chez Mme Elaine pour me raconter cette aventure et me donner l'argent. Mais j'ai mis les pesetas au fond de ma poche sans même y faire attention. J'avais reconnu dans le récit d'Aïcha, la terrible vieille Lady Cynthia. Et, sans très bien apercevoir encore ce qui se passait dans mon esprit, j'ai pensé au figuier immense qui poussait dans la petite cour de la maison. »

Alors, Abdallah, le pêcheur aveugle, cria de nouveau :

— L'arbre qui chante.

Et Bachir lui répondit :

« En vérité, mon père, car il était rempli d'oiseaux sans nombre et de toutes les espèces. Ils en picoraient les fruits, ils se balançaient sur des hautes branches, ils y nichaient, ils y faisaient leurs couvées. Et leurs chansons ne cessaient pas.

« Or moi, à l'aube qui a suivi le récit que m'avait fait Aïcha, et armé de ma bonne fronde qui ne me quitte jamais, je me suis avancé sous le figuier sans que personne ait pu me voir à cause de l'heure matinale. Et, en quelques instants, j'ai abattu une demi-douzaine d'oiseaux. Puis je leur ai tordu le cou, puis je les ai cachés.

« Et quand la place de la Kasbah a commencé de s'animer, j'ai jeté, sans me faire voir, les oiseaux morts par-dessus le mur. Or, cette place est infestée de chats affamés, à moitié sauvages.

« Et Madame Elaine adorait les chats, et souvent leur faisait donner à manger par ses serviteurs. Si bien qu'ils avaient pris l'habitude de se réunir sous les murs de sa maison. Et quelle nourriture pour les chats sauvages peut être comparée à la chair des petits oiseaux ! Ils se sont livrés bataille furieusement et avec des cris terribles. Les bonnes gens l'ont très bien remarqué.

« Le lendemain, j'ai agi de même. Et encore le surlendemain. Et ces combats de chats sauvages ont soulevé dans le quartier la curiosité la plus vive. Et vous savez que beaucoup d'étrangers riches y possèdent leurs demeures. Ils se sont inquiétés du bruit affreux que faisaient les chats. Leurs domestiques arabes leur en ont raconté la cause : cette pluie d'oiseaux tués qui tombait de chez Madame Elaine.

« Alors j'ai ordonné à Omar et Aïcha de répandre dans le quartier, mais à demi-mot, la nouvelle que Madame Elaine s'était mis à massacrer les oiseaux pour nourrir ses animaux préférés, les chats. Et j'ai continué de travailler avec ma fronde. »

À ce moment, l'on vit le corps de Mohamed, l'écrivain public, tout secoué de rire, aller de droite à gauche et de gauche à droite sur ses jambes repliées. Et le plus pénétrant des auditeurs de Bachir s'écria :

— Démon bossu ! Démon bossu ! Je te vois venir !

Et comme les voisins de Mohamed, qui ne comprenaient pas encore, lui demandaient la raison de sa gaieté, il répondit :

— Vous allez entendre l'effet que ses manœuvres ont eu sur la société étrangère.

Tout le monde se tourna vers Bachir et celui-ci reprit :

« Ce sont les Anglais qui ont commencé, car ils sont, de tous, les plus sensibles aux infortunes des bêtes.

« Jamais plus Mme Elaine n'a été invitée par eux. Et ils refusaient de l'être par elle. Quand ils la rencontraient dans les lieux publics, ils faisaient semblant de ne pas la voir.

« Et n'osant pas leur demander pourquoi ils avaient tellement changé à son égard, elle souffrait terriblement, en toute innocence.

« Or, je vous l'ai déjà dit, mes amis, la société anglaise est ici la plus respectée dans la société étrangère. Tout le monde cherche à l'imiter. Or, les chats continuaient à se repaître d'oiseaux de notre jardin. Alors, les Américains ont suivi l'exemple des Anglais. Cependant, ils cachent moins bien leurs sentiments, et aussi Mme Elaine se gênait moins avec les gens de son pays. De sorte qu'elle a exigé une explication de leur part. Mais ils ont dit seulement : « Vous le savez bien… : les oiseaux… Les chats… », et lui ont tourné le dos. Et dès lors, j'ai souvent surpris Mme Elaine répétant toute seule stupidement : « Oiseaux… Chats… Oiseaux… »

Alors, de la première à la dernière rangée de l'assistance, ce ne fut qu'un seul rire. Éclatant, joyeux, enfantin. Les hommes s'en tenaient le ventre. Les femmes en pleuraient. Et cent voix ravies répétaient :

— Chats… Oiseaux…

— Oiseaux… Chats…

Bachir laissa se dissiper cette gaieté avec une mine modeste, puis il poursuivit :

« Un jour, l'automobile de Lady Cynthia s'est arrêtée devant la maison de Madame Elaine. Et la pauvre Madame Elaine a frémi de joie. Enfin la vieille et terrible reine de la société étrangère lui rendait visite. Elle était sauvée. Le mauvais rêve avait pris fin. Mais Lady Cynthia n'était pas dans sa voiture et c'est moi que son chauffeur arabe venait chercher.

« Et il m'a conduit dans la magnifique demeure de la Montagne, que vous connaissez bien, par mon premier récit, et j'ai revu les grilles dorées et les fleurs admirables et les merveilleuses pelouses et les arbres géants. Et j'ai retrouvé la ménagerie et la volière incroyables. Et on m'a fait entrer dans la bibliothèque où un immense ara blanc, sans prix, plus méchant et fourbe que jamais, sifflait comme un serpent. Et là, j'ai trouvé, assises autour de Lady Cynthia, une dizaine de femmes qui ressemblaient à un tribunal. Et j'ai appris qu'elles étaient les personnes les plus importantes dans cette société étrangère qui protège les animaux. Et il y avait un silence comme si l'on attendait quelqu'un. Et c'était M. Evans, le Prophète des Bêtes Blessées.

« Il est arrivé peu après, essoufflé, exténué, la figure pleine d'ennui parce qu'on l'avait enlevé à son travail. Je crois entre nous, mes amis, qu'il est assez indifférent au destin des petits oiseaux.

« Alors Lady Cynthia m'a interrogé sur les crimes de Madame Elaine. Et les autres dames ont crié d'horreur. Souvenez-vous que l'ouverture du tir aux pigeons était encore récente. Et toutes, elles en souffraient beaucoup. Moi, j'ai baissé les yeux d'un air très sage et j'ai dit que je n'avais pas vu de mes yeux Madame Elaine tuer les oiseaux, mais j'ai dit qu'elle chérissait les chats...

« — Nous aussi, nous aussi ! » ont crié, gémi toutes les dames.

« Et Lady Cynthia a dit d'une voix terrible :

« — Mais ce n'est pas une raison pour commettre des meurtres. »

« Et elle m'a renvoyé dans sa voiture en me faisant donner dix pesetas. »

Alors, de nouveau, un rire immense courut dans l'auditoire. Et Abderraman, le badaud, s'écria :

— Tu avais bien gagné cet argent, par ta grande ruse.

Et il fut approuvé de tous, et même Nahas, le prêteur sur gages, déclara :

— Certes, c'était beaucoup d'argent, mais tu l'avais mérité.

Et Bachir poursuivit :

« Revenu à la maison, j'ai raconté à Madame Elaine, qui m'attendait avec angoisse, que Lady Cynthia m'avait fait venir pour faire entendre mes chants à ses invités de marque.

« — Elle a osé... Elle t'a fait enlever de ma maison sans même me prévenir », a dit Madame Elaine, d'une voix pleine de honte et de désespoir.

« Mais elle n'a pas eu grand loisir de songer à cette offense. Le lendemain, elle a été appelée auprès du Grand Consul d'Amérique, dans son bureau.

« Et le Grand Consul d'Amérique lui a dit très sévèrement qu'il avait reçu demande urgente de chasser Madame Elaine de Tanger et il lui a remis la plainte écrite en paroles effrayantes que lui avait adressée la société étrangère qui protégeait les animaux. Et Mme Elaine ayant achevé cette lecture, s'est écriée :

« — Ce n'est pas possible... Ce n'est pas sérieux ! »

« Et le Grand Consul d'Amérique lui a répondu :

« — Le Grand Consul d'Angleterre, lui-même, appuie cette demande. Et il menace d'avertir les journaux de son pays. Le scandale sera terrible. Il vaut mieux partir de bon gré. »

« Madame Elaine, alors, s'est mise à crier :

« — Mais il n'y a pas un mot de vrai. Mais c'est de la folie. Mais je refuse, je refuse, je refuse. »

« Alors, le Grand Consul d'Amérique a ordonné une enquête.

« Des policiers en civil sont venus aussitôt surveiller la

maison. Il y en avait au coin de la place de la Kasbah et sur les toits voisins. Mais, à l'aube, quand ils dormaient tous, j'ai grimpé au sommet du figuier, j'ai découvert les nids et je les ai détachés des branches de telle manière qu'ils s'y trouvaient à peine suspendus. Et j'ai tordu le cou aux petits oiseaux dans les nids.

« Le matin est venu, puis le plein midi. Madame Elaine est sortie dans la cour, et, comme elle le faisait souvent, a secoué l'arbre pour faire tomber les figues mûres.

« Et une grêle d'oiselets s'est abattue des hautes branches sur la place de la Kasbah où attendaient les chats sauvages. Et les policiers ont crié qu'ils avaient tout vu.

« Alors, Madame Elaine a commencé de préparer ses bagages. »

Ayant achevé de la sorte, Bachir fit à Omar et Aïcha le signe habituel. Mais, avant que les deux enfants eussent présenté fez et tambourin pour la quête, l'assistance cria :

— Attends, attends, Bachir ! Nous voulons savoir si elle est vraiment partie cette folle Américaine.

Et Bachir répondit :

— Le grand bateau que Madame Elaine doit prendre arrive ici demain et demain il lève l'ancre ; et demain aussi, je serai au Grand Socco pour vous dire si Madame Elaine était dessus.

Alors Omar et Aïcha passèrent entre les rangées de la foule. Cependant une voix s'éleva encore à l'adresse de Bachir.

— Est-ce que l'arbre chante malgré tous ces oiseaux tués ? demanda Abdallah, le pêcheur aveugle.

— Il en est revenu d'autres tout aussi nombreux,

rassure-toi, grand-père, dit doucement Bachir. C'est un arbre qui chantera toujours.

— Alors je suis content, dit Abdallah l'aveugle.

Et il jeta, de sa main tâtonnante, une piécette dans le grand fez d'Omar.

Quand la quête fut terminé, Bachir empocha l'argent et cria :

— Merci, tous mes amis. À demain.

— Tu le jures ? lui demanda-t-on.

— Sur mes yeux, dit Bachir.

« *Nous, pauvres captifs* »

Mais Bachir, malgré son serment, ne vint pas le lendemain au Grand Socco, ni le surlendemain, ni les jours et les jours qui suivirent. On s'étonna beaucoup sur la place du marché, entre vendeurs et chalands, de cette absence. Il en fut discuté longuement et avec passion. Les uns assuraient que, enrichi par ses quêtes, Bachir festoyait dans quelque faubourg, à la terrasse d'un café maure. D'autres avançaient que la jeune et folle Américaine avait, au dernier instant, refusé de quitter Tanger et que Bachir, voyant l'échec de sa ruse aux oiseaux, avait eu honte de se montrer à ceux devant qui il s'en était vanté. Mais d'autres estimaient que cette folle jeune femme avait emmené le petit conteur bossu à travers l'Océan. Et d'autres enfin imaginaient pour lui toutes sortes d'aventures.

Omar et Aïcha se présentèrent bien au Grand Socco et y furent interrogés avidement. Mais ils étaient eux-mêmes à la recherche de Bachir — ce qui se voyait à leurs figures amaigries et apeurées d'enfants perdus, — et ne savaient rien de lui. Et, parce que les gens reprochaient à leur chef d'avoir manqué de parole, ils reçurent plus de gifles que d'aumônes. Ils allèrent donc mendier ailleurs et on ne les revit plus au Grand Socco.

Et peu à peu on cessa de penser à Bachir. Et Sayed, le lecteur, retrouva une clientèle pour les récits qu'il épelait d'une voix monotone dans ses livres éculés.

Or, un matin, Sayed tressaillit d'inquiétude. Un chant aigu de flûte en roseau fendait la rumeur du marché et bientôt s'y joignit la cadence d'un tambourin et de ses grelots. Et déjà les gens abandonnaient Sayed et les acheteurs, les marchands laissaient leurs affaires, leurs éventaires pour courir à la rencontre de la flûte et du tambourin.

Alors retentit une grande clameur :

— Bachir !

— Voici Bachir !

— Enfin Bachir !

Le garçon aux deux bosses reprit sa place accoutumée et tous ceux — jusqu'au dernier — qui se trouvaient au Grand Socco se pressèrent autour de lui.

Et Bachir s'écria :

« Salut, ô mes amis ! Salut, ô mes frères ! Et ne jugez point que vous avez un parjure en face de vous ! Mais seulement un insensé qui s'est cru assez sûr du lendemain pour y attacher un serment, alors que le lendemain des hommes et même l'instant qui suit n'appartient qu'à leur maître, Allah, le tout-puissant. C'est pourquoi beaucoup de temps a passé depuis que vous ne m'avez aperçu, ô mes amis, ô mes frères. Et beaucoup de temps va s'écouler désormais avant que vous m'entendiez encore. Si jamais toutefois vous m'entendez. Et quand vous aurez connu par quelle chaîne d'épreuves et de miracles je suis aujourd'hui devant vous, alors vous comprendrez mieux le sens des paroles que je viens de prononcer.

« Écoutez donc, ô mes amis, ô mes frères, le dernier récit de Bachir deux fois bossu. »

Et sans laisser à son auditoire le temps de montrer curiosité, surprise ou émotion, Bachir commença :

« Et d'abord Mme Elaine est bien partie. Nous l'avons accompagnée à un des grands bateaux qui vont en Amérique et nous avons regardé fondre sur la mer ce bateau. Par nous, je veux dire mon ami Flaherty à la moustache rouge, Noël qui avait possédé le yacht *L'Arc-en-Ciel* et moi.

« Et nous sommes allés retrouver en silence, au Café de la Douane, le très vieux et très sage M. Ribaudel qui jouait tout seul aux dominos. Il a levé les yeux vers M. Flaherty et ce dernier a dit : « Je suis content qu'elle soit enfin sur mer »

« — Mais content pour elle seulement, n'est-il pas vrai ? » a demandé M. Ribaudel.

« Mon ami Flaherty a tiré sur sa moustache rouge. Il semblait très triste et très fatigué.

« — Je vous comprends, a dit M. Ribaudel. Elle avait une grande force de vie et jamais on ne pouvait prévoir ce qu'elle allait faire. Elle secouait ici l'ennui. »

« Puis M. Ribaudel s'est tourné vers Noël.

« — J'ai réglé les choses au mieux, a-t-il dit. Il était impossible de sauver le bateau, mais j'en ai obtenu bon prix de M. Boullers et, l'amende payée aux Espagnols, il reste quelque argent. Bien assez pour rentrer en Angleterre. »

« — L'Angleterre, s'est écrié Noël. Oh ! non !... le froid, la mauvaise nourriture, les impôts. Je ne veux pas... Et on est si bien ici. »

« M. Ribaudel a regardé mon ami Flaherty et a ri en

disant : « *Le mal de Tanger.* » Puis il a demandé à M. Flaherty s'il voulait jouer aux dominos. Et M. Flaherty a refusé. Alors Noël, qui jusque-là avait toujours dédaigné le jeu, s'est proposé pour une partie. Et j'ai vu mon ami Flaherty frissonner, malgré la chaleur, et il m'a dit :

« — Je vais chez Hussein Menachibi. Viens, Bachir, viens me servir d'interprète. »

« Et j'ai accompagné mon ami Flaherty, certain de venir ensuite ici, au Grand Socco, pour vous annoncer, fidèle à ma promesse, que Mme Elaine était partie. »

La foule qui écoutait Bachir se mit alors à crier impatiemment :

— Qu'est-il arrivé ?

— Où donc allait ton ami aux cheveux rouges ?

— Qui était Hussein Menachibi ?

À quoi Bachir répondit avec humilité :

— Je vous dirai toutes choses exactement, mes amis.

Et il reprit :

« Hussein Menachibi est un des très grands lettrés du Moghreb. Mais quand j'ai quitté le port, en compagnie de mon ami Flaherty, j'ignorais cela et son nom même, comme vous en cet instant. Qui donc sommes-nous en effet et où avons-nous été instruits, pour connaître les princes de l'esprit qui, enfermés dans leurs bibliothèques, vivent au cœur de la sagesse du monde ?

« Or, Hussein Menachibi, célèbre par son savoir sur les écrits antiques de l'Islam, s'est acquis tant de gloire qu'elle a bien dépassé les terres de notre pays et même de tous les pays arabes. Et d'Angleterre et d'Amérique, on avait demandé à mon ami Flaherty d'aller le voir pour raconter dans les journaux les plus érudits comment pensait et vivait Hussein Menachibi.

« C'est là, mes frères, ce que j'ai appris de M. Flaherty,

tandis que nous montions vers le sommet de la vieille ville, du côté qui regarde le Plateau des Marchands.

« La maison de Hussein Menachibi était claire, simple et spacieuse. On y voyait très peu de meubles, mais des livres, des livres, des livres ! Il nous a reçus dans la pièce d'apparat, garnie selon l'usage, le long des murs, par des divans bas, recouverts de laines colorées du Sud. Lui-même portait une djellabah légère de toile blanche, rayée de gris, des babouches blanches et un fez. Mon plus grand étonnement a été de le trouver si jeune. Car, en faisant route vers sa demeure, et apprenant l'étendue de son savoir, je m'attendais à rencontrer un vieillard à barbe chenue. Or Hussein Menachibi semblait n'être même pas arrivé au milieu de la vie et son visage était lisse et son regard plein de rêves et de feu. Combien il a dû travailler pour, à son âge, amasser tant de savoir !

« Il nous a offert, selon l'usage, le thé parfumé à la menthe, puis il s'est mis à raconter à mon ami Flaherty quelques-uns des objets de son étude. Ô mes amis, que la langue arabe prononcée par la bouche d'un tel homme paraît différente de celle que nous parlons dans notre grossièreté. Comme elle devient souple et subtile, profonde et délicate et pareille à une broderie merveilleuse. Et que j'avais de peine à suivre Hussein Menachibi, et encore plus à essayer de traduire ses propos à mon ami. Tout mon corps en était trempé de sueur.

« Bientôt Hussein Menachibi nous a montré ses livres les plus beaux. Il les nommait à un serviteur qui connaissait de chacun la place exacte. Et j'enviais de toute mon âme ce serviteur. Car, Allah tout-puissant ! aucun velours, ni or, ni diamant n'est aussi doux, aussi précieux au regard et au toucher que ces manuscrits vénérables et sacrés et maniés depuis des siècles par des mains attentives et pieuses. Il y avait là des livres venus d'Espagne et de Damas, et de Bagdad et des Indes. Le père du père de Hussein Menachibi avait déjà commencé à rassembler une bibliothèque. Lui, il y avait consacré toute sa fortune et sa science. En outre, ses admirateurs lui offraient leurs meilleures trouvailles.

« Et Hussein Menachibi faisait admirer à mon ami Flaherty les écritures des copistes antiques et les splendides enluminures. Et, le faisant, il avait des yeux d'amoureux. Et le serviteur apportait toujours de nouveaux manuscrits. Et le maître citait des vers ou des pensées magnifiques. Et je me sentais un être indigne perdu dans une ignorance qui n'avait pas de fond.

« Enfin, les longs doigts, si légers et si pâles, de Hussein Menachibi ont ouvert un dernier livre avec un soin presque craintif. C'est que les pages en étaient usées et rongées au point qu'elles ressemblaient à une dentelle qui s'en va en morceaux. Et Hussein Menachibi a dit d'une voix qui tremblait un peu :

« — Ceci est un exemplaire unique. Je l'ai découvert, Allah m'aidant, au fond d'un grenier, chez un caïd dans le Souss. Et c'est un poème composé par le dernier roi maure d'Espagne et qui raconte les suprêmes combats qu'il a livrés sur la terre et sur la mer, avant de s'établir ici même à Tanger. »

« Et j'ai traduit ce propos à M. Flaherty du mieux que j'ai pu. Et Hussein Menachibi s'est mis à lire quelques vers du roi arabe. Mais alors, ô mes amis, je n'ai plus été capable de proférer une parole et ma respiration a été arrêtée en moi. Car, alors, ô mes frères, ce n'est pas un poème que j'ai entendu. C'était, en vérité, le galop des étalons aux crinières folles et le sifflement des flèches rapides et le cliquetis des cimeterres et les cris terribles des guerriers. Et moi, je n'étais plus un enfant à deux bosses, mendiant à travers cette ville où nous sommes humiliés par toutes les nations du monde, mais le fils d'une race libre et souveraine qui a conquis la moitié de l'univers, élue d'Allah le Tout-Puissant et terreur sacrée des infidèles. »

Jamais encore — et même aux instants les plus pathétiques de ses récits — jamais Bachir n'avait eu dans la voix et le regard cet accent et ce feu inspirés. Et jamais il n'avait exercé sur ceux qui l'écoutaient pareille influence. Les corps émaciés par la misère, les visages qui portaient les stigmates des privations et des maladies et les haillons eux-mêmes furent soulevés par une sorte de souffle. Les bras se dressaient, les yeux étincelaient et les bouches s'ouvraient sur des clameurs fiévreuses.

— Gloire au prophète !

— Gloire à ses guerriers !

Et, plus haut que tous les autres, retentit le cri de l'homme qui portait son chèche noué selon la manière des Darkaouas fanatiques.

— Ils reviendront les jours de gloire ! Ils reviendront !

Et le vieil Hussein, qui vendait du khol, si sage et si doux, reprit lui-même :

— Ils reviendront ! Allah le veut !

Alors Bachir reprit :

« Hussein Menachibi a refermé très doucement le livre du roi maure et il l'a très doucement placé sur tous ceux-là qu'il nous avait déjà montrés. Et M. Flaherty, en le remerciant beaucoup, s'est levé. Et le serviteur est allé devant pour ouvrir les portes. Et Hussein Menachibi s'est incliné pour laisser le passage à son hôte. Ainsi, tous, ils me tournaient le dos. Alors, ô mes amis, ô mes frères, en un seul instant, j'ai pris sur la haute pile des livres le poème du roi guerrier et je l'ai enfermé dans mes haillons, contre ma peau, sous la bosse de devant. »

À ces paroles, des mouvements violents d'incrédulité, d'indignation et d'effroi, agitèrent la foule dont les nerfs n'avaient pas eu le temps de s'apaiser. Mais Sayed, le lecteur, fut le premier à crier :

— Quoi ! Tu as volé le livre sacré ?

— En vérité ! dit Bachir.

Et la foule gémit et hurla :

— Il l'a volé ! Il a volé le livre !

Et Mohamed, l'écrivain public, demanda :

— Mais pourquoi ? Pourquoi donc l'as-tu fait ? À quoi pouvait te servir, à toi illettré, ce manuscrit unique et sans prix ?

Alors l'usurier Nahas se mit à glapir :

— Il voulait le vendre ! Le vendre très cher.

— Ce n'est pas vrai ! cria Bachir de toutes ses forces.

— Ce n'est pas vrai, j'en suis certain, dit Hussein, le bon vendeur de khol.

Et le Darkaoua se redressa, la main sur son poignard, et dit aussi, mais d'une toute autre voix :

— Ce n'est pas vrai.

Alors toute la foule cria :

— Alors pourquoi ? Pourquoi ?

Et Bachir répondit très humblement :

— Je ne le sais pas jusqu'à présent, ô mes frères. C'était un esprit en moi, tout-puissant, qui le désirait.

Et il y eut un grand silence. Et Bachir reprit :

« À l'ordinaire, quand je marchais avec mon ami Flaherty à la moustache rouge dans les rues de la ville, je me tenais aussi près de lui que possible, parce qu'il lui arrivait de me mettre la main sur l'épaule et que cela me faisait très plaisir. Mais, en sortant de chez Hussein Menachibi, je me suis écarté de M. Flaherty. Je le haïssais et, pourtant, de tous les étrangers, il m'était de beaucoup le plus cher. Mais j'aurais voulu voir disparaître de notre terre tous les infidèles, ou alors qu'ils y fussent en esclaves et non plus en maîtres.

« Nous avons passé sous la voûte devant l'ancien palais des Sultans du Maroc, devenu aujourd'hui café maure pour les touristes. Un guide servile a couru après M. Flaherty, comme moi-même j'avais servilement couru derrière tant d'étrangers. Et M. Flaherty l'a renvoyé brutalement et je lui ai souhaité les pires adversités. Le livre du roi maure me brûlait la poitrine.

« Continuant notre chemin en silence, nous sommes arrivés place de la Kasbah. Le figuier magnifique balançait ses hautes branches par-dessus le mur qui enfermait la maison où avait habité Mme Elaine. Déjà, d'autres Américains s'y installaient. Les étrangers aiment tant nos belles demeures. Le livre du roi maure, pourtant si léger, écrasait ma poitrine.

« Or, M. Flaherty s'est arrêté devant la demeure qui faisait face à celle où avait habité Mme Elaine et qui occupait tout le coin de la place de la Kasbah. Et, tout en frappant à la porte très haute et très épaisse, il m'a dit :

« — Réjouis-toi, Bachir. Tu vas voir la plus belle maison du vieux Tanger. »

« Et, en vérité, mes amis, quand deux serviteurs arabes en djellabah d'une blancheur sans tache ont ouvert les battants de la porte très haute et du bois le plus lourd, j'ai connu ce qu'il peut y avoir de noble et de magnifique pour abriter l'existence des hommes. Et d'abord la cour intérieure était presque aussi grande que la place de la Kasbah et toute couverte de belles dalles luisantes.

Et des galeries voûtées, soutenues par des colonnes innombrables, l'entouraient de toutes parts. Et les dalles brûlaient sous le soleil et les galeries avaient la fraîcheur de l'ombre. Et sur les galeries s'ouvraient des salles immenses avec des plafonds de cèdre.

« — Tu vois, m'a dit M. Flaherty, tout ici a été refait à la façon ancienne, comme au temps des grands seigneurs arabes. »

« Et il m'a raconté l'histoire de cette maison. Or, mes amis, à cause de sa position élevée au-dessus de toute la ville et toute la mer, ce lieu avait été autrefois bâti par nos ancêtres en forteresse de Tanger et citadelle de l'Islam. Les Anglais l'avaient prise, mais ensuite, les guerriers du Prophète les en avaient chassés. Et nos étendards ont flotté de nouveau sur les tours. Et puis, sont venus les temps de faiblesse. Les guerriers ont dû quitter les salles profondes et des ânes les ont remplacés, car un marchand avait acheté la citadelle et en avait fait un *foundouk*. Enfin, un riche Anglais s'était rendu maître du bâtiment et l'avait aménagé magnifiquement pour sa famille.

« Voilà ce que m'a raconté M. Flaherty, et moi je pensais sans cesse : « Oui, cette demeure est admirable et merveilleusement reconstruite entre les murs énormes de notre vieille forteresse. Mais pourquoi ce sont des étrangers, des infidèles qui viennent en jouir ? »

« Et le maître de la maison s'est avancé à notre rencontre et il a invité M. Flaherty à boire des liqueurs de feu, et moi, il m'a dit d'aller jouer avec ses deux fils ; et l'un avait mon âge et l'autre un peu moins.

« Alors, je leur ai demandé à voir toute la demeure. Et ces garçons se sont montrés vraiment très aimables et très hospitaliers et, en temps ordinaire, j'aurais eu de l'amitié pour eux. Mais, d'étage en étage, de chambre en chambre, de tour en tour, et enfin sur le toit d'où l'on apercevait toute la ville, tout le port, tout le détroit, je serrais les dents toujours davantage et je me disais. « Un jour, ce chétif aux cheveux pâles, aux épaules étroites, plein de taches de rousseur, va hériter de ces splendeurs qui ont été les biens de nos ancêtres. » Et je pressais, sous mes haillons, contre ma bosse de devant, le livre du roi maure.

« Enfin, nous sommes descendus dans une grande pièce souterraine.

« Les murs y avaient été nettoyés récemment, mais l'on avait laissé à leur surface des taches étranges. Je les ai examinées de près, l'une après l'autre, et j'ai découvert que c'étaient des dessins rehaussés d'un peu de couleur. Et les dessins représentaient grossièrement des bateaux avec des rangées de longues, longues rames et des ombres d'hommes penchés sur les rames. Et mon cœur s'est mis à battre très fort contre le livre du roi maure.

« — C'était ici la prison de la forteresse arabe, m'a dit le petit garçon blond. Et là, tu vois, au coin de ce bateau, qui s'appelait alors une galère, on peut lire encore une inscription de ce temps en anglais. Et cette inscription dit :

« Nous, pauvres captifs. »

« En effet, ce sont des captifs anglais qui ont dessiné cette galère et marqué cette plainte. »

« Le garçon parlait doctement, comme pour m'enseigner les choses, et avec la satisfaction que montrent les propriétaires d'un bien en tout point remarquable. Son père devait discourir ainsi et il l'imitait, lui qui allait succéder un jour à son père dans la possession de ces trésors.

« Et alors, ô mes frères, un miracle s'est passé en mon sang. J'avais les yeux fixés sur les images des galères, sur l'inscription des prisonniers anglais et, en même temps, j'ai entendu dans ma poitrine, dans mon cœur, la voix du roi maure et je n'ai plus été dans une cave, sous la place de la Kasbah, mais sur la mer étincelante, au temps où nos ancêtres partaient en course contre les navires chrétiens. Et ils prenaient des navires à l'abordage et ils emmenaient en esclavage leurs matelots et capitaines. Et ils les enchaînaient sur des galères de l'Islam. Et les chrétiens ramaient pour porter au combat les fidèles. Et nos fouets claquaient sur leur dos nu. Et moi, Bachir, le capitaine bossu, je commandais à cette galère qui n'était plus peinte sur le mur, mais qui fendait, par les bras des esclaves chrétiens, la mer des grands pirates maures.

« Et j'ai crié tout cela et je devais être porté par l'inspiration véritable et avoir un visage terrible, car les deux garçons ont reculé devant moi, avec soumission et crainte. Et je me sentais le maître de ces lieux enchantés. »

Ici, Bachir s'arrêta et passa ses deux mains le long d'un visage illuminé. Et personne n'osa troubler sa vision. Et Bachir murmura :

— Oui, le maître.

Puis il laissa retomber ses mains et reprit :

« Or, à ce même instant, nous avons entendu un grand bruit de pas à travers les corridors sonores et deux policiers sont entrés dans la cave aux galères et ils m'ont saisi brutalement par les épaules.

« Et M. Flaherty, qui venait, courant, derrière eux, m'a crié :

« — Bachir, est-il possible ? »

« Mais déjà les policiers palpaient mes vêtements. Et

l'un d'eux en a tiré le livre du roi maure. Il m'a donné une gifle en criant :

« — Sale voleur bossu ! Stupide avec cela ! Allons, en route ! »

« Les deux petits garçons blonds, qui avaient eu si peur de moi, se sont écartés avec répugnance.

« — Attendez ! Attendez ! », criait mon ami Flaherty aux policiers, mais ils ne l'écoutaient pas.

« J'étais un enfant arabe, j'appartenais à la loi du Mendoub. Un étranger ne pouvait rien pour moi.

« Le chemin n'a pas été long. La prison pour enfants se trouvait à un jet de pierre, à côté de la maison où, par amitié pour Mme Elaine, j'avais accepté de vivre quelques jours. »

Alors, faisant sonner aussi fort qu'il pouvait ses amulettes au bout de la longue perche, Selim cria :

— Mauvais signe est plus lourd que bon sentiment ! Achetez, achetez les charmes.

Et le Darkaoua dit avec rudesse :

— L'amitié pour les infidèles n'est pas un mérite aux yeux du Prophète.

Et Bachir continua :

« Ô mes amis, j'ignore si certains parmi vous ont connu la prison. Cependant, je le pense. Car il est impossible au pauvre de vivre sans offenser, simplement parce qu'il lui faut vivre, la loi des riches et des puissants. Et j'imagine sans peine quels souvenirs amers vous gardez de ces cachots. Mais aucune prison faite pour l'âge d'homme n'est aussi terrible, croyez-moi, que la prison des enfants, et surtout des enfants abandonnés.

« Songez-y, ô vous qui m'écoutez ! Personne ne nous défend, nous n'avons ni amis, ni parents. Qui se préoccupe si nous sommes jugés, si nous mourons de faim ou de coups ? Le gardien est le maître, le gardien est le bourreau des enfants de la rue et de la liberté.

« Oh ! que les murs sont noirs ! Oh ! que l'air est puant ! Oh ! qu'il faut ramper à la manière des vermines ! Et pourquoi, à l'ordinaire, tant de souffrance et tant de malheur ? Pour avoir pris un gâteau au miel à une devanture ou tiré quelques pesetas de la poche d'un riche étranger. Voilà, mes amis, les crimes qui valaient à mes compagnons des mois et des mois de châtiment.

« Pensez donc à ce qui m'attendait pour avoir dérobé un livre sans prix ! Et, en effet, tous les gardiens disaient que je serais puni au moins de vingt années de prison. Vingt années ! Plusieurs vies ! »

À ce cri de Bachir, le vieil usurier Nahas répondit aigrement :

— Plusieurs vies, pauvre cervelle ! Jusqu'à la mort, c'est toujours la même.

Mais d'autres vieillards se rappelèrent mieux ce qu'ils ressentaient à l'âge de Bachir, pour le compte des ans, et hochèrent leurs barbes blanches avec mélancolie.

Et Bachir continua :

« Ma détresse était si profonde que mon âme était devenue une guenille plus pourrissante que celles qui couvraient mes os affamés.

« Or, un matin, dès l'aube, il y eut chez nous agitation très grande. On nettoyait nos cachots, on lavait nos haillons, on nous aspergeait d'eau. Les tables se couvraient de mets succulents. Matraques, gourdins et fouets étaient enfouis dans des cachettes sûres.

« Et, à l'heure de midi, un magistrat français important est venu inspecter la prison.

« Le magistrat a été, naturellement, étonné et ravi par

l'abondance de la nourriture et la douceur des gardiens. Puis, il nous a passés en revue, avec un bon sourire. Mais, quand il est arrivé devant moi, le notable arabe qui l'accompagnait a eu un mouvement de la surprise la plus vive et j'ai reconnu en lui Maksoud Abd-el-Rahman, le vieux notable féroce, au visage grêlé de petite vérole et ami influent de Sa Hauteur le Mendoub. Et je me suis souvenu comment j'avais refusé de chanter pour lui à la fête donnée par le pauvre Abd-el-Meguid Chakraf, alors mon maître, et combien j'avais manqué de politesse envers ce puissant. Je me suis vu perdu à jamais.

« Et, en effet, après l'inspection et le départ du magistrat français, j'ai été appelé chez le chef des gardiens. Et là, Maksoud Abd-el-Rahman m'attendait, et le chef des gardiens m'a donné à lui et il m'a emmené.

« Et je n'avais plus de force ni de pensée, tant ma terreur était grande et mon esprit répétait seulement et sans cesse : « Pauvre Bachir ! »

Alors, les femmes sensibles qui se trouvaient dans l'assistance et celles-là, singulièrement, qui avaient des enfants en bas âge, gémirent en chœur :

— Pauvre ! Pauvre Bachir !

Et lui, il reprit :

« La voiture de Maksoud Abd-el-Rahman nous a conduits dans son palais qui est très magnifique, plein de terrasses, de jardins, d'arbres, de fontaines, et donnant sur la mer. Tant de splendeur, tant d'opulence m'ont rendu plus misérable encore. Ici le notable cruel que j'avais offensé était seigneur sans limite. Il avait le pouvoir de me faire mourir de faim, au fond d'une cave, de me faire bâtonner à mort, de m'écorcher vif. Qui l'eût su, ô mes amis ? Et même qui, le sachant, aurait fait quelque chose contre un homme aussi puissant ?

« Et Maksoud Abd-el-Rahman m'a dit :

« — Je t'ai fait chercher par toutes les rues de la ville et tout le long des plages, bossu maudit. Et tu étais sous ma main. »

« Et je me suis senti comme au bord de la tombe.

« Puis Maksoud Abd-el-Rahman a médité, en faisant rouler entre ses doigts épais les grains de son chapelet d'ambre. Et il m'a dit encore :

« — Inconnues sont les voies d'Allah et de Mahomet, son Prophète. »

« Et, à ces noms sacrés, un peu de chaleur est revenue dans mes membres transis. Mais Maksoud a repris aussitôt :

« — Ta langue insolente mérite d'être coupée. »

« Et j'ai cru, en vérité, mes amis, que j'allais défaillir. Et alors il a dit :

« — Seulement, j'ai besoin de ta langue. En effet, je prends femme à nouveau et je veux que tu chantes à mes noces. Et ton sort dépendra de ton art. »

« Oh ! mes amis, je sais bien que je m'étais juré de ne jamais chanter pour cet homme dédaigneux. Mais je me suis jeté à ses pieds et j'ai embrassé le pan de son burnous.

« Et qui de vous, dites-moi, qui, n'aurait point fait de même ? »

Personne ne répondit, mais toutes les têtes s'inclinèrent dans un assentiment plein d'humilité.

Et Bachir continua :

« Je suis certain, mes amis, que vous avez profité quelquefois de la magnificence des noces princières. En effet, les riches et les puissants aiment à montrer leur bonheur aux pauvres pour être mieux honorés par eux. Mais, pour vous, ces aubaines ont toujours eu lieu à la porte des cuisines et au septième jour des fêtes et l'on vous a donné les reliefs des reliefs des reliefs. Car, déjà seuls les maîtres et les invités de haut rang avaient goûté aux plats intacts, puis les principaux serviteurs s'étaient servis dans ce qui restait, et puis les serviteurs moyens avaient prélevé chacun le morceau le plus succulent dans ce qui était laissé. Et puis était venu le tour des plus bas domestiques. Et enfin, le vôtre. Et de cela encore, ô mes amis, le pauvre doit remercier Allah, le tout-puissant, car ces reliefs des reliefs des reliefs sont tout de même pour lui un festin étonnant et peut-être plus doux à son ventre que les plats les meilleurs à l'estomac fatigué des maîtres.

« Et j'ai, moi, le premier, souvent loué le Tout-Puissant et son Prophète sur le seuil des cuisines superbes.

« Mais, cette fois, mes amis, je me trouvais au cœur même de la fête.

« Or le palais de Maksoud était orné tout entier d'étoffes de velours et de soie aux couleurs les plus enchanteresses. Des jets de parfums et des feux de bois odorant embaumaient toute la demeure. Les fontaines chantaient. Le vent du soir agitait les branches des cyprès et des sycomores. Dans les allées, dans les antichambres, partout, s'alignaient les serviteurs de la maison de Maksoud, chacun avec la djellabah, la coiffure à la forme, à la couleur de son rang. Et Sa Hauteur *le Mendoub*, pour honorer son ami Maksoud, avait prêté pour les noces une partie de sa garde en armes. Et les soldats aux visages guerriers, habillés d'uniformes splendides, bleus, fauves et rouges, se tenaient tout le long des murs, le fusil à la main et bardés de cartouches étincelantes.

« Toutes les salles, à tous les étages, étaient pleines d'invités choisis pour leur noblesse, leur rang ou leur fortune. Ils étaient assis sur des divans somptueux, contre des coussins brochés d'or. Et on leur servait la nourriture la plus exquise sur des plats d'argent. Et il y avait là des princes arabes et des officiers français et espagnols, et tous les consuls et les plus riches banquiers. Et j'ai retrouvé parmi eux des figures de ma connaissance : la terrible vieille Lady Cynthia et Sir Percival, son mari, et M. Boullers et le bel officier chef de la police et mon ami Flaherty qui m'a fait beaucoup de clins d'œil joyeux sous ses rouges sourcils, et Hussein Menachibi, le lettré à qui j'avais volé le livre du roi maure et l'officier de marine espagnol qui avait emmené Francisco, et enfin Moché Filsenberg et son fils aux longues papillotes et aux yeux tendres qui avait épousé Léa, et Léa elle-même.

« Et, sous sa plate perruque noire, entre son beau-père brutal qui régnait sur leur famille et son chétif mari, elle portait une expression de souffrance infinie. Et quand je lui ai demandé si elle ne trouvait pas la fête d'une beauté sublime, elle a semblé encore plus triste. Elle pensait à l'heureuse épousée.

« Et, un peu plus tard, le chef des serviteurs de Maksoud Abd-el-Rahman a invité quelques dames à rendre visite à la fiancée dont la vue était interdite aux yeux des hommes. Et Léa a été du nombre. Et je l'ai suivie, car je n'étais qu'un enfant, un chanteur des rues, un bossu.

« Et nous avons vu, dans la salle réservée aux femmes, nous avons vu la fiancée. Elle était à peine plus âgée qu'Aïcha et presque aussi jolie. Elle était vêtue et parée comme une reine, mais son visage était blanc et immobile d'effroi. Elle ne pleurait point, mais les larmes figées dans ses yeux ressemblaient à une vitre qui ne laissait point passer la lumière. Et, près d'elle, Maksoud Abd-el-Rahman, le gros, le vieux, le cruel, le grêlé, éclatait d'orgueil. »

Alors Zelma, la bédouine hardie, fit entendre un ululement atroce où elle mêlait les imprécations et les plaintes. Et toutes les femmes, belles ou laides, vieilles ou jeunes, et celles qui portaient le voile des cités et celles qui avaient les cheveux couverts seulement par la grossière paille tressée des campagnes, toutes, elles se joignirent à Zelma pour lamenter, dans le sort de la si jeune fiancée, leur propre sort. Mais les hommes, par railleries, insultes et menaces, leur imposèrent silence rapidement.

Et Bachir reprit :

« À cette vue, Léa m'a pris par la main et la sienne tremblait et nous sommes sortis doucement. Et son regard était plein de surprise. On eût dit qu'elle ne pouvait pas croire qu'il y eût d'autres femmes aussi malheureuses qu'elle et sans doute davantage. Puis elle a retrouvé son mari qui a levé sur elle un timide regard plein d'amour. Et un faible sourire est venu aux lèvres de Léa. Et elle m'a dit avec ce sourire : « Tu sais, Bachir, nous allons avoir un enfant. »

« Et je lui ai dit que j'aurais aimé avoir une mère comme elle. Et je n'ai plus revu Léa.

« Car, après les musiques de la garde du *Mendoub*, et les danseuses mauresques, et les danseurs chleuhs, mon tour est venu de chanter. »

Alors, l'assistance entière demanda :

— Comment, ce jour-là, t'es-tu comporté, ô Bachir ?

Et Bachir s'écria :

« Je vous répondrai seulement, mes amis, que l'air était embaumé, le spectacle magnifique, les musiciens sans pareils, que c'était, malgré tout, la fête d'un grand seigneur arabe et enfin, que je ne chantais plus pour les hommes, mais pour la liberté. »

Et, dans ce mot, le petit mendiant deux fois bossu avait mis tant d'amour qu'il n'eut pas besoin de s'expliquer davantage. Toute la foule comprit que la voix célèbre de Bachir n'avait jamais été belle et pure et inspirée comme aux fêtes de ce mariage.

Et le pêcheur aveugle Abdallah s'écria :

— Il ne me reste plus beaucoup de jours à vivre, mon fils, mais de ceux-là même j'abandonnerais avec joie la moitié pour t'avoir entendu alors.

Et Abderraman, le badaud, déclara :

— Tu as comblé d'honneur ce Maksoud devant ses invités.

Et Mohamed, l'écrivain public, dit à Bachir :

— Et c'est ainsi assurément que tu as gagné le pardon de tes fautes.

Et Bachir répondit :

— En vérité, c'est ainsi.

Alors, Hussein, le pieux et doux marchand de khol, murmura dans sa barbe blanche :

— Étonnants et toujours cachés sont les desseins d'Allah !

— En vérité, ô mon père ! car le plus étonnant me reste à vous conter ! s'écria Bachir.

Et il poursuivit :

« Quand les sept jours de réjouissances ont été achevés, quand les pauvres eurent mangé et rongé les reliefs des reliefs des reliefs du festin, quand les gardes aux ceintures rouges et aux cuirs garnis de cartouches ont regagné leurs casernes, quand les serviteurs ont remis en ordre le palais et quand la petite fiancée a été enfermée dans le harem, alors Maksoud Abd-el-Rahman m'a rendu la liberté en ces termes :

« — Bénis, jour et nuit, le Prophète qui t'a favorisé, bossu indigne, d'une voix comme la tienne. Car sa beauté et l'honneur que j'en ai reçu ont dépassé tout ce que j'en pouvais attendre. Aussi ta récompense ira au-delà de tout ce qui tu pouvais espérer. »

Ici, Nahas, le vieux prêteur sur gages, demanda, tandis que ses yeux s'emplissaient de convoitise et de bile :

— Combien as-tu reçu de pesetas ? En papier ou bien en or ?

— Ce n'est pas en argent que m'a payé Maksoud Abd-el-Rahman, gloire et joie à son nom ! répondit Bachir.

Et il continua :

« En effet, Maksoud Abd-el-Rahman s'est dirigé alors — en m'ordonnant de le suivre — vers la cour de son palais qui donnait sur les écuries. Et là, il a fait signe à un palefrenier. Et, au bout d'un instant, ce serviteur est revenu en menant par la bride un bourricot harnaché magnifiquement. Et, cette fois, ô mes amis, je n'ai pas eu besoin de regarder derrière ses oreilles pour le reconnaître, car aucun autre bourricot au monde ne pouvait avoir ce poil couleur de lait et si lisse, brillant et doux, ni cette allure aimable et fière, ni cette extrême intelligence dans le regard. Et nul autre que lui n'aurait arraché, comme il l'a fait, sa bride aux mains qui la tenaient pour trotter vers moi et poser son museau sur ma bosse de devant. En vérité, en vérité, mes amis, c'était mon merveilleux petit âne blanc. »

Et alors éclata le dernier, mais aussi le plus bruyant et le plus joyeux des tumultes parmi tous ceux qu'avait suscités Bachir au cours de ses récits.

— Quoi ! Le même bourricot ! criait-on.

— Celui que tu as rencontré d'abord chez la terrible vieille dame de la Montagne ?

— Que tu as soigné chez le Prophète des Bêtes Blessées ?

— Que tu as donné à Saoud le Riffain ?

Et d'autres voix demandaient :

— Mais comment est-ce arrivé ?

— Pourquoi Maksoud avait-il cet âne ?

Et d'autres répondaient à celles-là :

— Rappelez-vous les paroles du Darkaoua...

— Le bourricot a été abandonné par les amis qui ont secouru le Riffain.

— Et c'était sans doute sur les terres de Maksoud le Notable.

— Où le paysan qui a recueilli le bourricot l'a revendu par la suite...

— Et, de mains en mains, il est revenu à Bachir.

Et Zelma la bédouine poussa un « you you » triomphal et cria :

— Je suis heureuse pour le petit âne blanc.

Et Abdallah, le pêcheur aveugle, dit de sa voix chantante :

— Je te l'avais bien annoncé, mon fils.

Et il y eut une infinité d'autres commentaires. Et, contrairement à son habitude, Bachir les écoutait tous avec patience : il savait, lui, qu'il n'entendrait plus ces hommes et ces femmes, de très longtemps. En effet, lorsque le calme se fut rétabli peu à peu, il s'écria :

« Et maintenant, ô mes amis, ô mes frères, je vais prendre congé de vous. Mais pas pour un jour seulement, ou une lune, ou même une année. Car je vais partir à la découverte du vaste monde sur les routes brûlantes et vers les villes pleines de secrets divers. Et je n'en reviendrai, ô mes amis, ô mes frères, que devenu un homme. Et, peut-être alors, vous ferai-je de nouveaux contes avec la vérité. »

Et cette annonce fut suivie d'un silence très profond. Et, au milieu du silence, Aïcha, toute seule, fit la quête. Et tous, même Nahas l'usurier, même Sayed, le lecteur public, se montrèrent généreux, car un si long et hasardeux voyage les faisait rêver.

Soudain, Bachir cria :

— Regardez, regardez tous, qui vient du *foundouk* de la rue du Statut.

Sous son grand fez rouge, Omar parut alors. Et il conduisait un bourricot tout blanc harnaché avec un luxe magnifique. Et chacun fut émerveillé par la gentillesse, la vigueur et la beauté de ce petit âne, qui avait connu tant d'aventures et qui ne ressemblait à aucun autre.

Bachir monta en selle et Omar se hissa jusqu'à la croupe.

Aïcha suivit à pied, comme il se doit.

Ils traversèrent la ville et prirent le chemin du Sud.

DU MÊME AUTEUR

Aux Éditions Gallimard

LA STEPPE ROUGE (Folio nº 2696)

L'ÉQUIPAGE (Folio nº 864)

MARY DE CORK (Une Œuvre, un Portrait)

LES CAPTIFS (Folio nº 2377)

LES CŒURS PURS (Folio nº 1905)

LA RÈGLE DE L'HOMME (Folio nº 2092)

BELLE DE JOUR (Folio nº 125)

DAMES DE CALIFORNIE (Folio nº 2836)

VENT DE SABLE (Folio nº 3004)

NUITS DE PRINCES (Collection In-octavo à la gerbe)

WAGON-LIT (Folio nº 1952)

LES ENFANTS DE LA CHANCE (Folio nº 1158)

STAVISKY. L'homme que j'ai connu. Nouvelle édition augmentée en 1974 d'*Un historique de l'Affaire* par Raymond Thévenin (Hors série Littérature)

LE REPOS DE L'ÉQUIPAGE (Collection blanche)

HOLLYWOOD, VILLE MIRAGE (Hors série Connaissance)

LA PASSANTE DU SANS-SOUCI (Folio nº 1489)

LA ROSE DE JAVA (Folio nº 174)

MERMOZ (Folio nº 232)

LA FONTAINE MÉDICIS (LE TOUR DU MALHEUR, I) (Folio nº 725)

L'AFFAIRE BERNAN (LE TOUR DU MALHEUR, II) (Folio nº 794)

LES LAURIERS ROSES (LE TOUR DU MALHEUR, III) (Folio nº 828)

L'HOMME DE PLÂTRE (Folio nº 833)

LA PISTE FAUVE (Collection blanche)

LA VALLÉE DES RUBIS (Folio nº 2560)

HONG-KONG ET MACAO (Collection blanche)

LE LION (Folio n° 808)

AVEC LES ALCOOLIQUES ANONYMES (Hors série Connaissance)

LES MAINS DU MIRACLE (Hors série Connaissance)

LE BATAILLON DU CIEL (Folio n° 642)

DISCOURS DE RÉCEPTION À L'ACADÉMIE FRANÇAISE ET RÉPONSE DE M. ANDRÉ CHAMSON (Collection blanche)

LES CAVALIERS (Folio n° 1373)

DES HOMMES (Collection blanche)

LE TOUR DU MALHEUR

TOME I : *La Fontaine Médicis - L'Affaire Bernan* (Folio n° 3062)

TOME II : *Les Lauriers roses – L'Homme de plâtre* (Folio n° 3063)

LES TEMPS SAUVAGES (Folio n° 1072)

LES CAVALIERS (1 000 Soleils)

FORTUNE CARRÉE (1 000 Soleils)

MÉMOIRES D'UN COMMISSAIRE DU PEUPLE (Collection blanche)

CONTES (Folio n° 3562)

MAKHNO ET SA JUIVE (Folio 2 € n° 3626)

AMI, ENTENDS-TU... (Folio n° 4822)

UNE BALLE PERDUE (Folio 2 € n° 4917)

REPORTAGES, ROMANS (Quarto)

AU GRAND SOCCO (*L'Imaginaire* n° 603)

Axée sur les constructions de l'imagination, cette collection vous invite à découvrir les textes les plus originaux des littératures romanesques française et étrangères.

Volumes parus

189. Ronald Firbank : *La Princesse artificielle*, suivi de *Mon piaffeur noir.*
190. Manuel Puig : *Le plus beau tango du monde.*
191. Philippe Beaussant : *L'archéologue.*
192. Sylvia Plath : *La cloche de détresse.*
193. Violette Leduc : *L'asphyxie.*
194. Jacques Stephen Alexis : *Romancero aux étoiles.*
195. Joseph Conrad : *Au bout du rouleau.*
196. William Goyen : *Précieuse porte.*
197. Edmond Jabès : *Le Livre des Questions*, I.
198. Joë Bousquet : *Lettres à Poisson d'Or.*
199. Eugène Dabit : *Petit-Louis.*
200. Franz Kafka : *Lettres à Milena.*
201. Pier Paolo Pasolini : *Le rêve d'une chose.*
202. Daniel Boulanger : *L'autre rive.*
203. Maurice Blanchot : *Le Très-Haut.*
204. Paul Bowles : *Après toi le déluge.*
205. Pierre Drieu la Rochelle : *Histoires déplaisantes.*
206. Vincent Van Gogh : *Lettres à son frère Théo.*
207. Thomas Bernhard : *Perturbation.*
208. Boris Pasternak : *Sauf-conduit.*
209. Giuseppe Bonaviri : *Le tailleur de la grand-rue.*
210. Jean-Loup Trassard : *Paroles de laine.*
211. Thomas Mann : *Lotte à Weimar.*
212. Pascal Quignard : *Les tablettes de buis d'Apronenia Avitia.*
213. Guillermo Cabrera Infante : *Trois tristes tigres.*
214. Edmond Jabès : *Le Livre des Questions*, II.
215. Georges Perec : *La disparition.*

216. Michel Chaillou : *Le sentiment géographique.*
217. Michel Leiris : *Le ruban au cou d'Olympia.*
218. Danilo Kiš : *Le cirque de famille.*
219. Princesse Marthe Bibesco : *Au bal avec Marcel Proust.*
220. Harry Mathews : *Conversions.*
221. Georges Perros : *Papiers collés*, II.
222. Daniel Boulanger : *Le chant du coq.*
223. David Shahar : *Le jour de la comtesse.*
224. Camilo José Cela : *La ruche.*
225. J.M.G. Le Clézio : *Le livre des fuites.*
226. Vassilis Vassilikos : *La plante.*
227. Philippe Sollers : *Drame.*
228. Guillaume Apollinaire : *Lettres à Lou.*
229. Hermann Broch : *Les somnambules.*
230. Raymond Roussel : *Locus Solus.*
231. John Dos Passos : *Milieu de siècle.*
232. Elio Vittorini : *Conversation en Sicile.*
233. Édouard Glissant : *Le quatrième siècle.*
234. Thomas De Quincey : *Les confessions d'un mangeur d'opium anglais* suivies de *Suspiria de profundis* et de *La malle-poste anglaise.*
235. Eugène Dabit : *Faubourgs de Paris.*
236. Halldor Laxness : *Le Paradis retrouvé.*
237. André Pieyre de Mandiargues : *Le Musée noir.*
238. Arthur Rimbaud : *Lettres de la vie littéraire d'Arthur Rimbaud.*
239. Henry David Thoreau : *Walden ou La vie dans les bois.*
240. Paul Morand : *L'homme pressé.*
241. Ivan Bounine : *Le calice de la vie.*
242. Henri Michaux : *Ecuador (Journal de voyage).*
243. André Breton : *Les pas perdus.*
244. Florence Delay : *L'insuccès de la fête.*
245. Pierre Klossowski : *La vocation suspendue.*
246. William Faulkner : *Descends, Moïse.*
247. Frederick Rolfe : *Don Tarquinio.*
248. Roger Vailland : *Beau Masque.*
249. Elias Canetti : *Auto-da-fé.*
250. Daniel Boulanger : *Mémoire de la ville.*
251. Julian Gloag : *Le tabernacle.*
252. Edmond Jabès : *Le Livre des Ressemblances.*

253. J.M.G. Le Clézio : *La fièvre.*
254. Peter Matthiessen : *Le léopard des neiges.*
255. Marquise Colombi : *Un mariage en province.*
256. Alexandre Vialatte : *Les fruits du Congo.*
257. Marie Susini : *Je m'appelle Anna Livia.*
258. Georges Bataille : *Le bleu du ciel.*
259. Valery Larbaud : *Jaune bleu blanc.*
260. Michel Leiris : *Biffures* (*La règle du jeu*, I).
261. Michel Leiris : *Fourbis* (*La règle du jeu*, II).
262. Marcel Jouhandeau : *Le parricide imaginaire.*
263. Marguerite Duras : *India Song.*
264. Pierre Mac Orlan : *Le tueur nº 2.*
265. Marguerite Duras : *Le théâtre de l'Amante anglaise.*
266. Pierre Drieu la Rochelle : *Beloukia.*
267. Emmanuel Bove : *Le piège.*
268. Michel Butor : *Mobile. Étude pour une représentation des États-Unis.*
269. Henri Thomas : *John Perkins* suivi de *Un scrupule*
270. Roger Caillois : *Le fleuve Alphée.*
271. J.M.G. Le Clézio : *La guerre.*
272. Maurice Blanchot : *Thomas l'Obscur.*
273. Robert Desnos : *Le vin est tiré...*
274. Michel Leiris : *Frêle bruit* (*La règle du jeu*, IV).
275. Michel Leiris : *Fibrilles* (*La règle du jeu*, III).
276. Raymond Queneau : *Odile.*
277. Pierre Mac Orlan : *Babet de Picardie.*
278. Jacques Borel : *L'Adoration.*
279. Francis Ponge : *Le savon.*
280. D.A.F. de Sade : *Histoire secrète d'Isabelle de Bavière, Reine de France.*
281. Pierre Drieu la Rochelle : *L'homme à cheval.*
282. Paul Morand : *Milady* suivi de *Monsieur Zéro.*
283. Maurice Blanchot : *Le dernier homme.*
284. Emmanuel Bove : *Départ dans la nuit* suivi de *Non-lieu.*
285. Marcel Proust : *Pastiches et mélanges.*
286. Bernard Noël : *Le château de Cène* suivi de *Le château de Hors. L'outrage aux mots. La pornographie.*
287. Pierre Jean Jouve : *Le monde désert.*
288. Maurice Blanchot : *Au moment voulu.*
289. André Hardellet : *Le seuil du jardin.*

290. André Pieyre de Mandiargues : *L'Anglais décrit dans le château fermé.*
291. Georges Bataille : *Histoire de l'œil.*
292. Henri Thomas : *Le précepteur.*
293. Georges Perec : *W ou le souvenir d'enfance.*
294. Marguerite Yourcenar : *Feux.*
295. Jacques Audiberti : *Dimanche m'attend.*
296. Paul Morand : *Fermé la nuit.*
297. Roland Dubillard : *Olga ma vache. Les Campements. Confessions d'un fumeur de tabac français.*
298. Valery Larbaud : *Amants, heureux amants...* précédé de *Beauté, mon beau souci...* suivi de *Mon plus secret conseil.*
299. Jacques Rivière : *Aimée.*
300. Maurice Blanchot : *Celui qui ne m'accompagnait pas.*
301. Léon-Paul Fargue : *Le piéton de Paris* suivi de *D'après Paris.*
302. Joë Bousquet : *Un amour couleur de thé.*
303. Raymond Queneau : *Les enfants du limon.*
304. Marcel Schwob : *Vies imaginaires.*
305. Guillaume Apollinaire : *Le flâneur des deux rives* suivi de *Contemporains pittoresques.*
306. Arthur Adamov : *Je... Ils...*
307. Antonin Artaud : *Nouveaux écrits de Rodez.*
308. Max Jacob : *Filibuth ou La montre en or.*
309. J.M.G. Le Clézio : *Le déluge.*
310. Pierre Drieu la Rochelle : *L'homme couvert de femmes.*
311. Salvador Dali : *Journal d'un génie.*
312. D.A.F. de Sade : *Justine ou les malheurs de la vertu.*
313. Paul Nizan : *Le cheval de Troie.*
314. Pierre Klossowski : *Un si funeste désir.*
315. Paul Morand : *Les écarts amoureux.*
316. Jean Giono : *Rondeur des jours (L'eau vive I).*
317. André Hardellet : *Lourdes, lentes...*
318. Georges Perros : *Papiers collés, III.*
319. Violette Leduc : *La folie en tête.*
320. Emmanuel Berl : *Sylvia.*
321. Marc Bernard : *Pareils à des enfants...*
322. Pierre Drieu la Rochelle : *Rêveuse bourgeoisie.*
323. Eugène Delacroix : *Lettres intimes.*
324. Raymond Roussel : *Comment j'ai écrit certains de mes livres.*
325. Paul Gadenne : *L'invitation chez les Stirl.*

326. J.M.G. Le Clézio : *Voyages de l'autre côté.*
327. Gaston Chaissac : *Hippobosque au Bocage.*
328. Roger Martin du Gard : *Confidence africaine.*
329. Henri Thomas : *Le parjure.*
330. Georges Limbour : *La pie voleuse.*
331. André Gide : *Journal des faux-monnayeurs.*
332. Jean Giono : *L'oiseau bagué (L'eau vive II).*
333. Arthur Rimbaud : *Correspondance (1888-1891).*
334. Louis-René Des Forêts : *Les mendiants.*
335. Joë Bousquet : *Traduit du silence.*
336. Pierre Klossowski : *Les lois de l'hospitalité.*
337. Michel Leiris : *Langage tangage ou Ce que les mots me disent.*
338. Pablo Picasso : *Le désir attrapé par la queue.*
339. Marc Bernard : *Au-delà de l'absence.*
340. Jean Giono : *Les terrasses de l'île d'Elbe.*
341. André Breton : *Perspective cavalière.*
342. Rachilde : *La Marquise de Sade.*
343. Marcel Arland : *Terres étrangères.*
344. Paul Morand : *Tendres stocks.*
345. Paul Léautaud : *Amours.*
346. Adrienne Monnier : *Les gazettes (1923-1945).*
347. Guillaume Apollinaire : *L'Arbre à soie et autres Échos du* Mercure de France *(1917-1918).*
348. Léon-Paul Fargue : *Déjeuners de soleil.*
349. Henri Calet : *Monsieur Paul.*
350. Max Jacob : *Le terrain Bouchaballe.*
351. Violette Leduc : *La Bâtarde.*
352. Pierre Drieu la Rochelle : *La comédie de Charleroi.*
353. André Hardellet : *Le parc des Archers* suivi de *Lady Long Solo.*
354. Alfred Jarry : *L'amour en visites.*
355. Jules Supervielle : *L'Arche de Noé.*
356. Victor Segalen : *Peintures.*
357. Marcel Jouhandeau : *Monsieur Godeau intime.*
358. Roger Nimier : *Les épées.*
359. Paul Léautaud : *Le petit ami.*
360. Paul Valéry : *Lettres à quelques-uns.*
361. Guillaume Apollinaire : *Tendre comme le souvenir.*
362. J.M.G. Le Clézio : *Les Géants.*

363. Jacques Audiberti : *Les jardins et les fleuves.*
364. Louise de Vilmorin : *Histoire d'aimer.*
365. Léon-Paul Fargue : *Dîner de lune.*
366. Maurice Sachs : *La chasse à courre.*
367. Jean Grenier : *Voir Naples.*
368. Valery Larbaud : *Aux couleurs de Rome.*
369. Marcel Schwob : *Cœur double.*
370. Aragon : *Les aventures de Télémaque.*
371. Jacques Stephen Alexis : *Les arbres musiciens.*
372. André Pieyre de Mandiargues : *Porte dévergondée.*
373. Philippe Soupault : *Le nègre.*
374. Philippe Soupault : *Les dernières nuits de Paris.*
375. Michel Leiris : *Mots sans mémoire.*
376. Daniel-Henry Kahnweiler : *Entretiens avec Francis Crémieux.*
377. Jules Supervielle : *Premiers pas de l'univers.*
378. Louise de Vilmorin : *La lettre dans un taxi.*
379. Henri Michaux : *Passages.*
380. Georges Bataille : *Le Coupable* suivi de *L'Alleluiah.*
381. Aragon : *Théâtre/Roman.*
382. Paul Morand : *Tais-toi.*
383. Raymond Guérin : *La tête vide.*
384. Jean Grenier : *Inspirations méditerranéennes.*
385. Jean Tardieu : *On vient chercher Monsieur Jean.*
386. Jules Renard : *L'œil clair.*
387. Marcel Jouhandeau : *La jeunesse de Théophile.*
388. Eugène Dabit : *Villa Oasis ou Les faux bourgeois.*
389. André Beucler : *La ville anonyme.*
390. Léon-Paul Fargue : *Refuges.*
391. J.M.G. Le Clézio : *Terra Amata.*
393. Jean Giraudoux : *Les contes d'un matin.*
394. J.M.G. Le Clézio : *L'inconnu sur la terre.*
395. Jean Paulhan : *Les causes célèbres.*
396. André Pieyre de Mandiargues : *La motocyclette.*
397. Louis Guilloux : *Labyrinthe.*
398. Jean Giono : *Cœurs, passions, caractères.*
399. Pablo Picasso : *Les quatre petites filles.*
400. Clément Rosset : *Lettre sur les Chimpanzés.*
401. Louise de Vilmorin : *Le lit à colonnes.*
402. Jean Blanzat : *L'Iguane.*

403. Henry de Montherlant : *Les Bestiaires.*
404. Jean Prévost : *Les frères Bouquinquant.*
405. Paul Verlaine : *Les mémoires d'un veuf.*
406. Louis-Ferdinand Céline : *Semmelweis.*
407. Léon-Paul Fargue : *Méandres.*
408. Vladimir Maïakovski : *Lettres à Lili Brik (1917-1930).*
409. Unica Zürn : *L'Homme-Jasmin.*
410. V.S. Naipaul : *Miguel Street.*
411. Jean Schlumberger : *Le lion devenu vieux.*
412. William Faulkner : *Absalon, Absalon !*
413. Jules Romains : *Puissances de Paris.*
414. Iouri Kazakov : *La petite gare et autres nouvelles.*
415. Alexandre Vialatte : *Le fidèle Berger.*
416. Louis-René des Forêts : *Ostinato.*
417. Edith Wharton : *Chez les heureux du monde.*
418. Marguerite Duras : *Abahn Sabana David.*
419. André Hardellet : *Les chasseurs I et II.*
420. Maurice Blanchot : *L'attente l'oubli.*
421. Frederic Prokosch : *La tempête et l'écho.*
422. Violette Leduc : *La chasse à l'amour.*
423. Michel Leiris : *À cor et à cri.*
424. Clarice Lispector : *Le bâtisseur de ruines.*
425. Philippe Sollers : *Nombres.*
426. Hermann Broch : *Les Irresponsables.*
427. Jean Grenier : *Lettres d'Égypte, 1950,* suivi de *Un été au Liban.*
428. Henri Calet : *Le bouquet.*
429. Iouri Tynianov : *Le Disgracié.*
430. André Gide : *Ainsi soit-il* ou *Les jeux sont faits.*
431. Philippe Sollers : *Lois.*
432. Antonin Artaud : *Van Gogh, le suicidé de la société.*
433. André Pieyre de Mandiargues : *Sous la lame.*
434. Thomas Hardy : *Les petites ironies de la vie.*
435. Gilbert Keith Chesterton : *Le Napoléon de Notting Hill.*
436. Theodor Fontane : *Effi Briest.*
437. Bruno Schulz : *Le sanatorium au croque-mort.*
438. André Hardellet : *Oneïros* ou *La belle lurette.*
439. William Faulkner : *Si je t'oublie, Jérusalem. Les palmiers. sauvages.*
440. Charlotte Brontë : *Le professeur.*
441. Philippe Sollers : *H.*

442. Louis-Ferdinand Céline : *Ballets sans musique, sans rien*, précédé de *Secrets dans l'île* et suivi de *Progrès.*
443. Conrad Aiken : *Au-dessus de l'abysse.*
444. Jean Forton : *L'épingle du jeu.*
446. Edith Wharton : *Voyage au Maroc.*
447. Italo Svevo : *Une vie.*
448. Thomas de Quincey : *La nonne militaire d'Espagne.*
449. Anne Brontë : *Agnès Grey.*
450. Stig Dagerman : *Le serpent.*
451. August Strindberg : *Inferno.*
452. Paul Morand : *Hécate et ses chiens.*
453. Theodor Francis Powys : *Le Capitaine Patch.*
454. Salvador Dali : *La vie secrète de Salvador Dali.*
455. Edith Wharton : *Le fils et autres nouvelles.*
456. John Dos Passos : *La belle vie.*
457. Juliette Drouet : *« Mon grand petit homme... ».*
458. Michel Leiris : *Nuits sans nuit.*
459. Frederic Prokosch : *Béatrice Cenci.*
460. Leonardo Sciascia : *Les oncles de Sicile.*
461. Rabindranath Tagore : *Le Vagabond et autres histoires.*
462. Thomas de Quincey : *De l'Assassinat considéré comme un des Beaux-Arts.*
463. Jean Potocki : *Manuscrit trouvé à Saragosse.*
464. Boris Vian : *Vercoquin et le plancton.*
465. Gilbert Keith Chesterton : *Le nommé Jeudi.*
466. Iris Murdoch : *Pâques sanglantes.*
467. Rabindranath Tagore : *Le naufrage.*
468. José Maria Arguedas : *Les fleuves profonds.*
469. Truman Capote : *Les Muses parlent.*
470. Thomas Bernhard : *La cave.*
471. Ernst von Salomon : *Le destin de A.D.*
472. Gilbert Keith Chesterton : *Le Club des Métiers bizarres.*
473. Eugène Ionesco : *La photo du colonel.*
474. André Gide : *Le voyage d'Urien.*
475. Julio Cortázar : *Octaèdre.*
476. Bohumil Hrabal : *La chevelure sacrifiée.*
477. Sylvia Townsend Warner : *Une lubie de Monsieur Fortune.*
478. Jean Tardieu : *Le Professeur Frœppel.*
479. Joseph Roth : *Conte de la 1002e nuit.*
480. Kôbô Abe : *Cahier Kangourou.*

481. Rainer Maria Rilke, Boris Pasternak, Marina Tsvétaïeva : *Correspondance à trois.*
482. Philippe Soupault : *Histoire d'un blanc.*
483. Malcolm de Chazal : *La vie filtrée.*
484. Henri Thomas : *Le seau à charbon.*
485. Flannery O'Connor : *L'habitude d'être.*
486. Erskine Caldwell : *Un pauvre type.*
487. Florence Delay : *Minuit sur les jeux.*
488. Sylvia Townsend Warner : *Le cœur pur.*
489. Joao Ubaldo Ribeiro : *Sergent Getulio.*
490. Thomas Bernhard : *Béton.*
491. Iris Murdoch : *Le prince noir.*
492. Christian Dotremont : *La pierre et l'oreiller.*
493. Henri Michaux : *Façons d'endormi, Façons d'éveillé.*
494. Meša Selimović : *Le derviche et la mort.*
495. Francis Ponge : *Nioque de l'avant-printemps.*
496. Julio Cortázar : *Tous les feux le feu.*
497. William Styron : *Un lit de ténèbres.*
498. Joseph Roth : *La toile d'araignée.*
499. Marc Bernard : *Vacances.*
500. Romain Gary : *L'homme à la colombe.*
501. Maurice Blanchot : *Aminadab.*
502. Jean Rhys : *La prisonnière des Sargasses.*
503. Jane Austen : *L'Abbaye de Northanger.*
504. D.H. Lawrence : *Jack dans la brousse.*
505. Ivan Bounine : *L'amour de Mitia.*
506. Thomas Raucat : *L'honorable partie de campagne.*
507. Frederic Prokosch : *Hasards de l'Arabie heureuse.*
508. Julio Cortázar : *Fin de jeu.*
509. Bruno Schulz : *Les boutiques de cannelle.*
510. Pierre Bost : *Monsieur Ladmiral va bientôt mourir.*
511. Paul Nizan : *Le cheval de Troie.*
512. Thomas Bernhard : *Corrections.*
513. Jean Rhys : *Voyage dans les ténèbres.*
514. Alberto Moravia : *Le quadrille des masques.*
515. Hermann Ungar : *Les hommes mutilés.*
516. Giorgi Bassani : *Le héron.*
517. Marguerite Radclyffe Hall : *Le puits de solitude.*
518. Joyce Mansour : *Histoires nocives.*
519. Eugène Dabit : *Le mal de vivre.*

520. Alberto Savinio : *Toute la vie.*
521. Hugo von Hofmannsthal : *Andréas et autres récits.*
522. Charles-Ferdinand Ramuz : *Vie de Samuel Belet.*
523. Lieou Ngo : *Pérégrinations d'un clochard.*
524. Hermann Broch : *Le tentateur.*
525. Louis-René des Forêts : *Pas à pas jusqu'au dernier.*
526. Bernard Noël : *Le 19 octobre 1977.*
527. Jean Giono : *Les trois arbres de Palzem.*
528. Amos Tutuola : *L'ivrogne dans la brousse.*
529. Marcel Jouhandeau : *De l'abjection.*
530. Raymond Guérin : *Quand vient la fin.*
531. Mercè Rodoreda : *La place du diamant.*
532. Henry Miller : *Les livres de ma vie.*
533. R. L. Stevenson : *Ollala des montagnes.*
534. Ödön von Horváth : *Un fils de notre temps.*
535. Rudyard Kipling : *La lumière qui s'éteint.*
536. Shelby Foote : *Tourbillon.*
537. Maurice Sachs : *Alias.*
538. Paul Morand : *Les extravagants.*
539. Seishi Yokomizo : *La hache, le koto et le chrysanthème.*
540. Vladimir Makanine : *La brèche.*
541. Robert Walser : *La promenade.*
542. Elio Vittorini : *Les hommes et les autres.*
543. Nedim Gürsel : *Un long été à Istanbul.*
544. James Bowles : *Deux dames sérieuses.*
545. Paul Bowles : *Réveillon à Tanger.*
546. Hervé Guibert : *Mauve le vierge.*
547. Louis-Ferdinand Céline : *Maudits soupirs pour une autre fois.*
548. Thomas Bernhard : *L'origine.*
549. J. Rodolfo Wilcock : *Le stéréoscope des solitaires.*
550. Thomas Bernhard : *Le souffle.*
551. Beppe Fenoglio : *La paie du samedi.*
552. James M. Cain : *Mildred Pierce.*
553. Alfred Döblin : *Voyage babylonien.*
554. Pierre Guyotat : *Prostitution.*
555. John Dos Passos : *La grande époque.*
556. Cesare Pavese : *Avant que le coq chante.*
557. Ferdinando Camon : *Apothéose.*
558. Pierre Drieu La Rochelle : *Blèche.*
559. Paul Morand : *Fin de siècle.*

560. Juan Marsé : *Le fantôme du cinéma Roxy.*
561. Salvatore Satta : *La véranda.*
562. Erskine Caldwell : *Toute la vérité.*
563. Donald Windham : *Canicule.*
564. Camilo José Cela : *Lazarillo de Tormes.*
565. Jean Giono : *Faust au village.*
566. Ivy Compton-Burnett : *Des hommes et des femmes.*
567. Alejo Carpentier : *Le recours de la méthode.*
568. Michel de Ghelderode : *Sortilèges.*
569. Mercè Rodoreda : *La mort et le printemps.*
570. Mercè Rodoreda : *Tant et tant de guerre.*
571. Peter Matthiessen : *En liberté dans les champs du Seigneur.*
572. Damon Runyon : *Nocturnes dans Broadway.*
573. Iris Murdoch : *Une tête coupée.*
574. Jean Cocteau : *Tour du monde en 80 jours.*
575. Juan Rulfo : *Le coq d'or.*
576. Joseph Conrad : *La rescousse.*
577. Jaroslav Hasek : *Dernières aventures du brave soldat Chvéïk.*
578. Jean-Loup Trassard : *L'ancolie.*
579. Panaït Istrati : *Nerrantsoula.*
580. Ana Maria Matute : *Le temps.*
581. Thomas Bernhard : *Extinction.*
582. Donald Barthelme : *La ville est triste.*
583. Philippe Soupault : *Le grand homme.*
584. Robert Walser : *La rose.*
585. Pablo Neruda : *Né pour naître.*
586. Thomas Hardy : *Le trompette-Major.*
587. Pierre Bergounioux . *L'orphelin.*
588. Marguerite Duras : *Nathalie Granger.*
589. Jean Tardieu : *Les tours de Trébizonde.*
590. Stéphane Mallarmé : *Thèmes anglais pour toutes les grammaires.*
591. Sherwood Anderson : *Winesburg-en-Ohio.*
592. Luigi Pirandello : *Vieille Sicile.*
593. Apollinaire : *Lettres à Lou.*
594. Emmanuel Berl : *Présence des morts.*
595. Charles-Ferdinand Ramuz : *La séparation des races.*
596. Michel Chaillou : *Domestique chez Montaigne.*
597. John Keats : *Lettres à Fanny Brawne.*
598. Jean Métellus : *La famille Vortex.*
599. Thomas Mofolo : *Chaka.*

Composition Interligne.
Impression CPI Firmin Didot
à Mesnil-sur-l'Estrée, le 3 octobre 2010.
Dépôt légal : octobre 2010.
Numéro d'imprimeur : 101497.

ISBN 978-2-07-013095-5/Imprimé en France.